Zum Buch:

Lydia ist glücklich. Jeden Morgen genießt sie es aufs Neue, ihren Wollladen in der Blossom Street zu öffnen. Dann strömt das Aroma der frischen Croissants aus dem Café und der Duft der unterschiedlichsten Blüten aus Suzannahs Blumenladen zu ihr herüber. Sie winkt Anne Marie zu, wenn diese die Tür zu ihrer Buchhandlung öffnet, und fühlt sich zu Hause. Und jetzt endlich wird auch Lydias größter Wunsch in Erfüllung gehen: Sie wird ein Kind bekommen! Sie geht ihren neuen Strickkurs jetzt voller Elan an und hilft ihren Schülern bei ihren Vorhaben: Etwas abzuschließen, um neu zu beginnen.

Zur Autorin:

Regelmäßig finden sich die Werke dieser beliebten Autorin auf der Bestsellerliste der New York Times und sie hat eine weltweite Fangemeinde. In Port Orchard in Washington führt sie erfolgreich das »Grey House Café«, in dem sie ihren Gästen leckeres Frühstück, köstliche Kuchen und ganz besondere Nachmittagstees serviert.

Debbie Macomber

Der Sommer der Wünsche

Roman

Aus dem amerikanischen Englisch von
Anita Sprungk

FSC
MIX
Papier
FSC® C014496

Genehmigte Sonderausgabe 2022

Originaltitel: »Summer on Blossom Street«
Erschienen bei: MIRA Books, Toronto

Published by arrangement with
HARLEQUIN ENTERPRISES II B.V./SARL

Umschlaggestaltung: Birgit Tonn nach einem
Originalentwurf von büropecher, Köln
Umschlagabbildung: Manuel Gutjahr, artpipi, TongRo Images Inc,
Click&Boo/Getty Images, photopeerayut/Shutterstock
Satz: GGP Media GmbH, Pößneck
Druck und Bindung: GGP Media GmbH, Pößneck
Printed in Germany

ISBN 978-3-365-00367-1

Für Delilah,
die Freundin, die Gott mir geschickt hat

1. Kapitel

Lydia Goetz

Es war Mittwochmorgen an einem etwas weniger freundlichen Junitag. Ich drehte das Schild in der Tür meines Wollgeschäfts in der Blossom Street auf *Geöffnet* und blieb einen Moment auf der Türschwelle stehen, um den süßen Duft von Taglilien, Gladiolen, Rosen und Lavendel einzuatmen, der von *Susannah's Garden*, dem Blumenladen nebenan, ausging.

Der Sommer hatte begonnen, und obwohl der Himmel bedeckt war und es ganz so aussah, als könnte es jeden Augenblick anfangen zu regnen, herrschte in meinem Herzen strahlender Sonnenschein. Mein Mann Brad lachte mich jedes Mal aus, wenn ich so etwas sagte, aber das war mir egal. Als eine Frau, die nicht nur ein-, sondern zweimal eine Krebserkrankung überlebt hatte, fand ich, dass ich gelegentlich sentimentale Bemerkungen machen durfte. Ganz besonders heute.

Ich atmete tief ein und langsam wieder aus, genoss den frühmorgendlichen Frieden. Konnte es einen schöneren Ort geben als Seattle im Sommer? Ich glaube nicht. Dazu trugen auch die vielen Blumen bei, die vor *Susannah's Garden* ausgestellt waren. Die Farbenpracht und der berauschende Duft, der zu mir herübergeweht wurde, ließen mich mehr als nur froh sein, dass mein Laden ausgerechnet hier lag.

Whiskers, mein Ladenkater, wie Brad ihn nannte, schlenderte über den Hartholzboden und sprang ins Schaufenster, wo er sich zwischen den dort arrangierten Docken pastellfarbener Wolle einrollte. Fast jeden Tag lag er dort und war dadurch schon längst zu einem Liebling der Nachbarschaft geworden. Die Wohnung im Obergeschoss diente zurzeit als zusätzlicher Lagerraum für Garne; vielleicht würde ich sie eines Tages wieder vermieten, aber derzeit war noch nichts geplant.

Im *French Café* war wie jeden Morgen schon eine Menge los. In den Schaufenstern lagen Gebäckstücke, Brote und Croissants, noch warm vom Backofen, und ihr köstlicher Duft ergänzte die Gerüche, die ich mit dem Sommer in der Blossom Street verband. Alix Turner war normalerweise schon um fünf Uhr morgens da, um all diese verführerischen Köstlichkeiten zu backen. Sie gehörte zu meinen engsten Freundinnen – und zu meinen ersten Kundinnen. Ich war so stolz auf alles, was sie in den letzten Jahren erreicht hatte. Man konnte mit Fug und Recht behaupten, dass sie ihr Leben neu erfunden hatte – mit ein wenig Hilfe von ihren Freundinnen. Inzwischen hatte sie einen Schulabschluss, einen Beruf und war mit einem Mann verheiratet, der wie für sie geschaffen schien.

Blossom Street Books etwas weiter unten an der Straße wartete auch schon auf Kundschaft. Anne Marie Roche und ihre Angestellten ließen häufig die Eingangstür offen stehen, eine Willkommensgeste, die Passanten einlud, den Laden zu betreten und darin zu stöbern. Sie und ihre Tochter Ellen würden etwas später am Tag aus Paris zurückkommen.

Beinahe jeden Nachmittag führte Ellen ihren Yorkshire Terrier an meinem Schaufenster vorbei, damit Whiskers und Baxter einander anstarren konnten. Ellen war davon überzeugt, dass das alles nur Show war. Sie glaubte, der Kater und der Hund seien in Wirklichkeit gute Freunde, wollten aber nicht, dass wir das durchschauten.

Ich lächelte zu Whiskers hinüber, weil ich nicht anders konnte, als meine Freude und meine Aufregung mit jemandem zu teilen, und sei es auch nur mit dem Kater. Tatsächlich hätte ich die frohe Nachricht am liebsten in die ganze Welt hinausposaunt: Gestern hatten wir erfahren, dass einer Adoption unsererseits nichts mehr im Wege stand. Das Jugendamt hatte uns die Eignung als Adoptiveltern bescheinigt. Noch hatte ich niemandem, ja, nicht einmal meiner Schwester Margaret davon erzählt. Wir hatten die Befragungen hinter uns gebracht, unsere Wohnsituation unter die Lupe nehmen lassen, Fingerabdrücke geliefert. Und am Abend zuvor hatten wir das Ergebnis erfahren.

Wir würden ein Baby adoptieren.

Wegen meiner Krebserkrankung kam eine Schwangerschaft nicht infrage. Eine Empfängnis war bei mir nicht mehr möglich, aber der Wunsch nach einem Baby so stark wie eh und je. Er war wie ein Schmerz, der nie ganz verschwand. So gut es ging, habe ich versucht, dies vor Brad zu verbergen. Wann immer ich daran denken musste, was mir der Krebs genommen hatte, gab ich mir größte Mühe, diesem Gedanken entgegenzusetzen, was mir in meinem Leben alles an Gutem zuteilgeworden war. Ich wollte jeden Tag feiern, jede Minute genießen – ohne Groll und ohne Reue.

Es gab so vieles, wofür ich dankbar sein konnte. Ich lebte und war frei von Krebs. Außerdem war ich mit einem Mann verheiratet, den ich anhimmelte. Sein Sohn Cody, inzwischen neun Jahre alt, war auch mein Sohn geworden. Und mir gehörte ein erfolgreiches Geschäft, das mir große Freude bereitete und mir eine tiefe innere Befriedigung bescherte. Als ich seinerzeit *A Good Yarn* eröffnet hatte, war das meine Art, in die Welt hinauszurufen, dass ich mir vom Krebs nichts mehr nehmen lassen wollte. Ich hatte leben wollen, und zwar ohne die ständige Bedrohung durch Krankheit und Tod. Ich hatte mich in der Sonne aalen wollen. Und das will ich immer noch.

So war *A Good Yarn* der Beginn meines neuen Lebens geworden. Innerhalb eines Jahres nach Geschäftseröffnung hatte ich Brad Goetz kennengelernt und ihn im folgenden Frühjahr geheiratet. Wegen all der Dinge, die ich während meiner Teenagerzeit und dann noch einmal mit Mitte zwanzig durchgemacht hatte, fehlte es mir an Erfahrung mit Männern und Beziehungen. Zuerst jagte mir Brads Liebe große Angst ein. Dann lernte ich, etwas Gutes nicht zurückzuweisen, nur weil ich Angst davor hatte, es wieder zu verlieren. Ich begriff, dass ich diesem Mann vertrauen konnte – und mir selbst auch.

Ja, ich konnte mich unendlich glücklich schätzen, von ihm und Cody geliebt zu werden. An jedem einzelnen Tag dankte ich Gott für die beiden Männer in meinem Leben.

Und doch – trotz allem, was ich hatte – wünschte ich mir sehnlichst etwas, das ich nicht hatte: ein Baby in den Armen zu halten. *Unser* Baby. Brad, der mich so gut kannte, verstand mein Bedürfnis. Nachdem wir endlose Wochen über das Thema diskutiert hatten, unentschlossen und schwankend, das Für und Wider abwägend, hatten wir unsere Entscheidung getroffen: Wir wollten ein Kind adoptieren.

Den entscheidenden Ausschlag dafür gab ein Ereignis im Freundeskreis: Anne Marie Roche adoptierte die achtjährige Ellen.

Mir war klar, dass die Wartezeit auf ein Neugeborenes sehr lang werden konnte, aber darauf waren wir beide vorbereitet. Obwohl wir uns über ein Kind gleich welchen Geschlechts gefreut hätten, sehnte ich mich doch heimlich nach einem kleinen Mädchen.

Ich hörte, wie die Hintertür ging, und drehte mich um. Meine Schwester Margaret hatte den Laden betreten. Sie arbeitete schon beinahe vom ersten Tag an in meinem Geschäft mit. Wir waren zwar so verschieden, wie zwei Schwestern nur sein konnten, standen uns aber sehr nahe. Margaret war der ausgleichende Gegenpol zu mir, immer praktisch, immer pragmatisch, und ich glaube, dass es umgekehrt genauso aussah, weil ich viel optimistischer war als sie, viel mehr geneigt, Launen nachzugeben.

»Guten Morgen!«, begrüßte ich sie fröhlich. Ich hätte mein Glück nicht verbergen können, selbst wenn ich gewollt hätte.

»Es wird schütten wie aus Eimern«, grummelte sie, zog ihren Regenmantel aus und hängte ihn im hinteren Lagerraum auf.

Meine Schwester neigte dazu, immer das Negative in allem zu sehen. Für Margaret würde das Glas immer halb leer sein. Oder ganz leer – wenn nicht sogar in Scherben auf dem Boden liegend. Im Laufe der Jahre hatte ich mich an ihre Einstellung gewöhnt und ignorierte sie einfach.

Nachdem sie ihren Mantel weggehängt hatte, starrte Margaret mich an und runzelte die Stirn. »Warum bist *du* so fröhlich?«, fragte sie. »Jeder sieht doch, dass es einen Wolkenbruch geben wird.«

»Ich? Fröhlich?« Es hatte wenig Sinn, zu versuchen, mit meiner Neuigkeit hinterm Berg zu halten, obwohl ich wusste, dass Margaret meine Freude am wenigsten verstehen würde. Sie würde jede Menge Einwände haben und keine Hemmungen, ihrer Meinung Ausdruck zu verleihen. Das lag an ihrer pessimistischen Grundeinstellung, nehme ich an, und daran, dass sie sich Sorgen um mich machte, obwohl sie das nie zugeben würde.

Noch immer sah Margaret mich an. »Du grinst von einem Ohr bis zum anderen.«

Ich beschäftigte mich mit der Kasse, nur um ihr nicht in die Augen sehen zu müssen. Am besten sagte ich es ihr einfach, obwohl mir vor ihrer Reaktion graute. »Brad und ich haben uns als Adoptiveltern beworben«, platzte ich heraus, weil ich nicht anders konnte. »Und unser Antrag ist angenommen worden.«

Verblüfftes Schweigen war die Antwort.

»Ich weiß, dass du glaubst, wir machen einen Fehler«, fügte ich hastig hinzu.

»Das habe ich nicht gesagt.« Langsam kam Margaret auf mich zu.

»Das brauchtest du nicht zu *sagen*«, erwiderte ich. Einmal, nur ein einziges Mal, hätte ich mir gewünscht, dass Margaret sich für mich und mit mir freute, ohne Zweifel, Einwände und Bedenken zu äußern. »Dein Schweigen sagte alles.«

Margaret trat neben mich an den Tresen neben der Kasse. Offenbar schien sie zu spüren, dass ihre Reaktion mich verletzt hatte. »Ich frage mich nur, ob eine Adoption wirklich so eine weise Entscheidung ist.«

»Margaret ...«, setzte ich seufzend an. »Brad und ich, wir wissen, was wir tun.« Obwohl meine Schwester es nicht offen ausgesprochen hatte, konnte ich mir denken, was ihr die größten Sorgen bereitete. Sie hatte Angst, dass der Krebs wieder zurückkehren könnte. Das war eine ernst zu nehmende Möglichkeit und eine Überlegung wert. Weder Brad noch ich nahmen dieses Problem auf die leichte Schulter.

»Brad ist einverstanden?« Meine Schwester klang skeptisch.

»Natürlich ist er einverstanden! Ich würde nie etwas gegen seinen Willen tun.«

Margaret wirkte immer noch nicht überzeugt. »Du bist sicher, dass ihr genau das wollt?«

»Ja«, erwiderte ich nachdrücklich. Manchmal dringt man nur so zu ihr durch. »Brad weiß genauso gut wie ich, welche Risiken wir eingehen. Du musst es nicht aussprechen, Margaret. Ich verstehe, warum du dir meinetwegen Sorgen machst, aber ich bin es leid, in ständiger Furcht zu leben.«

In Margarets Augen stand deutliche Besorgnis, während sie mich eingehend musterte. »Was, wenn die Adoptionsagentur kein Kind für euch findet?«

Auch darüber hatten Brad und ich uns unterhalten. Ja, das konnte durchaus passieren. Ich zuckte die Achseln. »Wer nicht wagt, der nicht gewinnt. Wir versuchen es einfach.«

»Ihr wollt ein Kleinkind?«

»Ja.« Ich stellte mir ein Neugeborenes vor, gewickelt in eine weiche rosa Decke, das mir sanft in die Arme gelegt wurde. An diesem Bild hielt ich mich fest, ließ mich davon trösten und mit Hoffnung erfüllen.

Zu meiner Überraschung kam Margaret nicht sofort mit einem weiteren Einwand. Nachdem sie eine oder zwei Minuten nachdenklich geschwiegen hatte, sagte sie leise: »Du wärst eine gute Mutter … das bist du jetzt schon.«

Ich bin mir sicher, dass ich sie mit offenem Mund anstarrte, denn der Schock, den mir Margarets Bestätigung versetzte, war beinahe mehr, als ich bewältigen konnte. Meine Schwester zollte mir Anerkennung – ein absolutes Novum. Halt, nein, das war nicht fair. Schließlich hatte sie ihren Teil dazu beigetragen, dass Brad und ich wieder zueinanderfanden, nachdem ich ihn von mir gestoßen hatte. Ihr Eingreifen hatte letztlich dazu geführt, dass wir heirateten.

»Danke«, flüsterte ich und berührte ihren Arm.

Margaret gab eine schroffe, unverständliche Antwort und ging hinüber zu dem Tisch hinten im Laden, wo sie sich einen Stuhl nahm, sich hinsetzte und ihre Häkelarbeit auspackte.

»Ich habe das Poster aufgehängt, das du für den neuen Kurs angefertigt hast«, sagte ich, bemüht, die Rührung in meiner Stimme zu verbergen. Dass Margaret mir ihren Segen zu irgendetwas gab, war das Letzte, was ich von ihr erwartet hatte, und ihre Worte berührten mich zutiefst.

Auf meine Bemerkung reagierte sie mit einem Nicken.

Die Idee für den neuen Strickkurs stammte von Margaret. »Stricken, um loszulassen«, so nannte sie den Kurs, und ihr Vorschlag gefiel mir ausgezeichnet. Seit der Eröffnung des Wollgeschäfts vor fünf Jahren war mir aufgefallen, wie viele unterschiedliche Motive meine Kunden – vor allem Frauen, aber auch ein paar Männer – veranlassten, stricken lernen zu wollen. Manche suchten nach Ablenkung oder einem Fluchtweg, einer Sache, auf die sie sich konzentrieren konnten, um sich von irgendeiner Gewohnheit oder einem beherrschenden Gedanken zu befreien. Andere kamen, weil sie sich fürs Stricken begeisterten, und wieder andere hofften, ihrer Liebe zu jemandem oder ihrer Kreativität – oder auch beidem – mit etwas Handgearbeitetem Ausdruck verleihen zu können.

Vor vier Jahren hatte sich Courtney Pulanski, eine Highschool-Schülerin, für meinen Sockenstrickkurs eingeschrieben. Dieser Kurs hatte dazu beigetragen, dass ihr Versuch abzunehmen von Erfolg gekrönt war. Kaum zu glauben, dass Courtney inzwischen auf die Oberstufe des Colleges ging und immer noch gern strickte. Und wichtiger noch: Sie hatte das Gewicht halten können, das sie in jenem Sommer erreicht hatte.

»Ich hoffe, Alix versteht den Wink«, sagte Margaret in meine Gedanken hinein.

Ich begriff nicht gleich, worauf sie hinauswollte. »Wie bitte?«

»Alix raucht wieder.«

Nicht, dass mir das entgangen wäre. Sie roch jedes Mal, wenn sie den Laden betrat, nach Zigarettenrauch. Der Geruch hing in ihren Kleidern und ihren Haaren und ließ sich nicht verbergen. Dennoch schien Alix zu glauben, dass es niemandem auffiel. Tatsächlich hatten es alle längst bemerkt.

»Wenn du mich fragst: Sie würde gern aufhören.«

»Dann sollte sie sich für den Kurs anmelden«, erklärte Margaret mit Nachdruck. »Brauchen könnte sie es.«

Das war typisch für Margaret. Sie glaubte immer zu wissen, was das Beste für jemanden war. Aber im Moment amüsierte mich ihre bestimmende Art eher, als dass sie mich ärgerte.

Die erste Kundin des Tages – eine Frau, die ich noch nie gesehen hatte – betrat den Laden, und fünfzehn Minuten später hatte ich Garn für etwa hundert Dollar verkauft. Ein vielversprechender Start in den Tag.

Sowie sich die Ladentür hinter der Kundin geschlossen hatte, legte Margaret ihre Häkelarbeit beiseite, eine Decke für unsere Mutter, die in einem nahegelegenen Pflegeheim lebte. »Du weißt aber, was geschehen wird, nicht wahr?«

»Geschehen womit?«, fragte ich verwirrt.

»Mit dieser Adoptionsgeschichte.«

Ich erstarrte. Natürlich hätte ich wissen müssen, dass Margaret das Thema nicht ruhen lassen würde. Zumindest nicht, bevor sie ein paar düstere Prophezeiungen von sich gegeben hatte. Mir war klar, dass sie diesem Drang nicht widerstehen konnte, genauso wie mir klar war, dass ihr Beschützerinstinkt mir gegenüber der eigentliche Auslöser war. Aber gerade jetzt wollte ich nichts dergleichen hören.

»Und das wäre?«, fragte ich. Hoffentlich konnte ich meinen Ärger gut genug verbergen.

»Hast du schon mit einem Sozialarbeiter darüber gesprochen?«

»Ja, natürlich.« Ich hatte mit Anne Marie geredet, die mir Evelyn Boyle empfohlen hatte, die Sozialarbeiterin, die für Ellen zuständig gewesen war und ihre Adoption in die Wege geleitet hatte. Anne Marie und Ellen passten so perfekt zusammen, dass ihre Geschichte mich dazu inspiriert hatte, meine Ängste und Befürchtungen zu überwinden. Also waren Brad und ich an Evelyn herangetreten.

Margaret schüttelte den Kopf, was mich nur noch mehr verärgerte.

»Anne Marie hat mir die Telefonnummer der Frau gegeben, die ihr bei Ellens Adoption zur Seite gestanden hat.«

Bestürzt runzelte Margaret die Stirn und presste die Lippen aufeinander.

»Was ist jetzt schon wieder?«, fragte ich, bemüht, ruhig zu bleiben.

»Das würde ich nicht empfehlen.«

»Warum nicht? Im Übrigen ist es sowieso zu spät.«

»Diese Sozialarbeiterin kümmert sich um Pflegekinder, richtig?«

»Soweit ich weiß, ja …« Ich wusste es mit Sicherheit, konnte aber nicht erkennen, inwiefern das von Bedeutung sein sollte. »Was spielt das für eine Rolle?«

Meine Schwester verdrehte die Augen, als hielte sie das für völlig offensichtlich. »Weil sie Kinder in ihren Akten hat«, erklärte sie übertrieben geduldig. »Vermutlich hat sie viele Kinder, von denen sie nicht weiß, wo sie sie unterbringen soll. Lass es dir gesagt sein: Sie wird einen Anlass finden, euch ein bedürftiges Kind aufs Auge zu drücken. Und zwar ganz bestimmt keinen Säugling.«

»Margaret«, erklärte ich spitz, »Brad und ich werden einen Säugling adoptieren. Diese Sozialarbeiterin, Evelyn heißt sie, hilft uns nur bei dem ganzen Prozedere. Das ist alles.«

Ein paar Minuten sagte Margaret nichts. Aber gerade, als es so aussah, als sei sie bereit, das Thema fallen zu lassen, fügte sie hinzu: »Es könnte sich als nicht so leicht erweisen, einen Säugling zu finden.«

»Vielleicht nicht«, stimmte ich zu, weil ich nicht mit ihr streiten wollte. »Wir müssen abwarten und sehen, was die Adoptionsbehörde dazu zu sagen hat.«

»Es könnte teuer werden – die Kosten für die Anwälte und so weiter.«

»Kommt Zeit, kommt Rat.«

Margaret wandte den Blick ab, die Stirn leicht gerunzelt, als müsste sie jeden negativen Aspekt des Ganzen bedenken. »Es gibt auch private Agenturen, die Adoptionen vermitteln, weißt du.«

Ja, das wusste ich, aber was die Kosten anging, so war es besser, sich erst an die staatliche Institution zu wenden.

»Was haltet ihr von einer Adoption aus dem Ausland?«

Anscheinend versuchte Margaret zu helfen, aber ich war davon überzeugt, auf der Hut bleiben zu müssen.

»Das behalten wir im Hinterkopf.«

»Soweit ich gehört habe, ist das noch teurer als der staatliche Weg.«

»Na ja, es ist eine weitere Möglichkeit, die man in Betracht ziehen könnte …«

Margarets Schultern hoben sich, als sie einen tiefen Seufzer ausstieß. »Wirst du es Mom erzählen?«

Angesichts der zerbrechlichen Gesundheit und des raschen geistigen Verfalls unserer Mutter hatte ich nicht die Absicht. »Vermutlich nicht …«

Margaret nickte, die Lippen zusammengekniffen.

»Mom fällt es schon schwer genug, sich daran zu erinnern, dass Cody mein Stiefsohn ist«, erinnerte ich sie. Bei unserem letzten Besuch hatte sie eine Menge Fragen über den »jungen Mann« gestellt, den ich mitgebracht hatte.

Meine Schwester schluckte. »Mom hat Julia nicht erkannt, als wir sie vor ein paar Tagen besucht haben.«

Ein plötzlicher Schmerz durchzuckte mich. Ich litt mit Margaret, mit ihrer Tochter, mit Mom. Das war das erste Mal, dass Margaret so etwas erwähnte. Der geistige Verfall unserer Mutter war in den letzten zwei Jahren rasch vorangeschritten, und ich vermutete, dass sie schon bald auch mich nicht mehr erkennen würde. Margaret und ich teilten uns die Verantwortung, regelmäßig nach ihr zu sehen und dafür zu sorgen, dass es ihr gut ging und sie sich wohlfühlte. Inzwischen hatten meine Schwester und ich die Elternrolle übernommen und sorgten für unsere Mutter.

Ich konnte ganz genau sagen, wann dieser Rollentausch stattgefunden hatte, nämlich an dem Tag, an dem Moms Nachbarin sie bewusstlos in ihrem Garten entdeckt hatte. Sie war beim Gießen der Blumen zusammengebrochen, und von diesem Augenblick an hatte sich alles verändert.

Unsere Mutter war nicht mehr die Frau, die wir unser Leben lang gekannt hatten. Inzwischen lebte sie in einem Pflegeheim und wurde immer verwirrter und unsicherer. Es brach mir das Herz, mit ansehen zu müssen, wie sie sich nach Kräften bemühte, ihre Verwirrung darüber, was mit ihr geschah, zu verbergen.

»Mom wird sich für dich freuen«, murmelte Margaret. »Irgendwann wird sich der Nebel in ihrem Geist lichten, und sie wird erkennen, dass du ein Baby hast.«

Ich lächelte und hoffte, sie würde recht behalten, aber ich hegte doch so meine Zweifel … und wusste, dass es Margaret genauso ging.

Bevor wir unser Gespräch fortführen konnten, schellte die Glocke über der Ladentür, und ich blickte auf. Eine attraktive junge Frau, die ich nicht kannte, hatte den Laden betreten.

»Hallo«, begrüßte ich sie mit einem einladenden Lächeln. »Kann ich Ihnen helfen?«

Die Frau nickte und spielte nervös mit dem Handy in ihrer Hand. »Ja … ich habe das Plakat für den Strickkurs in Ihrem Schaufenster gesehen: Stricken, um loszulassen.«

»Können Sie bereits stricken?«

Sie schüttelte den Kopf. »Nein … das heißt, ja, ein bisschen. Ich habe es vor Jahren mal gelernt, aber alles wieder vergessen. Wäre der Kurs für jemanden wie mich zu fortgeschritten?«

»Ganz und gar nicht. Ich bin sicher, Sie lernen es schnell. Jedenfalls würde ich mich freuen, Ihnen dabei zu helfen, Ihre Kenntnisse aufzufrischen.« Ich erklärte ihr, dass der Kurs über sieben Unterrichtseinheiten gehen würde, und nannte ihr die Höhe der Kursgebühr.

Erneut nickte sie. »Man kann sich für den Kurs anmelden, egal, worum es geht? Wovon man loskommen möchte?« Während sie sprach, hielt sie den Blick zu Boden gesenkt.

»Natürlich«, versicherte ich ihr.

»Gut.« Sie legte ihre Tasche und das Handy auf den Tresen. »Ich würde gern sofort bezahlen.« Damit reichte sie mir eine Kreditkarte. Ich las den Namen: Phoebe Rylander.

»Sie sind die allererste Teilnehmerin«, informierte ich sie.

»Und der Kurs beginnt nächste Woche?«

»Ja.«

»Auf dem Plakat steht, dass er mittwochs von achtzehn bis zwanzig Uhr stattfindet.«

»Ja, der Laden hat so lange geöffnet. Das wird mein erster Abendkurs.«

Ich kümmerte mich um die Zahlung und trug sie in die Anmeldeliste ein. »Von was versuchen Sie loszukommen?«, fragte ich freundlich.

»Nicht von *was*, sondern von *wem*«, flüsterte sie.

»Oh …« Diese Antwort war eine Überraschung.

»Es gibt da einen Mann, über den ich hinwegkommen muss«, fuhr sie fort, und Tränen schossen ihr in die Augen. »Einen Mann, den ich … einmal geliebt habe.«

2. Kapitel

Phoebe Rylander

Clark machte ihre Trennung viel schwieriger, als nötig gewesen wäre. Phoebe hatte *A Good Yarn* gerade verlassen, als ihr Handy sich schon wieder meldete. Ohne auf die Anrufer-ID zu schauen, war ihr klar: Es war Clark Snowden, ihr Verlobter. Nein … ihr Exverlobter.

Der Mann, den sie trotz allem immer noch liebte.

Sie hatte keine andere Wahl gehabt, als die Verlobung zu lösen, egal, wie viel Kummer ihr das bereitete. Wenn sie daran dachte, was er getan hatte, wusste sie: Sie durfte sich nicht noch einmal von ihm herumkriegen lassen. Diesmal nicht. Es war endgültig vorbei. Sie sagte sich, dass nichts, was er sagen oder tun konnte, ihre Meinung ändern würde. Aber schon bald würde sie ihre leere Wohnung betreten und sich darin so einsam und isoliert fühlen, dass sie fürchtete, ihre Entschlossenheit würde ins Wanken geraten. An diesem Nachmittag fühlte sie sich stärker, hatte ihre Gefühle besser im Griff. Der Strickkurs würde ihr eine zusätzliche Hilfe sein.

Das Wissen darum, was sie tun musste, machte die Sache nicht leichter. Clarks Bemühungen, sie zurückzugewinnen, ließen die ohnehin schon schwere Prüfung zu einem noch schlimmeren Fiasko werden. Er war sogar so weit gegangen, ihre Familien in die Sache mit hineinzuziehen. Aber sie konnte sich nicht erlauben nachzugeben. Sie konnte es einfach nicht.

Ihr Handy dudelte weiter vor sich hin, um seinen eingehenden Anruf zu signalisieren.

Wenn sie sich nicht meldete, würde Clark einfach eine Nachricht hinterlassen und es dann noch einmal versuchen. Also nahm sie das Gespräch an. »Ruf mich nicht mehr an«, sagte sie nachdrücklich, selbst überrascht, wie bestimmt sie klang. »Wie oft muss ich dir das noch sagen?«

»Phoebe, bitte … tu das nicht. Lass mich …«

»Dieses Gespräch ist beendet.« Ihr Finger schwebte über dem roten Telefonhörersymbol.

»Phoebe, bitte, du solltest mich wenigstens anhören.«

»Das habe ich bereits getan.« Sie zögerte. »Es gibt nichts weiter zu sagen.«

»Ich flehe dich an.«

»Clark, ich habe dir den Verlobungsring zurückgegeben. Begreif doch: Es ist vorbei. Wir sind fertig miteinander.«

»Du bist wütend und hast jedes Recht dazu. Aber wenn du mir fünf Minuten gibst, nur fünf Minuten, dann könnte ich dir alles erklären.«

Oh, er war gut – wie schon so manche Geschworenengruppe erlebt hatte. »Nein, Clark, darauf bin ich einmal reingefallen. Das war's. Ich bin fertig mit dir. Seit einer Woche sind wir offiziell nicht mehr verlobt.«

»Das meinst du doch nicht so! Das kannst du einfach nicht ernst meinen. Du liebst mich, und ich bin verrückt nach dir … Das weißt du, Phoebe. Das *musst* du wissen. Ich würde niemals etwas tun, womit ich dich verletze. Eher würde ich sterben.«

»Wenn das stimmte, würde ich jetzt einen Sarg für dich aussuchen, denn du *hast* mich verletzt, Clark.« Ihr versagte die Stimme, und sie hasste es, ihm diese kleine Schwäche gezeigt zu haben. Statt die Unterredung fortzusetzen, legte sie auf.

Rasch eilte sie die Blossom Street hinunter, halb blind von Tränen. Sie hatte ihre Mittagspause für einen Spaziergang genutzt und war weiter gegangen, als sie das normalerweise tat. In der Blossom Street war sie noch nie zuvor gewesen. Inzwischen war sie spät dran und musste sich beeilen, um zurück an ihren Arbeitsplatz zu kommen. Ihr Chef in der *Madison Avenue Physical Therapy* hatte zwar sehr viel Verständnis, wusste es aber ganz gewiss nicht zu schätzen, wenn sie einen Patienten warten ließ.

In der Klinik angekommen, war Phoebe ganz außer Atem. Sie hatte nichts zu Mittag gegessen, und ihr Magen beschwerte sich heftig. Egal, jetzt konnte sie daran nichts ändern.

Mrs. Dover saß bereits im Wartezimmer, als Phoebe zur Eingangstür hereineilte. Langsam ließ ihre Patientin die Zeitschrift, in der sie gestöbert hatte, sinken und lächelte Phoebe an. Sie gab ihr Bestes, das Lächeln zu erwidern. Caroline Dover hatte eine Vollprothese für ihr Knie bekommen und deshalb jeden Mittwoch um eins einen Termin bei ihr. Schon seit sechs Wochen kam sie zur Behandlung, und sie machten Fortschritte, wenn auch nur langsam.

»Kommen Sie mit nach hinten«, sagte Phoebe zu der älteren Dame. Sie eilte voran und holte tief Luft. Um diesen Nachmittag zu überstehen, würde sie eine Menge Willenskraft aufbringen müssen.

Indem sie sich einzig auf ihre Patienten konzentrierte, schaffte sie es, bis zum Feierabend durchzuhalten. Um zehn nach fünf zog sie sich ihre Jacke an und schnappte sich ihre Handtasche. Nichts wie weg hier. Da sie nicht widerstehen konnte, warf sie einen Blick auf ihr Handy. Clark hatte drei Nachrichten hinterlassen. Nein, auf keinen Fall wollte sie sich umstimmen lassen, also löschte sie alle drei, ohne sie sich anzuhören.

Seiner Stimme zu lauschen, wagte sie einfach nicht. Dafür war sie viel zu leicht beeinflussbar. Das Problem war nämlich, dass sie ihm glauben *wollte* ... Nichts wünschte sie sich sehnlicher, als dass das Ganze sich einfach in Luft auflöste. Genau deshalb hatte sie sich so spontan für den Strickkurs angemeldet. Stricken, um loszulassen. Das Plakat im Schaufenster des Wollgeschäfts war ihr wie eine blinkende Neonreklame erschienen. Wenn sie Clark davon überzeugen wollte, dass sie es ernst meinte – und das tat sie –, dann brauchte sie etwas, das sie ablenkte und ihr half, die nächsten paar Wochen zu überstehen.

Sie schloss die Hand fester um ihr Smartphone. Obwohl sie die Buttons drückte, um Clarks Nachrichten zu löschen, sehnte sie sich danach, mit ihm zu reden. So gern hätte sie sich seiner Liebe versichert. So gern hätte sie einen plausiblen Grund von ihm gehört, der sein Bedürfnis, es mit anderen Frauen zu treiben, erklärte. Doch es gab keine Gründe. Keine Entschuldigungen. Nichts, was er sagen konnte, würde irgendetwas daran ändern, was er getan hatte.

»Hattest du wieder mal Krach mit Clark?«, erkundigte sich ihr Chef Bill Boyington, als sie gerade die Klinik verlassen wollte.

Die Frage traf sie völlig unvorbereitet.

»Wie kommst du darauf?« Phoebe hatte die ganze Woche hindurch alles getan, um ihre Arbeit nicht leiden zu lassen und ihre Gefühle nicht zu zeigen. Keinem der Kollegen hatte sie offenbart, dass sie ihre Verlobung gelöst hatte.

»Es sind Blumen für dich gekommen.« Er wies zum Empfangstresen hinüber.

Richtig, da stand ein gewaltiger Blumenstrauß. Sie fragte sich, wie sie den hatte übersehen können. Orchideen, Lilien und Rosen steckten zwischen weißen Hortensienblüten; offensichtlich hatte Clark keine Kosten gescheut. Allerdings schienen ihr die Blumen passender für eine Beerdigung als für eine Versöhnung. Nun ja, in vielerlei Hinsicht kam das Ganze ja auch einer Beerdigung gleich, und sofort war Phoebe wieder zum Weinen zumute.

Entschlossen, stark zu bleiben, straffte sie die Schultern. »Ich will sie nicht.«

Verdutzt musterte Bill sie.

»Nimm sie mit, schenk sie Louise«, schlug sie vor. Sie wusste, dass Bills Frau sich darüber freuen würde.

Ihr Chef war noch nicht überzeugt. »Ich würde wetten, dass er mindestens zweihundert Dollar dafür ausgegeben hat.«

Eine Sekunde lang war Phoebe versucht, ihm zu vergeben. Clark gab sich solche Mühe. Er war so entschlossen, ihren Widerstand zu brechen. Aber nein, sie konnte es sich nicht erlauben, auch nur ein klitzekleines bisschen nachzugeben. Also schüttelte sie den Kopf. »Ich … ich will sie nicht. Schenk sie Louise, oder wirf sie weg.«

»Allen Ernstes?«, fragte Bill, die Stirn gerunzelt, als glaube er an einen merkwürdigen Scherz.

»Zwischen mir und Clark ist es aus.«

»Diesmal keine Aussicht auf Versöhnung?«

Phoebe blinzelte ihre Tränen weg. »Nein … Ich habe wirklich keine andere Wahl.«

Sacht klopfte ihr Chef ihr auf die Schulter. »Möchtest du mit jemandem darüber reden? Mit mir oder …« Er nickte zum Empfangstresen hinüber. Claudia war etwa im selben Alter wie Phoebes Mutter.

»Danke, aber … ich denke nicht. Es ist alles noch ziemlich frisch.«

Wieder tätschelte Bill ihr die Schulter. »Es tut mir leid. Ich weiß, wie sehr du ihn geliebt hast.«

Mit zitternden Fingern kramte Phoebe in ihrer Handtasche nach einem Taschentuch und putzte sich die Nase. Zorn und Empörung würden ihr nur vorübergehend helfen, und dann würde die Reue sie überfallen. Ihre Erfahrung hatte sie gelehrt, dass sie darauf vorbereitet sein musste. Sie brauchte einen Plan, um mit der Depression fertigzuwerden, die unweigerlich einsetzen würde.

»Bill, würdest du mir einen Gefallen tun?«

»Natürlich.« Seine bedingungslose Loyalität und Hilfsbereitschaft erschwerten es ihr, ihre Gefühle unter Kontrolle zu halten.

»Ich würde mich freuen, wenn du Claudia aufträgst, alles abzuweisen, was Clark Snowden für mich anliefern lässt.« Ihre Stimme zitterte nur ein wenig, als sie das sagte. Wenn sie Clark diesmal vergab, würde sie alle Selbstachtung verlieren. Ihm aus dem Weg zu gehen würde mühsam werden. Sie musste daran arbeiten, genau wie Caroline Dover daran arbeitete, ihr Knie wieder funktionstüchtig zu bekommen. Aber schließlich würde Phoebe lernen, Clark nicht länger zu lieben. Und irgendwann würde der Schmerz in ihrem Herzen nachlassen.

Bill nahm sie in die Arme, bevor sie ging, und das ließ sie aufs Neue in Tränen ausbrechen. Auf dem Weg zu ihrem Parkplatz meldete sich schon wieder ihr Handy. Sie machte sich nicht die Mühe, nachzuschauen, wer anrief. Ein fröhliches Geklimper kündigte an, dass sie eine neue Nachricht erhalten hatte.

Sie wurde langsamer. Clark würde nicht leicht aufgeben, würde ihr nachjagen, ihr Geschenke schicken, ihr in den Ohren liegen, bis sie schwach wurde. Und die Gefahr bestand durchaus. Schließlich war sie schon einmal schwach geworden.

Es war schwer, sich von dem Mann abzuwenden, den man liebte. Schwer, gegen das Verlangen anzukämpfen, seinen Ausflüchten Glauben zu schenken. Das war vertrautes Gelände – und sie hatte sich geschworen, diesem Pfad nie wieder zu folgen. Und doch … hier stand sie nun.

Nein, sie konnte nicht nachgeben, durfte es nicht.

Sie kam an dem Telefonladen vorbei, an dem sie fünf Mal die Woche vorbeiging, nahm ihn heute aber zum ersten Mal wirklich wahr. Nach kurzem Zögern kehrte Phoebe um und starrte ins Schaufenster, wo das neueste Zubehör für Smartphones auslag.

Selbstverständlich würde Clark sie so lange weiter anrufen, bis er ihre Entschlossenheit ins Wanken brachte. Sie kannte seinen Plan und war schon einmal darauf hereingefallen. Wenn sie es wirklich ernst meinte, Clark aus dem Weg zu gehen, dann musste sie ihm die richtigen Signale senden.

Entschlossen betrat sie den Laden und schaute sich um.

»Sie müssen eine Nummer ziehen«, wies eine abgekämpfte Verkäuferin sie an.

»Ich habe nur eine Frage.«

»Sie müssen trotzdem eine Nummer ziehen.«

»In Ordnung.« Ihre Nummer lautete 57, und sie lehnte sich lässig gegen die Wand. Es gab sowieso keinen Grund, eilig nach Hause zu kommen, denn dort erwartete sie nur eine leere Wohnung. Na ja, leer bis auf ihre Katze Princess.

Die Katze besaß mehr gesunden Menschenverstand als Phoebe. Princess hatte Clark noch nie gemocht, und die Antipathie beruhte auf Gegenseitigkeit. Er hatte gesagt, wenn sie verheiratet wären, wolle er, dass sie Princess zu ihrer verwitweten Mutter gab. Dafür, dass sie sich widerwillig einverstanden erklärt hatte, verabscheute sie sich selbst.

Eine Weile später rief die Verkäuferin die Nummer 57 zweimal aus, bevor Phoebe bewusst wurde, dass sie an der Reihe war. Eine neue Rufnummer zu bekommen erwies sich als relativ einfach. Allerdings würde es lästig werden, ihre Familie und Freunde über die neue Nummer zu informieren.

Familie.

Da war jemand, den sie bisher noch nicht über die jüngsten Ereignisse in Kenntnis gesetzt hatte: ihre Mutter. Sie liebte Clark und hatte nach seinem ersten … Fehltritt Partei für ihn ergriffen. Phoebe konnte nur hoffen und beten, dass ihre Mutter diesmal auf ihrer Seite stehen würde.

Als sie nach Hause kam, fühlte sie sich etwas weniger verletzlich. Princess begrüßte sie schon an der Wohnungstür und rieb sich schnurrend an Phoebes Knöcheln.

Lächelnd beugte sie sich zu ihrer Katze hinunter, nahm sie auf die Arme und barg ihr Gesicht in dem weichen grauen Fell. »Du hattest die ganze Zeit recht«, flüsterte sie. »Ich hätte deiner Einschätzung über ihn vertrauen sollen. Das hätte mir eine Menge Kummer erspart.«

Das Licht an ihrem Anrufbeantworter blinkte heftig. Phoebe konnte sich denken, von wem die meisten Anrufe gekommen waren. Entsprechend überrascht stellte sie fest, dass die erste Nachricht von ihrer Mutter war.

»Ruf mich an, sobald du nach Hause kommst«, flehte Leanne Rylander. »Es ist wichtig, Phoebe. Ich muss dringend mit dir reden.«

Frustriert lehnte Phoebe die Stirn gegen die Schranktür. Früher oder später musste sie es ihrer Mutter sagen, obwohl sie den

Verdacht hegte, dass diese bereits Bescheid wusste. Das ließ sich aus ihrem Tonfall schließen.

Sie ließ sich einen Moment Zeit, um ihre Entschlossenheit zu stärken. Dann griff sie nach dem Telefonhörer.

»Bist du das, Phoebe?«, meldete Leanne sich.

»Ich gehe davon aus, dass Clark mit dir gesprochen hat?«, fragte Phoebe resigniert.

»Ja, das hat er. Oh, Phoebe, er ist ganz außer sich.«

»Das sollte er auch«, gab sie knapp zurück. »Mutter, sag bitte nicht, dass du auf seiner Seite stehst.« Es war auch so schon schwer genug, Clarks Flehen zu widerstehen. Nahezu unmöglich wurde es, es zu ignorieren, wenn ihre Mutter Partei für ihn ergriff.

»Na ja, nein … Was er getan hat, lässt sich nicht entschuldigen.«

»Danke«, flüsterte Phoebe erleichtert.

»Du hast allen Grund, dich aufzuregen«, fuhr ihre Mutter besänftigend fort.

»Ja, allen Grund!« Plötzlich fiel Phoebe ein, dass Clark genau dieselben Worte benutzt hatte, und sie fragte sich, ob Leanne die ganze Geschichte kannte. »Mom, ist dir klar, dass Clark verhaftet wurde, als er mit einer Prostituierten verhandelt hat?«

»Ja, das hat er mir erzählt. Es entschuldigt zwar nichts, aber er meinte, er habe einfach geglaubt, mit einer Prostituierten zu schlafen, falle nicht unter Fremdgehen.«

Die Tatsache, dass Clark ihrer Mutter die Wahrheit oder zumindest teilweise die Wahrheit gesagt hatte, war ein Schock für Phoebe. »Aber … er hat versucht, sich Sex zu erkaufen!«

Sie hörte das Mitgefühl in der Stimme ihrer Mutter. »Ja, ich weiß.«

»Und das ist nicht das erste Mal.«

Ihre Mutter seufzte. »Ich kann mir in etwa ausmalen, wie zornig du bist.«

»Nein, das kannst du nicht!«, rief Phoebe. »Du kannst dir nicht einmal ansatzweise vorstellen, wie wütend ich bin und wie demütigend das für mich ist.«

»Aber Phoebe, Schätzchen, du verstehst nicht. Es gibt mildernde Umstände, weil Clark in eine Falle gelockt worden ist. Er hat mir versichert, dass er deswegen niemals vor Gericht gestellt wird. Ja, er denkt sogar darüber nach, Anzeige gegen die Polizei von Seattle zu erstatten, weil sie ihn so in Verlegenheit gebracht hat.«

Phoebe schloss die Augen. »Mutter, du müsstest dich selbst mal hören. Es spielt keine Rolle, ob er in eine Falle getappt ist, genauso wenig wie die Tatsache, dass das Mädchen, von dem er Sex kaufen wollte, eine Undercover-Polizistin war. Es ist egal, ob er vor Gericht gestellt wird oder nicht. Was allerdings eine Rolle spielt, ist, dass der Mann, den ich heiraten wollte, diese ... diese Schwäche hat. Dieses Bedürfnis, mit anderen Frauen zu schlafen. Er ist süchtig nach Sex. Wie demütigend ist das? Ich weiß nicht, ob ihn die Gefahr antörnt, wenn er eine Frau auf der Straße aufgabelt, oder woran es liegt. Ich weiß nur, dass ich einen Mann, der mich so hintergeht, nicht heiraten kann und werde.«

Erneut seufzte ihre Mutter. »Phoebe, hör mir zu. Du bist meine Tochter, und ich will, dass du glücklich wirst – aber du musst doch die Umstände berücksichtigen.«

Das Gespräch wurde immer schmerzhafter und demütigender. »Im Endeffekt läuft es darauf hinaus: Clark war bereit, eine Frau für Sex zu bezahlen. Kann ich es noch deutlicher ausdrücken?«

»Oh, Phoebe, das reicht jetzt aber. Du musst wirklich nicht vulgär werden.«

»Ach, und wie soll ich es aufhübschen?«, rief sie. »Clark wollte mit einer anderen Frau schlafen? Einer Frau, die er dafür bezahlt hat! Klingt es so weniger anstößig für dich?«

»Ach herrje, du bist wirklich sauer, nicht wahr?«

»Sauer? Sauer!?« Ja, sie war sauer, und im Moment war es eine gute Therapie, ihre Wut herauszulassen. »Ich bin stocksauer, Mom. Außerdem bin ich verletzt, enttäuscht, gedemütigt, am Boden zerstört, und mein Herz ist gebrochen. Und das beschreibt es noch nicht einmal annähernd.«

Ihre Mutter reagierte nicht sofort. »Du solltest eine Nacht darüber schlafen, bevor du eine drastische Entscheidung fällst«, meinte sie schließlich.

»Darüber schlafen? Worüber? Darüber, dass der Mann, den ich liebe, notorisch fremdgeht? Mom, glaubst du wirklich, dass er damit aufhören wird, wenn wir erst verheiratet sind?«

»Männer ...«

»Mom!«, fiel sie ihr ins Wort. »Komm mir nicht mit Entschuldigungen für Clark.«

»Aber Liebling, er hat es mir erklärt. Ich weiß, dass es falsch ist, aber er hat wirklich nicht das Gefühl fremdzugehen, wenn er mit einer ... du weißt schon, einer Prostituierten schläft.«

»Und damit ist es völlig in Ordnung? Das kann nicht dein Ernst sein!«

Ihre Mutter schwieg einen Moment. »Es ist nur so, dass Clark wirklich gute Beziehungen hat und seine Mutter und ich ...«

»Seine Mutter hat dich in den Countryclub eingeladen, wo du all die Leute kennengelernt hast, über die du sonst in der Zeitung liest.« Es fiel ihr schwer, das auch nur auszusprechen, aber es war die Wahrheit. Leanne genoss es, den Snowdens nahezustehen. Schließlich waren sie eine wohlhabende, angesehene Familie.

»Erinnerst du dich nicht mehr, wie aufgeregt ich war, als du deinen neuen Patienten erwähnt hast?«, fragte ihre Mutter. Sie klang jetzt so untröstlich, wie Phoebe sich fühlte.

Natürlich erinnerte sie sich. Die Gesellschaftsspalten waren schon immer der Teil der Zeitung gewesen, den ihre Mutter besonders begeistert verschlang. Als Clark sich bei einem Skiunfall das Knie verletzt hatte, war sie seine Physiotherapeutin gewesen. Nach der ersten Therapiestunde wollte er sich mit ihr verabreden. Phoebe hatte die Einladung ausgeschlagen. Sich mit einem Patienten zu verabreden verstieß gegen die Regeln der Klinik.

Clark machte ihr wochenlang den Hof, schickte ihr Blumen, brachte ihr Geschenke, umgarnte sie. Trotz seiner Bemühungen widerstand sie jedem seiner Versuche und weigerte sich, sich außerhalb der Klinik mit ihm zu treffen – bis seine Therapie abgeschlossen war. Zu dem Zeitpunkt hätte sie es bereits besser wissen sollen. Clark konnte mit Zurückweisung nicht umgehen. Sie hatte die Verlobung gelöst, und das verletzte seinen Stolz. Er hatte nicht die Absicht, sie damit durchkommen zu lassen. Nach seiner Weltsicht hielt er die Fäden in der Hand. Wenn hier jemand den anderen verließ, dann war er das.

Ihre Mutter war in Verzückung geraten, kaum dass sie Clarks Namen vernommen hatte. Schon früh deutete sie an, ihre Tochter dürfe ruhig die Regeln brechen, wenn es um jemanden seiner Stellung ging. Und als sie tatsächlich begannen, sich zu verabreden, erzählte Leanne all ihren Freundinnen, ihre Tochter gehe mit dem einzigen Sohn von Max und Marlene Snowden.

Clark arbeitete in der renommierten Anwaltskanzlei seines Vaters und würde innerhalb der nächsten fünf Jahre zu einem der Partner aufsteigen. Soweit es Leanne Rylander betraf, war ihre Tochter auf eine Goldader gestoßen.

Und Clark eroberte sie im Sturm. Ganz wie der Held eines Liebesromans. Er führte sie auf Partys und Konzerte aus, überschüttete sie mit Geschenken, schmeichelte ihr – und bat sie schließlich, ihn zu heiraten.

Das erste Anzeichen für Probleme gab es, als eine Frau aus der Kanzlei in der Klinik auftauchte und Phoebe vertraulich sprechen wollte. Kellie Kramer warnte sie, dass Clark gewohnheitsmäßig mit Prostituierten verkehrte. Phoebe glaubte ihr nicht. Warum sollte sie auch? Offenbar hatte die Frau eine Rechnung mit Clark offen. Aber dann legte Kellie einen Beweis vor: Sie zeigte ihr eine Kopie des Haftbefehls, als Clark zum ersten Mal festgenommen worden war. Als sie ihn der Akte entnommen hatte, hatte sie ihren Job riskiert, weil sie der Meinung war, Phoebe habe das Recht, Bescheid zu wissen. Kellie behauptete außerdem, dass es noch eine Reihe weiterer Vorfälle dieser Art gegeben habe, Clark aber nicht erwischt worden sei.

Phoebe war fassungslos und konfrontierte Clark mit den Vorwürfen. Der schien ehrlich überrascht, dass sie sich darüber aufregte. Ihr Verlobter war der Ansicht, so etwas täten praktisch alle Männer. Sex mit einer Prostituierten bedeute gar nichts, behauptete er.

Es fiel ihr schwer, seinen unangemessenen Ausflüchten zuzuhören. Am liebsten hätte sie die Verlobung sofort gelöst, aber Clark bettelte um eine zweite Chance. Er rief sie an, immer wieder, bei Tag und bei Nacht. Er schickte Blumen und hinterließ flehende Nachrichten auf dem Anrufbeantworter, bis sie schließlich einknickte und ihm verzieh. Wirklich dazu überredet, ihm eine zweite Chance zu geben, hatte sie jedoch ihre Mutter.

Leanne hatte das Gefühl, Phoebe müsse Clark eine Chance geben, sein Verhalten zu ändern. Jetzt, da er begriffen hätte, dass solch ein Verhalten inakzeptabel war, würde er damit aufhören, lautete ihr Argument.

Clark sagte genau das Richtige. Mit Tränen in den Augen schwor er ihr, nichts dergleichen würde jemals wieder vorkommen. Er liebte sie. Wenn Phoebe ihn verließ, wäre sein Leben ruiniert.

Außerdem erzählte er ihr, Kellie Kramer sei gefeuert worden. Sie habe ihre Grenzen überschritten, und ihre Insubordination werde auf keinen Fall geduldet. Sie habe damit nur Clark und seinen Vater verletzen wollen, und wenn Phoebe die Verlobung auflöste, hätte Kellie gewonnen. Er bettelte um eine zweite Chance, und mit der zuversichtlichen Ermunterung ihrer Mutter im Ohr ließ Phoebe sich von ihm überzeugen.

»Phoebe? Phoebe, bist du noch dran?«, fragte ihre Mutter kläglich.

»Ja, Mom.«

»Versprich mir, dass du noch mal darüber schlafen wirst. Deine ganze Zukunft steht auf dem Spiel.«

»Ich habe es dir bereits gesagt, Mutter. Es gibt nichts zu überschlafen. Clark wollte mit dieser Frau Sex. Er hat es zugegeben!«

»Ja, aber sie hat ihm eine Falle gestellt.«

»Das spielt keine Rolle. Er hat sein Wort gebrochen. Das ist das Entscheidende.«

»Ich habe solche Angst, dass du etwas tust, was du für den Rest deines Lebens bereuen wirst.«

Du meinst, was *du* bereuen wirst, schoss es Phoebe durch den Kopf, aber sie sprach es nicht aus. Stattdessen schloss sie die Augen. »Ich ... ich kann nicht mehr darüber reden. Gute Nacht, Mom.«

Sie musste hart bleiben, nicht nur gegen Clark, sondern auch gegen ihre Mutter, die der Meinung war, Phoebe solle lieber ihr Glück und ihre Integrität opfern, als eine gesellschaftlich vorteilhafte, emotional aber kaputte Beziehung zu beenden.

Es wird höchste Zeit für den Strickkurs, schoss es ihr durch den Kopf. Sie musste Clark Snowden aus ihrem Leben verbannen, und dafür brauchte sie jede Unterstützung, die sie bekommen konnte.

3. Kapitel

Bryan »Hutch« Hutchinson

Hutch saß in Dr. Dave Wellingtons Sprechzimmer und wartete. Sein Arzt und ehemaliger Klassenkamerad wollte mit ihm reden, und das konnte nichts Gutes bedeuten. Er hatte seine jährliche Untersuchung vornehmen – wobei jährlich nicht ganz wörtlich zu nehmen war – und eine Reihe von Tests über sich ergehen lassen. Anschließend hatte ihn die Sprechstundenhilfe ins Arztzimmer geführt.

Hutch und Dave waren seit Jahren befreundet. Gemeinsam hatten sie die Highschool und das College besucht, waren beide zu Footballstars aufgestiegen. Bevor Hutch das Familienunternehmen übertragen worden war, hatten sie jeden Mittwochnachmittag miteinander Golf gespielt. *Golf.* Wie so vieles andere hatte Hutch auch das aufgegeben, nachdem sein Vater unerwartet gestorben war. Er übernahm die Position des Firmenchefs von *Mount Rainier Chocolates*, und seitdem hatte sich sein Leben grundlegend verändert.

Tagsüber hatte er einfach keine Zeit mehr für Golf. Und jetzt, da der Firma ein Gerichtsverfahren drohte …

Hutch wollte nicht darüber nachdenken, denn wann immer er das tat, packte ihn die Wut. Ihm war klar, dass das schlecht für seinen Blutdruck war, von dem ihm die Sprechstundenhilfe bereits gesagt hatte, er sei zu hoch. Kein Wunder. Also schön, er war vermutlich nicht mehr so fit wie zu Collegezeiten. Schließlich hatte er keine Zeit, Sport zu treiben. Seine Position in der Firma machte es ihm unmöglich.

»Werde ich überleben?«, fragte Hutch scherzend, als sein Freund hereinkam. Dave trat hinter seinen Schreibtisch, zog den Stuhl hervor und setzte sich.

»Das kommt darauf an.«

Das Lächeln auf Hutchs Lippen erstarb. »Du machst Witze, oder?«

Dave beugte sich vor. »Dein Blutdruck ist viel zu hoch.«

»Ja, aber …« Er runzelte die Stirn. Zurzeit lag sein Stresslevel irgendwo jenseits von Gut und Böse, und zwar hauptsächlich wegen einer ungerechtfertigten Anklage, die kürzlich gegen seine Firma erhoben worden war. Irgendeine Frau behauptete, dass sie fett geworden sei, weil sie Mount Rainier Schokolade gegessen hatte. Klar, die Anklage war raffiniert formuliert. Da stand was von »psychischer Abhängigkeit« sowie Werbung, die eben diese Abhängigkeit förderte und ausnutzte. Jedenfalls hatte die Klägerin wegen ihrer Gewichtszunahme geklagt. Wenn das nicht dämlich war! Und doch war das exakt die Art von Fall, von der er schon oft gelesen hatte, die Art von Fall, bei der eine Jury dem Kläger enorme Schadenersatzsummen zugesprochen hatte. Eigentlich sollte die Klägerin nicht die geringste Aussicht haben, den Rechtsstreit zu gewinnen, aber sie hatte sich einen Spitzenanwalt genommen, der *Mount Rainier Chocolates* böswillige Absicht und bewusstes Fehlverhalten vorwarf und offensichtlich hoffte, mit diesem Verfahren einen Präzedenzfall zu schaffen, mit dem er sich einen Namen machen konnte. Jedes Mal wenn Hutch darüber nachdachte, regte er sich noch mehr auf. Spielten Dinge wie Eigenverantwortung, gesunder Menschenverstand und Zurechnungsfähigkeit denn gar keine Rolle mehr?

Hutch waren die Kosten egal; er würde nicht nachgeben, sich keiner Erpressung fügen, und genau das war diese Angelegenheit seiner Meinung nach. Also gut, sein Blutdruck war zu hoch; er würde etwas dagegen tun. »Schön, ich nehme Tabletten.«

Nachdenklich schüttelte Dave den Kopf. »Das reicht nicht. Du arbeitest zu hart, treibst nicht genug Sport, und ich bin mir durchaus darüber im Klaren, dass du dich miserabel ernährst. Alles in allem zeigst du jedes klassische Symptom eines Mannes, der direkt auf einen Herzinfarkt zusteuert.«

»Hey, ich bin erst fünfunddreißig.«

»Und unverheiratet. Du weißt doch, was die Statistiken über die Vorteile der Ehe sagen – vor allem für Männer.«

Dass Hutch keine Frau hatte, war auch ein Streitpunkt mit seiner Mutter. »Ich habe keine Zeit, Frauen kennenzulernen«, grummelte er.

Dave ging nicht darauf ein. »Außerdem gibt es in deiner Familiengeschichte bereits Herzerkrankungen.«

»Ja, aber …«

»Wie alt war dein Vater, als er starb?«

Hutch atmete aus. »Achtundfünfzig.« Den Tag, an dem er seinen Vater verloren hatte, würde er nie vergessen. Damals war er fünfundzwanzig, sorglos, selbstsüchtig und ein bisschen arrogant gewesen. Und er hatte Zeit gehabt, Golf zu spielen, sich mit Frauen zu verabreden sowie etwas mit Freunden zu unternehmen. All das hatte sich geändert, und zwar buchstäblich über Nacht.

Zwar war er immer darauf eingestellt gewesen, irgendwann seinem Vater als Leiter des Familienbetriebes zu folgen. Allerdings hatte er geglaubt, noch Jahre Zeit zu haben, bis Bryan senior sich zur Ruhe setzte, und sich deshalb nicht groß mit Detailfragen des Unternehmens beschäftigt. Obwohl er jeden

Tag zur Arbeit erschien, hatte er der Firma keine besondere Aufmerksamkeit geschenkt. Jedenfalls nicht genug, um so kurzfristig die Leitung zu übernehmen.

Zwei Jahre hatte er gebraucht, um alles zu lernen, was man über das Unternehmen und die Rolle des Firmenleiters wissen musste. Er hatte Fehler gemacht, und die Firma war in unruhiges Fahrwasser geraten. Dabei trug er nicht nur die Verantwortung für ihre Angestellten, sondern auch für seine Mutter, die auf das Einkommen aus dem Unternehmen angewiesen war. *Mount Rainier Chocolates* hatte Marktanteile verloren. Diese Lektionen waren hart gewesen, aber Hutch hatte sich langsam zurechtgefunden. In den nächsten paar Jahren ging es ganz langsam wieder aufwärts, und dann kam allmählich der Wendepunkt. Das gewonnene Selbstvertrauen hatte ihm Mut gemacht, neue Produkte zu entwickeln, die er testen wollte. Er hatte neue Vertriebspartner gefunden, und inzwischen war er an jedem Aspekt des Unternehmens beteiligt – von der Forschung und Produktentwicklung bis zur Werbung sowie allem, was dazwischenlag. Genau deshalb arbeitete er zwölf bis vierzehn Stunden am Tag. Mit anderen Worten: Der Zeitpunkt war denkbar ungünstig für eine Klage gegen die Firma, aber wann wäre er schon günstig gewesen?

»Ich stelle dir ein Rezept aus«, fuhr Dave ernst fort, »aber was du wirklich brauchst, ist, deinen Lebensstil komplett zu ändern.«

Hutch verkniff es sich, laut aufzustöhnen. Schließlich konnte er keine einzige Sache mehr in seinem übervollen Terminkalender unterbringen. »Zum Beispiel?«

»Eine vernünftige Diät.«

Das wurmte ihn. Zwar war er sich darüber im Klaren, dass er zu häufig Mahlzeiten ausfallen ließ und infolgedessen zu viel

Ungesundes im Vorübergehen in sich hineinstopfte. »Ich habe kein Übergewicht«, protestierte er.

»Stimmt, aber du stehst am Rand einer Blutarmut, dein Kaliumspiegel ist zu niedrig, und dein Immunsystem ist geschwächt. Letzteres ist einer der Gründe, warum dein Daumen so lange braucht, um zu heilen.«

Vor über einem Monat hatte Hutch sich in das Fleisch zwischen Daumen und Zeigefinger geschnitten – beim Versuch, ein zwei Tage altes und schon recht gummiartiges Stück Pizza zu zerschneiden. Die Verletzung hatte mit mehreren Stichen genäht werden müssen und machte ihm bis heute zu schaffen. Es war sein schlecht verheilter Daumen, der ihn schließlich veranlasst hatte, sich einen Termin für seinen Gesundheitscheck geben zu lassen. Seit etwa anderthalb Jahren hatte er sich nicht mehr mit Dave getroffen – weder in dessen Eigenschaft als Arzt noch privat, außer für einen Drink zu Weihnachten.

»Kann ich nicht einfach Vitamine nehmen?«, fragte Hutch hoffnungsvoll.

»Ich empfehle dir ein Vitaminpräparat und verschreibe dir außerdem Eisentabletten sowie Blutdrucksenker, aber das reicht nicht aus. Du musst anfangen, besser auf deine Gesundheit zu achten.« Er schwieg, doch das Unausgesprochene hing zwischen ihnen in der Luft: Falls er das nicht tat, würde Hutch enden wie sein Vater und viel zu früh einem Herzinfarkt erliegen.

Und diesmal würde niemand da sein, der das Unternehmen weiterführen könnte.

»Okay, ich melde mich in einem Fitnessstudio an.«

Als wäre ihm das bei Weitem nicht genug, zuckte Dave die Achseln. »Du musst mehr tun, als dich bloß dort anzumelden. Du solltest mindestens dreimal die Woche Sport treiben.«

»Okay, in Ordnung, mache ich.«

»Außerdem könntest du einen oder zwei Kurse besuchen.«

Noch mehr? »Was für Kurse?«

Dave lehnte sich zurück und musterte Hutch grinsend. »Lach jetzt nicht«, sagte er.

»Warum sollte ich lachen?«

»Weil ich dir vorschlagen möchte, Stricken zu lernen.«

Hutch schüttelte den Kopf. »Du machst Witze, oder?«

»Nein, keineswegs. Ich habe einen männlichen Patienten, der mich mit abartig hohem Blutdruck aufgesucht hat. Irgendwann beschloss er, mit dem Stricken anzufangen. Ich glaube, seine Frau hat ihn dazu überredet. Und ich muss sagen: Die Veränderung, die das bei ihm ausgelöst hat, hat mich sprachlos gemacht. Kein Witz! Ich habe an seinen Werten gesehen, wie gut das wirkt.«

Was für eine lächerliche Idee. »Als ob ich Zeit hätte für … Handarbeiten.«

»Es ist nur ein Vorschlag, aber es wäre auch gut für deinen Daumen.«

Hutch bewegte seinen Daumen hin und her und spürte, wie steif er geworden war. Besonders schlimm war es morgens. Aber stricken? Er? Mit dem Fitnessstudio konnte er sich arrangieren, aber stricken? Wenn auch nur einer seiner Freunde oder Angestellten davon erfuhr, würden sie sich darüber totlachen.

»Wie steht's mit dir?«, fragte er, plötzlich misstrauisch geworden. »Strickst du?«

»Ja.« Dave grinste erneut. »Meine Frau hat es mir beigebracht.«

»Das gibt's doch nicht!«

»Es funktioniert, Hutch. Versuch es einfach.« Damit griff

Dave zu seinem Rezeptblock, stellte ihm seine Verschreibungen aus und reichte ihm das Blatt.

Hutch starrte auf das Stück Papier. Niemals hätte er gedacht, dass er schon mit Mitte dreißig Blutdrucksenker würde nehmen müssen. Dave hatte recht: Das war kein gutes Zeichen.

»Ich will dich in zwei Monaten wieder sehen.«

Hutch nickte, stand auf und zog einen Schokoriegel aus der Innentasche seines Jacketts. »Ich habe dir was mitgebracht.«

Dave nahm den Riegel entgegen und schaute Hutch erwartungsvoll an.

»Wir werden dies demnächst flächendeckend auf den Markt bringen. Nennt sich Mount-Saint-Helens-Riegel.«

Dave drehte ihn um und las die Beschreibung: »Kokosnuss, umhüllt von dunkler Schokolade, mit einem flüssigen Schokoladenkern. Eine Geschmacksexplosion.«

»Daran arbeite ich jetzt seit achtzehn Monaten, und wir haben endlich einen landesweit agierenden Vertrieb gefunden, der uns damit eine Chance geben will.« Sein Freund konnte sich nicht vorstellen, wie schwierig es war, ins Sortiment der größeren Märkte zu kommen, wenn man in Konkurrenz zu den mächtigen Schokoladenriesen stand. Hutch glaubte fest an dieses neue Produkt und war bereit, damit auf die Zukunft seines Unternehmens zu setzen. Bisher schien alles positiv zu verlaufen – sofern er nicht am Ende Millionen wegen eines lächerlichen Rechtsstreits zahlen musste.

Dave las inzwischen die Zutatenliste, und Hutch konnte sehen, dass er beeindruckt war. »Der Zuckergehalt ist nicht zu hoch«, murmelte er, »und siebzig Prozent Kakaoanteil ist gut.«

»Praktisch gesunde Kost«, erwiderte Hutch lächelnd und wandte sich ab.

Dave hielt ihn zurück. »Zwei Monate, Hutch. Enttäusch mich nicht.«

»Werde ich nicht.« Er verließ die Praxis und lief aus der vierten Etage die Treppen hinunter, statt den Fahrstuhl zu nehmen. Natürlich hatte Dave recht. Er musste dringend mehr Sport treiben. Aber der Tag hatte einfach nicht genügend Stunden. Zwar delegierte er schon, was immer er konnte, aber trotzdem musste er sich noch so vielen Dingen persönlich widmen.

Als er sein Büro erreichte, war er bereits fünfzehn Minuten in Verzug. Gail Wendell, seine persönliche Assistentin, entspannte sich sichtlich, als sie ihn zur Tür hereinkommen sah. Sofort stand sie auf, als erwartete sie, dass er etwas von ihr brauchte.

»Mr. Williams ist in deinem Büro«, sagte sie.

Hutch warf einen Blick auf die Uhr. Es war bereits nach eins, er hatte nicht gefrühstückt, und ihm war leicht schwindlig. Kaum überraschend, wenn man bedachte, wie viel Blut Dave ihm hatte abzapfen lassen. »Würdest du mir etwas zum Mittagessen bestellen?«

»Teriyaki-Hühnchen?«, fragte Gail.

Das war eine seiner Lieblingsspeisen, enthielt aber viel Natrium. »Könntest du einen Salat mit Hüttenkäse als Beilage für mich auftreiben?«

Fragend zog sie die Brauen hoch. »Ich dachte, du magst keinen Hüttenkäse.«

»Stimmt, soll aber gesund sein. Mein Doc meint, ich sollte mich gesünder ernähren.«

»In Ordnung, also Hüttenkäse. Sonst noch was?«

Hutch nickte. »Such mir ein Fitnessstudio in der Nähe meiner Wohnung, und melde mich dort an.«

Seine Assistentin notierte sich etwas auf ihrem Block.

»Und ...« Er zögerte, ein wenig peinlich berührt. »Ich brauche einen Strickkurs.«

Er beobachtete Gail genau, als er das sagte, aber sie zuckte nicht einmal mit der Wimper.

»Schau, ob du einen Abendkurs irgendwo in der Innenstadt finden kannst.« Seine Wohnung lag zentral in Seattle, und er wollte für diesen Irrsinn nicht wer weiß wie weit fahren. Im Grunde würde er sich wundern, wenn Gail tatsächlich einen passenden Kurs finden würde, und es wäre ihm durchaus recht, wenn nicht. Dann konnte er Dave sagen, er habe es versucht, und dabei würde es bleiben.

»Ich kümmere mich sofort darum.«

Hutch zog das Rezept aus seiner Tasche. »Würdest du mir das bitte auch einlösen?«

»Natürlich.«

»Danke, Gail, du bist die Beste.«

»Das hat dein Vater auch immer gesagt«, gab sie grinsend zurück.

Sie war ein wertvoller Aktivposten der Firma, und Hutch war ihr dankbar, dass sie ihr trotz der langen Übergangszeit nicht untreu geworden war. Dennoch war ihm bewusst, dass sie schon bald in Rente gehen würde. Was er dann tun sollte, war ihm noch nicht klar, aber glücklicherweise war das keine der Fragen, die sofort beantwortet werden mussten.

Der Rest des Tages war Routine – eine Besprechung nach der anderen –, und es war schon fast sieben, als er das Büro verließ. Anstatt direkt nach Hause zu fahren, machte er einen Abstecher zu seiner Mutter in Bellevue. Sie hatte versucht, ihn am frühen Nachmittag telefonisch zu erreichen, aber da war er gerade in einer Besprechung mit der Werbeabteilung gewesen.

Gloria Hutchinson freute sich sichtlich über seinen Besuch. »Schön, dass du vorbeigekommen bist.«

Er gab sich Mühe, sie mindestens einmal wöchentlich zu besuchen und über die Vorgänge in der Firma auf dem Laufenden zu halten.

»Hast du schon zu Abend gegessen?«

»Nein, aber spät zu Mittag.«

»Spielt keine Rolle. Du solltest trotzdem was essen.« Hutch genoss es, wie sie ihn umsorgte, und er wusste, dass seine Mutter das Gefühl haben musste, gebraucht zu werden. Sie hatte sich nur schwer daran gewöhnen können, verwitwet zu sein. Zum Glück verbrachte seine Schwester Jessie sehr viel Zeit mit ihr, und Hutch war ihr dafür dankbar. Schon immer hatten sie drei sich sehr nahegestanden und taten es noch.

»Ich habe dich heute Nachmittag angerufen.«

»Das wurde mir ausgerichtet«, entgegnete er und folgte ihr in die Küche.

Sie öffnete den Kühlschrank, holte Eier und Käse heraus und stellte beides auf die Arbeitsplatte. »Ich wollte mich erkundigen, wie es beim Arzt war.«

»Alles in Ordnung.« Warum sollte er sie beunruhigen?

»Wie sieht dein Cholesterinspiegel aus?«

»Sehr gut.« Das entsprach sogar der Wahrheit.

»Oh, prima.« Ansonsten stand es um seine Gesundheit bei Weitem nicht so gut, aber er hatte nicht vor, das zu erwähnen.

»Du bist zu dünn.«

Hutch war anderer Meinung, aber er wollte sich nicht mit seiner Mutter streiten. »Ja, ich könnte ein paar Pfund zulegen«, meinte er verhalten.

Gloria gab geriebenen Käse zu den Eiern und schlug die

Masse schaumig. Dann tat sie Butter in die Pfanne, ließ sie schmelzen, fügte die Eier-Käse-Mischung hinzu und rührte.

Ohne zu fragen, steckte Hutch zwei Scheiben Brot – immerhin Vollkorn, sagte er sich – in den Toaster.

»Ich kann dir gar nicht sagen, wie oft ich deinem Vater abends Rührei gemacht habe«, erzählte seine Mutter. »Ihr beiden seid euch so ähnlich.« Als ob ihr plötzlich bewusst geworden war, was sie damit gesagt hatte, verstummte sie plötzlich. »Pass auf dich auf, Hutch. Das tust du doch, oder?« Sie drehte sich um und schaute ihn bittend an.

»Keine Sorge, Mom«, meinte er angestrengt fröhlich. »Ich bin so fit wie ein Turnschuh.«

Ihr Blick wurde traurig. »Das dachte ich von deinem Vater auch.«

»Ich habe mich heute in einem Fitnessstudio angemeldet.«

»Das ist großartig.« Sie gab das fertige Rührei auf einen Teller und stellte ihn auf die Frühstückstheke.

Hutch zog sich einen Stuhl heran. »Gleich morgen früh beginne ich mit meinem Trainingsprogramm.« Er ließ sich dafür eine Stunde früher wecken, entschlossen, drei Mal wöchentlich zu trainieren. Die Aussicht, dafür eine Stunde Schlaf opfern zu müssen, deprimierte ihn. Aber das war nichts gegen das, was er empfand, wenn er an den Strickkurs dachte …

Der Toast war fertig, seine Mutter strich Butter darauf und brachte ihm die Scheiben. Hutch stand auf, um das hausgemachte Himbeergelee aus dem Kühlschrank zu holen, das er am liebsten aß.

»Was du wirklich brauchst, ist eine Frau.«

Wann immer sie sich unterhielten, brachte seine Mutter früher oder später dieses Thema zur Sprache. Tatsache war, dass Hutch liebend gern eine Frau gehabt hätte, aber die Richtige zu finden war nicht einfach. Jedenfalls nicht bei seinem Arbeitspensum. Er hatte es übers Internet versucht, aber das hatte nicht funktioniert: zu kompliziert, zu zeitraubend. Das Gleiche galt für die Partnervermittlung, an die er sich gewandt hatte: Wann immer er sich mit einer Frau getroffen hatte, die nach Ansicht der professionellen Vermittler perfekt zu ihm passte, funkte es einfach nicht zwischen ihnen. Und das war so oft geschehen, dass er schließlich aufgegeben hatte.

»Denkst du an eine bestimmte Kandidatin?«, fragte er.

Ihrem Lächeln entnahm er, dass sie genau das tat.

»An eine Schulfreundin von Jessie.«

»Okay.« Seine Schwester hatte einen untadeligen Geschmack – bei allem. »Geschieden?«

Seine Mutter nickte.

»Kinder?«

»Ein Junge und ein Mädchen, und beide sind einfach hinreißend.«

»Du hast sie also kennengelernt?«

Verlegen grinste sie. »Ja, und ich finde sie entzückend. Möchtest du ihre Telefonnummer haben?«

»Klar, warum nicht.« Er hatte keine Ahnung, wann er sich mit dieser »hinreißenden« Frau treffen sollte, aber das war nebensächlich. Zumindest konnte er es versuchen.

»Posaun es nicht überall rum, aber ich nehme an einem Strickkurs teil.« Diesen Leckerbissen bot er ihr an, weil er glaubte, seine Mutter würde sich darüber freuen – und weil er hoffte, auf diese Weise das Thema wechseln zu können.

Erstaunt riss sie die Augen auf. »Du?«

»Das soll mir helfen, mich zu entspannen, und Dave meint, es könnte obendrein eine gute Therapie für meinen Daumen sein.«

»Tatsächlich.«

»Ja. Der Kurs findet jeden Mittwochabend statt, die erste Stunde ist nächste Woche.«

Sie blinzelte. »Du nimmst mich doch hoffentlich nicht auf den Arm?«

»Würde ich so was jemals tun?«

Sie lachte. Dann nahm sie sein Gesicht in beide Hände und küsste ihn liebevoll auf die Wange. »Ich hätte nie erwartet, dass mein Sohn stricken lernt.« Immer noch lachend fuhr sie fort: »Nicht ich, nicht meine Tochter, nein, mein Sohn.«

Hutch lächelte gezwungen. Aber jetzt hatte er sich festgelegt. Und wie schwer konnte Stricken schon sein?

4. Kapitel

Alix Turner

Am Freitagnachmittag hängte Alix Turner ihre Bäckerschürze an den Haken der Küche im *French Café*. Ihre Schicht hatte um fünf Uhr früh begonnen, und jetzt, um halb drei, hatte sie Feierabend. Ihr Mann Jordan hingegen, der Jugendpastor war, würde erst kurz vor sechs in der Kirche fertig sein, und dadurch hatte sie Zeit, ein paar persönliche Dinge zu regeln.

In der Gasse hinter dem Café zündete sie sich eine Zigarette an und inhalierte tief. Inzwischen war sie auf fünf Zigaretten pro Tag herunter und bereitete sich mental darauf vor, wieder ganz mit dem Rauchen aufzuhören. Die fünf Zigaretten pro Tag rauchte sie in ihren Arbeitspausen. Schlimm waren die Abende, aber sie wusste, dass Jordan es missbilligen würde, wenn sie zu Hause qualmte. Schließlich wollte er, dass sie gar nicht rauchte. Er machte sich Sorgen um ihre Gesundheit, und das aus gutem Grund. Sie selbst machte sich auch Sorgen, aber das Wissen um die schrecklichen Risiken hatte sie bisher nicht davon abgehalten, ihrer Nikotinsucht zu frönen. Allerdings achtete sie peinlich genau darauf, dass sie nicht vor den Kindern aus Jordans Jugendgruppe rauchte. Als Pastorenfrau konnte sie es sich nicht leisten, den Kindern ein so schlechtes Vorbild zu bieten.

Als Jordan sie geheiratet hatte, war er sich darüber im Klaren gewesen, dass sie kein Engel war. Aber ihre Vergangenheit stellte für ihn kein Problem dar, und sie wollte nicht, dass das

Rauchen es tat – oder tun würde. Schon früher hatte sie damit aufgehört – etliche Male sogar –, und sie würde es auch diesmal wieder schaffen.

Ihrer Meinung nach war die Hochzeit daran schuld gewesen, dass sie wieder angefangen hatte zu rauchen. Durch die wohlmeinenden Ratschläge seitens ihrer Freundin Jacqueline und ihrer künftigen Schwiegermutter war die Feier zu einem Zirkus ausgeartet. Alix hatte dadurch unter einem solchem Druck gestanden, dass sie etwas gebraucht hatte, um ihre Nerven zu beruhigen. Aus einem Impuls heraus kaufte sie sich eine Schachtel Zigaretten, und schon war es geschehen.

Letztlich hatten Alix und Jordan eine sehr nette Hochzeitsfeier am Star Lake, auf dem Grundstück von Grandma Turner. Aber zu diesem Zeitpunkt hatte sie sich das Rauchen bereits wieder angewöhnt, und heute, ein ganzes Jahr später, mühte sie sich vergeblich, mit der Gewohnheit zu brechen.

Auch wenn Alix weder ihrem Mann noch ihren Freunden erzählt hatte, dass sie wieder rauchte, wussten es doch alle. Der Geruch in ihrer Kleidung, in ihren Haaren und an den Händen ließ sich nicht verbergen. Aber niemand sagte etwas. Jordan tadelte sie nie dafür. Er verlangte auch nicht, dass sie aufhörte, aber er wünschte es sich, zumal sie jetzt davon redeten, eine Familie zu gründen.

Alix *wollte* aufhören. Es war wichtig, aufzuhören, bevor sie schwanger wurde. Jordan stand kurz vor einer Beförderung und der damit verbundenen Gehaltserhöhung, und sie hatten beschlossen, dass der Augenblick gekommen war, Eltern zu werden.

Während sie sich nach einem Baby sehnte, drohte sie zugleich unter ihren Ängsten zusammenzubrechen. Sie machte sich so viele Sorgen, hegte so viele Zweifel. Schließlich war sie nicht gerade in einer Bilderbuchfamilie aufgewachsen. Ihre Mutter saß im Frauengefängnis in Purdy, und das nicht zum ersten Mal.

Der bloße Gedanke daran, ein Kind zu haben, löste ebenso große Vorfreude wie Angst aus. Alix hatte keine Vorstellung, was für eine Mutter sie abgeben würde. Ihre eigenen Eltern waren meistens betrunken gewesen, und wenn sie tranken, dann stritten sie sich.

Als Kind hatte Alix sich oft im Kleiderschrank versteckt, wo sie mit einer Fantasiefamilie lebte. In dieser selbst erdachten Welt hatte sie eine Mutter und einen Vater, die einander liebten und sie verwöhnten. An diesem Traum hatte sie jahrelang festgehalten und sich immer wieder in ihre Vorstellungswelt zurückgezogen, weil das reale Leben immer unerträglicher wurde.

Sie ging noch zur Grundschule, als das Jugendamt Alix und ihren älteren Bruder aus der Familie holte. Bis zu ihrem sechzehnten Geburtstag lebte sie in wechselnden Pflegefamilien und -heimen. Manche waren gar nicht so übel, aber ein paar einfach nur furchtbar. Die einzige Konstante in ihrem Leben war ihr Bruder – doch er starb an einer Überdosis, als sie noch ein Teenager war.

So gut es ging, hatte sie versucht, mit dieser schrecklichen Zeit abzuschließen.

Trotz ihrer Befürchtungen freute sie sich darauf, ein Kind mit Jordan zu haben. Sie beschloss, eine besondere Decke für das bisher noch nicht einmal gezeugte Baby zu stricken. Damit konnte sie Jordan zeigen, dass sie es ernst meinte, auch was das Rauchen anging.

Als sie die Straße überquerte, entdeckte sie im Schaufenster von *A Good Yarn* ein Plakat, das für einen neuen Strickkurs warb. *Stricken, um loszulassen.* Alix hatte schon an zwei von Lydias Kursen teilgenommen, und beide hatten ihr großen

Spaß gemacht. Darüber hinaus betrachtete sie Lydia als eine ihrer besten Freundinnen. Außer Jordan und ihrer mütterlichen Freundin Jacqueline Donovan war Lydia die Einzige, der sie sich bedingungslos anvertraute.

»Alix.« Lydia begann zu strahlen, kaum dass Alix den Laden betrat. Whiskers, der im Schaufenster gelegen und geschlafen hatte, reckte die Vorderpfoten, streckte seinen seidig glänzenden Rücken und gähnte, sodass man seinen rosa Gaumen und die nadelspitzen Zähne bewundern konnte.

»Hey, du, schon eine Weile her, hmm?« Alix ging zu ihm hinüber und kraulte ihn sacht zwischen den Ohren. Sie liebte den Kater.

Spontan schloss Lydia sie in die Arme. Lange war es Alix unangenehm gewesen, wenn andere Menschen sie berührten. Auch heute machte sie das noch leicht nervös, aber bei Lydia war das etwas anderes, daher erwiderte sie die Umarmung.

»Ich hoffe, du bringst uns keine Croissants mit«, meinte Margaret, die aus dem hinteren Teil des Ladens nach vorn gekommen war. »Ich muss auf mein Gewicht achten, und diese Croissants sind meine Schwäche. Vor allem die mit den Mandeln.«

»Keine Bange. Sind ausverkauft.«

»Gut.« Margaret seufzte erleichtert. »Was macht sie übrigens so wahnsinnig lecker?«

Alix sagte nur ein Wort: »Butter.«

Margaret verdrehte die Augen. »Ich hätte es wissen müssen.«

»Eigentlich bin ich hier, um mir Wolle auszusuchen«, erklärte Alix. Es zog sie automatisch zu den achtfädigen Garnen in weichen Pastellfarben. Lydia hatte sie in Kisten nahe der Kasse ausgestellt.

»Planst du was Bestimmtes?«, fragte Lydia, die Alix' Blick gefolgt war.

Alix kam sich komisch dabei vor, anderen von dem Baby zu erzählen. Aber sie hatte es mit Lydia zu tun, und deshalb sollte es eigentlich in Ordnung sein. »Im Grunde ist es noch ein Geheimnis«, setzte sie an. »Jordan und ich denken ernstlich darüber nach, ein Kind zu bekommen, und ich dachte, ich könnte etwas für das Baby stricken.«

Margaret schaute Lydia an. »Ich gehe nicht davon aus, dass sie zufällig das Plakat im Fenster gesehen hat.«

Lydia reagierte verärgert. »Margaret!«

»Na ja, Alix raucht, oder etwa nicht? Es ist bekannt, dass es für eine schwangere Frau nicht gut ist zu rauchen.«

»Das weiß ich«, warf Alix ein, und es klang stärker nach Selbstrechtfertigung, als sie beabsichtigt hatte. »Du kannst mich direkt ansprechen, Margaret. Ich stehe hier. Außerdem bin ich noch nicht schwanger. Und ich rauche nur fünf Zigaretten pro Tag.«

»Das sind fünf zu viel«, erklärte Margaret nachdrücklich.

Offensichtlich glaubte Margaret, es sei einfach, eine Abhängigkeit zu durchbrechen. »Es ist nicht leicht aufzuhören«, betonte Alix. »Und das hängt nicht nur von der Willenskraft ab, weißt du.«

»Ich habe nie geraucht«, mischte sich Lydia besänftigend ein, »aber ich habe gehört, dass Zigaretten genauso süchtig machen können wie Heroin. Wir würden uns freuen, wenn du an dem Kurs teilnimmst, Alix, falls du Lust dazu hast.«

Der Gedanke war verlockend. Trotzdem zögerte sie. »Wann findet er denn statt?«

Lydia sagte es ihr.

Alix beschloss, darüber nachzudenken. »Und welches Projekt soll angegangen werden?«

Lydias Kurse waren immer interessant, und zwar vor allem wegen der Teilnehmer. In ihrem ersten Strickkurs hier im

Laden hatte sie Jacqueline kennengelernt, die sie unter die Fittiche genommen hatte und ihr eine Freundin geworden war.

»Ich dachte, ich könnte alle an einem Schal mit verschiedenen Mustern arbeiten lassen«, erläuterte Lydia. »Soweit ich das bis jetzt sehe, kommt jeder mit anderen Vorkenntnissen. Der Schal sollte für Anfänger nicht zu schwierig sein, bietet aber auch ein bisschen Herausforderung für erfahrenere Stricker. Ich glaube, es wird eine Menge Spaß machen.«

Ein gemusterter Schal? Die Idee gefiel Alix. »Wie viele Teilnehmer haben sich denn schon angemeldet?«

»Bis jetzt nur zwei. Es dürfen gern noch mehr werden.«

»Und wovon wollen sie loskommen? Noch einer dabei, der das Rauchen aufgeben will?«

Lydia zuckte mit den Achseln. »Aber weißt du, was? Es hat sich auch ein Mann angemeldet. Seine persönliche Assistentin hat meine Anzeige im Telefonbuch gefunden.«

»Ein Mann?« Das war interessant. Anscheinend strickten eine ganze Menge Männer, aber normalerweise besuchten sie keine Kurse. Andererseits, was wusste sie schon? Sie war zwar noch keinen strickenden Männern begegnet, aber irgendwie mussten sie das Stricken ja auch lernen. Also, warum nicht in einem Kurs?

»Seine Assistentin meint, er kann noch nicht stricken.«

»Wovon will er loskommen?«

Lydia wirkte verunsichert. »Das hat sie nicht gesagt, und ich habe nicht mit ihm persönlich gesprochen.«

»Die Dame, die Mittwochabend hier war, machte einen ziemlich verzweifelten Eindruck«, mischte Margaret sich ein. »Sie sagte etwas von einem Mann. Ich vermute, da ist entweder gerade eine Beziehung zu Bruch gegangen, oder sie versucht, eine zu beenden.«

Die Gruppe würde also definitiv aus sehr unterschiedlichen

Menschen bestehen und damit eine stimulierende Mischung aus Ideen und Persönlichkeiten bieten. »Wisst ihr, vielleicht ist es gar keine so schlechte Idee, wenn ich das tue. Ich brauche für diesen Winter noch einen Schal, und an der Babydecke kann ich hinterher immer noch arbeiten.«

Lydia lächelte. »Es wäre schön, dich wieder in einem meiner Kurse zu haben.«

»Schaden kann es jedenfalls nicht, besonders wenn du es ernst meinst damit, das Rauchen aufgeben zu wollen«, warf Margaret ein.

Statt sich über Margarets Haltung zu ärgern, ließ Alix ihr diese Bemerkung einfach durchgehen. Lydias Schwester fiel der Umgang mit Menschen nicht so leicht wie Lydia, und sie hatte auch nicht ihre gewinnende Natur, aber sie war ein warmherziger Mensch. Ein bisschen neigte sie zum Kritisieren und Herummäkeln, das stimmte – wobei sie in diesem Fall ja nicht einmal unrecht hatte. Egal, was es sie kosten würde, Alix wollte ein für alle Mal von den Zigaretten loskommen.

Sie blieb noch ein Weilchen im Laden, kaufte das für den Kurs nötige Material und eilte dann nach Hause in ihre kleine Wohnung. Sie lag in der Nähe der Kirche in einer Seitenstraße der Blossom Street. Wenn sie und Jordan ein Baby bekamen, würden sie sich eine andere Wohnung suchen müssen, denn die jetzige reichte schon kaum für sie beide.

Zum Essen bereitete sie einen gemischten Salat mit gegrillten Hähnchenstreifen, Blauschimmelkäse, hart gekochten Eiern und in Scheiben geschnittener sauer eingelegter Roter Bete zu, einem ihrer Lieblingsgemüse. Jordan hatte gern Truthahnschinken im Salat, aber sie hatten keinen mehr. Also schrieb sie ihn auf die Einkaufsliste. Gerade als sie nahezu fertig war, kam Jordan nach Hause.

»Hallo, Süße«, sagte er und küsste sie auf die Wange. »Wie war dein Tag?«

»Gut.«

»Meiner auch.« Er setzte sich an den Esstisch. »Hast du einen Moment Zeit zum Reden?«

Eine so förmliche Frage war nicht gerade typisch für ihn, also musste es um etwas Wichtiges gehen. »Natürlich.«

Jordan musterte sie, als sie aus ihrer Miniküche kam und sich an den kleinen Tisch mit den zwei Stühlen setzte.

»Stimmt was nicht?«, erkundigte sie sich ein wenig nervös.

»Nein, nicht wirklich … Ich hatte heute Nachmittag einen Anruf von meinem Dad. Wir haben bestimmt eine Stunde miteinander gesprochen.«

Jordan und sein Vater hielten engen Kontakt und redeten oft miteinander. Ein Anruf war also nichts Ungewöhnliches. »Und?«, hakte sie nach.

»Die Familie hat versucht, Grandma Turners Haus am See zu verkaufen.«

Das war ihr nicht neu. Nach der Beerdigung war das Haus zum Verkauf angeboten worden. Der Immobilienmarkt steckte im Moment jedoch in der Krise, und selbst Ufergrundstücke mit direktem Zugang zum Wasser verkauften sich einfach nicht. Obendrein war Grandmas Haus ziemlich alt. Alix war der Meinung, die Familie mache einen großen Fehler. Sie fürchtete, dass sie es später einmal bereuen würden, dieses wundervolle Haus abgegeben zu haben, in dem Grandma Turner alle ihre Ehejahre verlebt hatte.

Alix liebte das alte Haus mit dem weitläufigen Vorgarten und den großen Blumenbeeten. In diesem Garten hatte Grandma Turner bis einen Tag vor ihrem Tod gearbeitet. Sie und Alix hatten eine besondere Freundschaft entwickelt. Einen

Großteil ihrer gemeinsamen Zeit hatten sie mit Gartenarbeit verbracht, und Alix würde sonnendurchwärmte Erde – wie sie roch und sich anfühlte – immer mit Sarah Turner in Verbindung bringen. Die ältere Frau war all das gewesen, was sie eines Tages zu werden hoffte: großzügig, gütig, tolerant und liebevoll.

Jordans Großmutter hatte sie nicht nur in ihrer Familie willkommen geheißen, nein, als Alix völlig verunsichert gewesen war, ob sie die Hochzeit nicht absagen sollte, hatte Sarah sie bei sich aufgenommen und ihr Schutz geboten.

»Ist das Haus verkauft worden?«, fragte Alix.

»Noch nicht.«

Sofort verspürte sie eine enorme Erleichterung. Der Preis war schon zweimal gesenkt worden, aber es gab immer noch keine Käufer. Was vor nicht einmal einem Jahr schnell weggegangen wäre, blieb zurzeit unverkäuflich.

»Dad hält es für keine gute Idee, das Haus so lange leer stehen zu lassen.«

Alix sah das genauso, aber es zu vermieten bereitete ihr Unbehagen. »Wird er es zur Miete anbieten?«, fragte sie vorsichtig.

»Nicht direkt. Dad hat vorgeschlagen, dass du und ich dort einziehen, bis sich ein Käufer findet.«

Alix hätte vor Freude beinahe gequietscht. Nicht ein einziges Mal war ihr dieser Gedanke gekommen, und doch war es die perfekte Lösung. »Jordan, das fände ich wundervoll!« Ihre Wohnung war so winzig, dass sie praktisch keinen Stauraum hatten. Sogar ihre Hochzeitsgeschenke wurden im Haus von Jordans Eltern verwahrt, weil sie sie nirgendwo unterbringen konnten.

In den Augen ihres Mannes stand jedoch nicht so viel Begeisterung. »Wir müssen das gründlich durchdenken, Alix.

Jetzt klingt es nach einer guten Idee. Ich weiß, dass du das Haus liebst, aber das Ganze bringt ein paar Komplikationen mit sich.«

Alix war sich dessen bewusst, aber es war ihr egal. Jede Unannehmlichkeit war nichts, verglichen mit den Vorteilen. »Ja, sicher, es wird sich einiges ändern«, sagte sie. »Zum Beispiel müssen wir jeden Morgen in die Stadt pendeln.«

»Nicht nur das.« Jordan schüttelte den Kopf. »Es ist nicht absehbar, wie lange es dauert, bis jemand ein Kaufangebot macht und das Haus den Eigentümer wechselt. Dann müssten wir packen und wieder ausziehen.«

»Das ist in Ordnung«, meinte Alix eifrig. Sie hatten nicht viele Möbel, sodass es kein großer Aufwand wäre, wieder umzuziehen. Ganz gleich, wie viele – oder wie wenige – Monate sie im Haus am See leben konnten, es war die Sache wert.

Jordan schien ihr gar nicht zuzuhören. »Außerdem«, fuhr er fort, »gibt es keine Garantie, dass wir wieder eine so preiswerte Wohnung finden würden wie diese.«

»Können wir nicht darauf vertrauen, dass der Herr sich um die Details kümmert?«, fragte sie. »Fühlt es sich nicht so an, als wäre das alles Fügung?«

»Alix, weißt du, wie viel Arbeit ein Umzug ist?«

Er machte offenbar Witze! Sie war in ihrem Leben durchschnittlich jedes halbe Jahr umgezogen, weil ihre Eltern es nie geschafft hatten, die Miete pünktlich zu bezahlen und trotzdem noch Geld für Alkohol übrig zu haben. Eine Zwangsräumung schien sie nie zu schrecken. Immer gab es andere Häuser, andere Wohngegenden.

Später, als Pflegekind, war Alix nie lange in einer Familie geblieben, und mit sechzehn war sie praktisch auf sich allein gestellt gewesen.

»Jordan«, sagte sie und griff nach seiner Hand. »Ich weiß ganz genau, wie viel Arbeit ein Umzug macht.«

Er runzelte die Stirn. »Ich kann nicht glauben, dass du es ernst meinst.«

»Das tue ich aber! Es ist eine großartige Chance.«

»Ich weiß, dass du Grandma Turner geliebt hast und sie dich, aber ich hätte nicht gedacht, dass du ernstlich bereit bist, in ihr Haus zu ziehen. Ich meine, wegen der Entfernung zum Arbeitsplatz und weil es keine Garantien gibt …«

»Wie … wie sieht es mit der Miete aus?« Ihr Budget war knapp, weil sie jeden Penny, den sie erübrigen konnten, für die Anzahlung auf ein eigenes Haus sparten. Leider konnte es nicht Sarah Turners Haus mit dem riesigen Grundstück sein. Sie hatte den geforderten Preis gesehen, und er lag weit über dem, was sie sich leisten konnten.

Jordan zuckte die Achseln. »Das ist der große Vorteil: Wir würden mietfrei dort wohnen.«

Alix warf die Arme hoch. »Das ist ungeheuer großzügig! Es ist perfekt, Jordan! Einfach perfekt. Wir werden auf unser eigenes Haus sparen können, und wenn du deine Gehaltserhöhung bekommst, können wir das Geld auch zurücklegen.« Ein weiterer Vorteil waren Sarahs Möbel, da sie überwiegend noch im Haus standen. Nur was die Angehörigen hatten haben wollen, hatten sie sich genommen. Der Rest war stehen geblieben und ging an den künftigen Käufer des Hauses.

»Aber du musst bedenken, dass die Betriebskosten höher sein werden. Und dann kommen noch die Fahrtkosten hinzu.« So wie er das sagte, klang es nach mächtigen Hindernissen.

»Ich werde den Bus nehmen«, erklärte Alix fröhlich. Das Haus lag direkt an einer Buslinie, und sie konnte immer lesen oder stricken, während sie in die Stadt fuhr, selbst wenn sie morgens besonders früh losmusste. An den Nachmittagen wäre es nicht so schlimm. Tatsächlich freute sie sich auf die Fahrten mit dem Bus.

»Ich werde auch die öffentlichen Verkehrsmittel nehmen, aber an manchen Tagen werde ich doch den Wagen brauchen, und bei den Benzinpreisen …«

»Hast du nicht gerade gesagt, wir sollten die Details Gott überlassen?«, fragte sie.

»Nein, das warst du.«

Sie kicherte. »Aber ich habe es zuerst von dir gehört.«

»Ich hätte nie gedacht, dass du dich darauf einlassen würdest«, meinte er verwundert.

»Jordan, wir haben dort geheiratet. Bist du etwa nicht der romantisch Veranlagte in der Familie?«

»Ja, schon …«

»Und es gibt noch einen Vorteil, den du vergessen hast«, flüsterte sie verführerisch.

»Und der wäre?«

»Wir haben doch darüber geredet, dass ich schwanger werden soll, richtig?«

»Richtig … wenn du so weit bist.«

Das war eine subtile Erinnerung daran, dass sie zunächst das Rauchen aufgeben musste.

»Das sollte ich schon bald sein. Und wäre es nicht wunderbar, wenn wir unser Baby in einem Haus zeugen, das seit Generationen im Besitz deiner Familie ist?«

Jordan schaute ihr tief in die Augen. »Das klingt nach einer wunderbaren Idee …«

»Wusste ich doch, dass du das so sehen würdest«, erklärte Alix grinsend.

5. Kapitel

Anne Marie Roche

Anne Marie und Ellen Roche schleppten ihre Koffer nach oben in die kleine Wohnung über dem Buchladen *Blossom Street Books*. Zurück aus Paris, waren sie am Nachmittag in Seattle gelandet, aber Anne Marie fühlte sich, als wäre es mitten in der Nacht.

Die neunjährige Ellen hatte den größten Teil des Fluges verschlafen, Anne Marie nicht. Stattdessen hatte sie ihre Tochter im Arm gehalten und noch einmal in jeder einzelnen schönen Erinnerung an ihren zweiwöchigen Urlaub geschwelgt.

Selbst acht Monate nach der offiziellen Adoption kam es ihr immer noch unglaublich vor, dass sie nun auch vor dem Gesetz Ellens Mutter war. Dafür hatten ein paar Worte vor einem Richter gesorgt. Genau genommen war die Erklärung des Richters nur noch eine Formalität gewesen. Anne Marie war schon lange, bevor irgendetwas offiziell war, Ellens Mutter geworden, und das sowohl vom Verstand als auch vom Herzen her.

Am Valentinstag vor fast anderthalb Jahren hatte Anne Marie zusammen mit drei anderen Witwen beschlossen, eine Liste mit zwanzig Wünschen zusammenzustellen. Einer dieser Wünsche war eine Reise nach Paris mit jemandem, den sie liebte, gewesen. Dieser Jemand hatte sich als Ellen herausgestellt. Eine Reihe ihrer Wünsche hatte sich erfüllt, einige davon – wie zum Beispiel die Reise nach Paris – auf unerwartete Weise.

»Können wir jetzt Baxter holen?« Ellen kam aus ihrem kleinen Schlafzimmer geschossen, wo sie ihren Koffer abgestellt hatte.

»Bald.«

Auch Anne Marie vermisste ihren Yorkie. Ihre Freundin Elise Beaumont, eine der Witwen von der Valentinsparty, hatte sich in den letzten zwei Wochen um Baxter gekümmert. Bestimmt hatte sie inzwischen erkannt, welche Vorzüge ein hündischer Begleiter hatte – das hatte Anne Marie vorhergesagt.

»Ich möchte Baxter Französisch beibringen«, verkündete Ellen.

Erstaunlich leicht hatte sich das Mädchen Grundkenntnisse der französischen Sprache angeeignet und war entschlossen, nicht ein Wort davon zu vergessen.

»J'aime la France«, sagte Ellen.

»Moi aussi.« Trotz ihrer Erschöpfung fielen Anne Marie diese Worte gerade noch ein.

»S'il te plaît, donne moi quelque bon-bons?«

»Nein, jetzt gibt es keine Süßigkeiten!«

»Ach Mom ...«

Anne Marie wandte sich wieder ihrem Koffer zu, um ihn ganz auszupacken. »Lass mich erst eine Ladung Wäsche in die Maschine packen. Dann fahren wir los und holen Baxter.«

Ellen ging zurück in ihr Schlafzimmer und packte ihren eigenen Koffer aus. Anschließend schob sie ihn unter das Bett, auf dem sie all die Andenken ausgebreitet hatte, die sie in Paris für sich und ganz besondere Freunde gekauft hatte.

Anne Marie fand es rührend, wie großzügig ihre Tochter war. Alles, was sie von ihrem Taschengeld gespart hatte, hatte sie ausgegeben, um kleine Mitbringsel für ihre Schulfreundinnen sowie für Anne Maries Stieftochter Melissa und ihr kleines Mädchen zu kaufen.

Nachdem sie die Waschmaschine bestückt und eingeschaltet hatte, rief Anne Marie bei Elise an und fragte, ob es ihr zeitlich passte, wenn sie jetzt kämen und Baxter abholten. »Ihr könnt jederzeit kommen«, lautete die Antwort. Da sie nun schon einmal am Telefon war, beschloss sie, auch ihren Anrufbeantworter abzuhören. Mit Stift und Schreibblock bewaffnet, machte sie sich bereit, die in zwei Wochen angesammelten Nachrichten abzuhören. Wie erwartet waren darunter einige Anrufe von Maklern.

Es wurde Zeit, nach einem neuen Zuhause zu suchen. Die Wohnung über dem Buchladen hatte völlig ausgereicht, solange sie allein darin wohnte, aber inzwischen hatte sie eine Tochter. Anne Marie hatte sich auf die Suche gemacht, in der Hoffnung, noch in diesem Sommer eine neue Bleibe zu finden. Da Ellens Lebensumstände sich so drastisch geändert hatten, hatte sie den Umzug hinausgeschoben, damit das Kind sich in Ruhe in sein neues Leben einfinden und ein Gefühl von Sicherheit gewinnen konnte.

Bei vier oder fünf der Anrufe ging es um Häuser in der Gegend, die für Anne Marie infrage kamen. Sie wollte nicht, dass Ellen die Schule wechseln musste. Leider waren die Häuser in der Gegend aber alle älter und viele renovierungs- und sanierungsbedürftig. Anne Marie würde diese Arbeiten bezahlen müssen, und das trieb die Kosten gewaltig in die Höhe.

Zu ihrer Überraschung hatten mehrfach Leute einfach aufgelegt, ohne eine Nachricht zu hinterlassen. Normalerweise geschah das höchstens ein- oder zweimal im Monat, wenn überhaupt. Nach dem dritten Fall dieser Art fing sie an zu zählen und kam auf sieben solcher Anrufe. Irgendwer hatte sich offenbar große Mühe gegeben, sie zu erreichen, aber sie hatte keine Ahnung, wer das sein mochte.

Egal, es machte keinen Sinn, sich darüber den Kopf zu zerbrechen. Wer so hartnäckig war, würde es vermutlich wieder versuchen. Allerdings beunruhigte es sie doch ein wenig, dass der Anrufer keine Nachricht auf dem Band hinterlassen hatte.

»Stimmt was nicht?«, murmelte Ellen fragend, als sie in die Küche kam.

»Nein, alles okay. Warum fragst du?«

»Du hast die Stirn gerunzelt.« Aufmerksam musterte Ellen sie. Die Kleine hatte ein feines Gespür für Anne Maries Stimmungen.

Das bedeutete, dass Anne Marie sich ihre Gefühle nicht allzu sehr anmerken lassen durfte. »Alles in Ordnung. Komm, lass uns fahren und Baxter abholen.« Sie fasste Ellen um die Taille und kitzelte sie.

Das Mädchen quietschte begeistert.

Die Handtasche unter den Arm geklemmt, folgte Anne Marie ihrer Tochter, die vor ihr die Treppe hinunterhüpfte.

Teresa, ihre Vollzeitangestellte, blickte auf, als Ellen in den Buchladen stürmte. »Ich hätte nicht erwartet, dass ihr so früh schon munter seid«, meinte sie. Sie stand an der Kasse und war dabei, die letzte Lieferung von *Ingram's* zu öffnen. Hinter ihr stapelten sich Kartons voller Bücher, ein guter Hinweis darauf, dass das Geschäft unter Anne Maries Abwesenheit nicht gelitten hatte.

»Wir wollen Baxter holen«, erklärte Anne Marie. »Wird nicht lange dauern.«

»Seid ihr nicht müde?«

»Total erschossen.«

»Ellen scheint darauf zu brennen, endlich loszukommen.«

Das war nichts Ungewöhnliches, aber Anne Marie hegte den Verdacht, dass auch ihre Tochter schon bald den Jetlag spüren würde.

»Können wir kurz bei Susannah vorbeischauen?«, fragte Ellen.

»Natürlich, aber denk dran: Wenn sie Kundschaft hat, müssen wir warten.«

»In Ordnung.« Ellen hielt ihr die Ladentür auf.

Susannah hatte zwei Kunden im Laden, aber beim Anblick von Anne Marie und Ellen lächelte sie und winkte ihnen zu.

»Lydia und Margaret scheinen nichts zu tun zu haben«, meinte Ellen, die ins Schaufenster von *A Good Yarn* spähte. Die kleinen Hände ums Gesicht gelegt, um Spiegelungen zu vermeiden, starrte sie auf den schlafenden Kater hinunter. »Whiskers vermisst Baxter auch, nicht wahr, Whiskers? Können wir reingehen, Mom?«

»Ja, aber nur für ein paar Minuten. Elise wartet auf uns und Baxter auch.«

»Okay.«

Kaum hatten sie den Laden betreten, da sprang Lydia auf. »Anne Marie! Ellen! Willkommen zu Hause. Wie war's in Paris?«

Anne Marie seufzte wohlig. »Einfach wundervoll! Alles so, wie ich es mir immer gewünscht habe, und noch viel besser.«

Lydia lächelte herzlich. »Ich wusste, dass es so sein würde.«

»Wie hat die Nachbarschaft ohne uns überlebt?«, fragte Anne Marie neckend.

»Es war sehr viel ruhiger«, meldete Margaret sich aus dem hinteren Teil des Ladens, wo sie saß und häkelte. »Und auch sehr viel langweiliger.«

»Ich glaube, Whiskers hat Baxter vermisst«, meinte Lydia.

»Wir wollen ihn jetzt nach Hause holen«, verkündete Ellen. »Ich habe Baxter mehr vermisst als alle anderen.«

»Ich würde Whiskers auch vermissen.« Mit leuchtenden Augen wandte Lydia sich an Anne Marie. »Hör mal, hast du einen Moment Zeit?«

»Klar. Was gibt's denn?«

Lydias Freude war so unübersehbar wie ansteckend. »Brad und ich wollen ein Kind adoptieren. Wir haben einen Antrag auf einen Säugling gestellt.«

Aufgeregt klatschte Anne Marie in die Hände. »Das ist ja unglaublich!«

»Heute Morgen habe ich erfahren, dass wir von Staats wegen als Adoptiveltern infrage kommen.«

»Hast du mit Evelyn Boyle gesprochen?« Sie war die Sozialarbeiterin, die Ellen betreut hatte. Anne Marie hatte die Frau, die ihr so tatkräftig durch den Adoptionsprozess geholfen hatte, schätzen gelernt. Deshalb hatte sie Lydia schon vor Wochen ihre Telefonnummer gegeben und sich bereits gefragt, ob irgendetwas dabei herausgekommen war.

Lydia nickte. »Sie ist uns wirklich eine große Hilfe. Wir freuen uns, dass du sie uns empfohlen hast.«

»Hat man euch gesagt, wie lange es in etwa dauern wird, bis ihr ein Baby adoptieren könnt?«

»Noch nicht. Brad und ich sind aber darauf eingestellt, warten zu müssen.«

»Ich hoffe für euch, dass es schnell geht.«

»Ja, das hoffe ich auch.« Ein glückliches Lächeln lag auf Lydias Gesicht. »Heute Abend feiern wir. Brad führt Cody und mich zum Essen aus.«

»Können wir auch kommen?«, fragte Ellen.

»Ellen! Nein, können wir nicht«, tadelte Anne Marie. »Es ist unhöflich, sich selbst einzuladen.«

»Ich weiß, aber ich habe Cody ein Geschenk aus Paris mitgebracht und möchte es ihm geben.«

»Dafür ist später noch Zeit.« Wider Willen musste Anne Marie gähnen. »Ich habe das Gefühl, Ellen hat noch nie was von Jetlag gehört. Aber vermutlich erwischt es sie in ein paar Stunden doch noch.« Was Anne Marie anging, so konnte sie sich kaum noch auf den Beinen halten. Sowie sie mit Baxter wieder zu Hause waren, wollte sie ein Nickerchen machen. Dann würde Ellen auch müde genug sein – das hoffte sie jedenfalls.

»Wie ich sehe, beginnt ihr nächste Woche einen neuen Kurs.« Das Plakat im Fenster war ihr aufgefallen, und das Konzept sprach sie an. Nicht, dass sie von irgendetwas loskommen musste. Im Augenblick war sie zufrieden mit ihrem Leben – zufriedener, als sie jemals in der Zeit nach ihrer Ehe gewesen war.

»Bist du interessiert?« Lydia erläuterte ihr, welches Projekt sie für den Kurs gewählt hatte. Es gefiel Anne Marie, aber ein Abendkurs war für sie nicht zu schaffen.

Vielleicht konnte sie sich das Muster von Lydia geben lassen. Schließlich hatte sie in Paris wundervolle Wolle gekauft, perfekt geeignet für einen Schal.

»Möchtest du an dem Kurs teilnehmen?«, fragte Lydia. »Das geht, auch wenn du keine schlechten Gewohnheiten aufgeben möchtest. Alix hat sich schon angemeldet, weil sie mit Rauchen aufhören will – wieder einmal.«

»Das würde ich sehr gern, aber ich kann Ellen nicht allein lassen. Den Schal möchte ich aber trotzdem stricken.«

»Ich helfe dir gern, wenn dir das Muster Probleme bereitet.«

»Danke, Lydia. Ich werde daran denken.«

Als Anne Marie und Ellen den Laden verließen, deutete das kleine Mädchen aufs *French Café* auf der anderen Straßenseite. »Alix!«, rief sie. »Ich möchte Alix Hallo sagen.«

»Ellen, das müssen wir auf später verschieben. Außerdem hat Alix bestimmt schon Feierabend gemacht.«

»Ach ja, daran habe ich nicht gedacht …«

»Bereit für Baxter?«

»Jaaa!«

Ellen rannte voraus zu Anne Maries Auto, das sie in der Seitenstraße hinter dem Buchladen abgestellt hatte. Anne Marie fragte sich, ob der Wagen wohl anspringen würde, nachdem er zwei Wochen nicht benutzt worden war, aber der Motor erwachte sofort zum Leben. Vorsichtig rangierte sie das Auto aus der Parklücke und bog auf die Blossom Street ein.

Als sie vor Elises kleiner Wohnung am nördlichen Rand des Stadtzentrums ankamen, rief Anne Marie kurz an, um ihrer Freundin zu sagen, sie stünden in einer Minute vor der Tür. Elise und Baxter warteten bereits auf sie, und kaum hatte der Hund sie gesehen, da schlug er beinahe Purzelbäume vor Begeisterung. Er bellte und rannte wild herum, dann sprang er Ellen in die Arme.

Liebevoll drückte Ellen ihn an sich, während Baxter ihr glücklich das Gesicht abschleckte und wieder aufgeregt zu kläffen begann.

Anne Marie lachte. »Ich glaube, er hat uns vermisst.«

»Na ja, es hat ihm hier ganz gewiss nicht an Aufmerksamkeit gemangelt«, meinte Elise lächelnd. »Ich habe seine Gesellschaft so sehr genossen, dass ich beschlossen habe, mir selbst einen Hund anzuschaffen.«

Genau darauf hatte Anne Marie gehofft. Elise hatte nach dem Tod ihres Mannes eine schmerzliche Trauerphase durchlebt, die sich in mancher Hinsicht von Anne Maries eigener

Erfahrung unterschieden hatte, da der überaus unkonventionelle Maverick an Krebs gestorben war. Anne Maries Mann Robert hingegen war plötzlich und unerwartet einem schweren Herzinfarkt erlegen.

»Möchtest du einen Yorkie wie Baxter?«, wollte Ellen wissen.

»Ich weiß noch nicht so recht«, erwiderte Elise nachdenklich. »Ich werde zum Tierheim gehen und schauen, was für Hunde dort warten. Mir scheint, Maverick würde wollen, dass ich einen Hund aus dem Tierheim adoptiere. Er hat immer an zweite Chancen geglaubt ...«

Ihr liebevoller Blick ruhte auf dem Porträt ihres verstorbenen Mannes. Auf dem Bild trug er einen Cowboyhut und lächelte direkt in die Kamera. Er hatte etwas Unverwüstliches an sich und strahlte unerschütterlichen Optimismus aus, dachte Anne Marie. Als gehörte es für ihn einfach zum Leben, Risiken einzugehen – Risiken einzugehen und die Konsequenzen grinsend und augenzwinkernd zu akzeptieren.

Kurz darauf verließen Anne Marie und Ellen Elises Wohnung. Sie hatten Elise ein Dankesgeschenk mitgebracht – einen hübschen blauen Seidenschal mit Fleur-de-Lys-Muster –, weil sie sich um den Hund gekümmert hatte. Während sie zum Wagen gingen, trug Ellen Baxter auf dem Arm und sprach leise mit ihm. Kaum saß sie auf dem Rücksitz, rollte er sich auf ihrem Schoß zusammen und schlief augenblicklich ein.

Als Anne Marie das Auto hinter ihrem Buchladen abstellte, schliefen sowohl Ellen als auch Baxter tief und fest. Sie bedauerte, Ellen wecken zu müssen, die sie verschlafen anblinzelte.

»Sind wir zu Hause?«

Anne Marie nickte. »Komm, gehen wir nach oben und bringen dich zu Bett. Einverstanden?«

»Okay.«

Anne Marie half ihr die Treppe hinauf, während der Hund vorauslief. Innerhalb von Minuten war Ellen wieder eingeschlafen. Bevor sie selbst sich für eine Weile hinlegte, wollte Anne Marie noch ein paar Hausarbeiten erledigen. Sie nahm die gewaschene Wäsche aus der Waschmaschine und legte sie in den Trockner. Dann bemerkte sie das blinkende Licht an ihrem Anrufbeantworter. Erneut hatte jemand aufgelegt, ohne eine Nachricht zu hinterlassen.

Jetzt war ihre Neugier geweckt. Schnell ging sie hinunter in den Buchladen. Teresa schaute von ihrer Arbeit auf. Sie war gerade dabei, neue Grußkarten in den Ständer einzusortieren.

»Oh, Anne Marie, hi. Ich dachte nicht, dass ich dich heute noch mal sehen würde.«

»Wie läuft's?« Fragend schaute Anne Marie sich um. Alles schien wie immer.

»Großartig. Die Neuerscheinungen des Sommers sind dieses Jahr so gut, dass sich die Regale immer wieder wie von selbst leeren.«

Das war eine willkommene Nachricht.

»Gab es in meiner Abwesenheit etwas … Ungewöhnliches?« Anne Marie war unsicher, wie sie ihre Frage formulieren sollte.

Terese kaute auf ihrer Unterlippe, als überlegte sie, wie sie reagieren sollte. »Nicht wirklich … Warum fragst du?«

»Ich hatte ein paar Anrufe auf meiner Privatleitung, bei denen immer nur aufgelegt wurde, wenn der Anrufbeantworter sich meldete. Das ist mir noch nie passiert. Ich habe mich nur gefragt, ob es irgendwas mit dem Laden zu tun haben könnte.«

Teresa zuckte die Achseln. »Tut mir leid, keine Ahnung.«

»Okay, ich war nur neugierig. Es kommt mir etwas merkwürdig vor, das ist alles.« Anne Marie nahm ihre Post an sich und wandte sich ab.

»Warte mal«, hielt Teresa sie zurück.

»Ja?«

»Anfang der Woche war jemand hier. Ein Mann. Er wollte dich in einer privaten Angelegenheit sprechen.«

In einer privaten Angelegenheit? »Hat er seinen Namen oder seine Telefonnummer hinterlassen?«

»Nein. Ich habe ihn danach gefragt, aber er meinte, er würde es später noch mal versuchen.«

Das war wirklich alles sehr merkwürdig. »Hat er sonst noch irgendwas gesagt?«

Teresas Augen verengten sich leicht. »Nicht dass ich wüsste.«

»Wie sah er aus?«

Ein Lächeln umspielte die Mundwinkel ihrer Angestellten. »Offen gesagt, ziemlich scharf.«

Anne Marie grinste. »Geht es etwas genauer?«

»Groß, ungefähr eins dreiundachtzig, vielleicht eins fünfundachtzig. Attraktiv. *Sehr* attraktiv.«

»Dunkelhaarig? Oder blond?«

»Dunkel. Und braune Augen. Er schien sehr erpicht darauf zu sein, mit dir zu sprechen. Weißt du, wer das sein könnte?«

Anne Marie schüttelte den Kopf.

»Und die Anrufe? Die könnten von ihm sein. Wird eine Nummer angezeigt?«

Frustriert stieß Anne Marie den Atem aus. »Immer nur unbekannte Nummer.«

»Tja, dann werden wir wohl abwarten müssen, ob er wieder vorbeikommt.«

Genau das dachte sie auch. Na schön, ein großer dunkelhaariger gut aussehender Fremder wollte sie anscheinend treffen. Sie konnte sich Schlimmeres vorstellen.

6. Kapitel

Lydia Goetz

Ich hatte es mir angewöhnt, in jedes Zimmer einen Blick zu werfen, bevor ich schlafen ging. Brad lag schon im Bett und las Michael Connellys neuesten Thriller. Bei meinem Rundgang durchs Haus kontrollierte ich, ob alles abgeschlossen war, und löschte dann das Licht in der Küche. Anschließend schaute ich nach Cody, der bereits tief und fest schlief.

Chase, der Golden Retriever meines Stiefsohns, lag auf dem Flechtvorleger neben Codys Bett. Als ich die Tür einen Spalt öffnete, hob der stets wachsame Hund den Kopf. Bei meinem Anblick ließ er ihn wieder sinken.

Alles war in Ordnung, sowohl in meinem Haus als auch in meiner Welt. Vorfreude erfüllte mich, gespannte Erwartung und Aufregung, die mich nicht mehr losließen. Angefangen hatte das an dem Tag, an dem Evelyn Boyle angerufen hatte, um uns mitzuteilen, dass uns die Befähigung als Adoptiveltern bescheinigt worden war.

Gerade als ich unser Schlafzimmer betrat, klingelte das Telefon.

»Du liebe Güte, wer ruft denn nach zehn noch hier an?«, fragte Brad und legte das Buch aus der Hand.

»Ich geh schon ran.« Damit griff ich nach dem Telefon auf meinem Nachtschränkchen. Vermutlich ging es um meine Mutter. »Hallo«, meldete ich mich zögernd.

»Ach Lydia, hier ist Evelyn Boyle. Entschuldige bitte, dass ich so spät anrufe.«

»Evelyn?« Automatisch wanderte mein Blick zu Brad hinüber. Es konnte doch kaum sein, dass sie jetzt schon einen Säugling für uns gefunden hatten. Trotzdem begann mein Herz zu rasen. »Was kann ich für dich tun?«

»Schau, ich würde euch nicht bitten, wenn ich eine andere Möglichkeit sähe.«

»Um was bitten?«

»Ich habe ein Pflegekind – ein Mädchen. Es handelt sich um einen Notfall. Ich brauche für zwei Nächte ein Zuhause für Casey.«

Genau das hatte Margaret mir vorausgesagt, und genau davor hatte sie mich gewarnt. »Zwei Nächte«, wiederholte ich, ohne das Zögern in meiner Stimme verbergen zu können.

»Casey besucht einen Ferien-Nachhilfekurs, und wenn sie ihn nicht abschließt, kann sie im September nicht in die achte Klasse versetzt werden. Sie die siebte Klasse wiederholen zu lassen wäre eine Katastrophe. Sie ist erst zwölf und macht ein schwieriges Jahr durch.«

»Ich dachte, die Ferienkurse hätten gerade erst angefangen.« Ein Freund von Cody hatte Schwierigkeiten in Mathe und besuchte deshalb einen solchen Kurs, der kürzlich begonnen hatte und den ganzen Juli über laufen würde.

»Na ja, das ist richtig. Aber wenn Casey heute Nacht und vielleicht noch morgen Nacht bei euch bleiben kann, dann gibt mir das die Zeit, die ich brauche, um eine neue, langfristige Pflegestelle für sie zu suchen.«

»Verstehe.« Ich biss mir auf die Unterlippe, weil ich nicht wusste, was ich sagen sollte.

»Zwei Nächte, Lydia. Nur zwei Nächte. Das wäre für Casey

ungeheuer wichtig. Sie kann es sich nicht leisten, auch nur eine Stunde zu versäumen.«

Nachdenklich schaute ich Brad an. »Ich muss darüber mit meinem Mann sprechen.«

»Natürlich.«

»Kann ich dich gleich zurückrufen?«

»Äh … ich bleibe gern so lange dran.«

»Du bist sicher, dass es nur um ein paar Nächte geht?«

»Ganz sicher.«

»Okay, ich frage ihn.« Ich drückte den Hörer gegen meine Schulter. »Es ist Evelyn Boyle. Sie hat ein zwölfjähriges Mädchen, das ein Bett für die nächsten beiden Nächte braucht.«

»Ich nehme an, sie möchte das Mädchen zu uns bringen?«

Bereit, zu akzeptieren, wie immer Brad sich entscheiden würde, nickte ich.

Er wirkte so zögerlich, wie ich mich fühlte. »Ich kann mir nicht vorstellen, dass Evelyn fragen würde, wenn sie eine andere Möglichkeit hätte«, sagte er leise.

»Sie hat mir erzählt, dass Casey – so heißt das Mädchen – einen Ferien-Nachhilfekurs besucht und es sich nicht leisten kann, Stunden zu versäumen. Sie würde sonst nicht in die achte Klasse versetzt.«

Brad begriff den Zusammenhang sofort. »Mit anderen Worten, es ist wichtig, dass Casey im selben Schulbezirk bleibt.«

»Genau.«

Brad schaute mir in die Augen. »Was meinst du?«

Ich zuckte die Achseln, hin- und hergerissen zwischen Hilfsbereitschaft und Angst. Ich wollte Evelyn helfen, war aber nicht im Geringsten darauf vorbereitet, mich um eine Zwölfjährige zu kümmern. Andererseits ging es ja nur um ein paar Nächte. »Ich schätze mal, es könnte nicht schaden.«

Brad nickte. »Sag ihr, sie kann Casey hier abliefern.« Er drückte meine Hand. »Ich hoffe, wir wissen, worauf wir uns da einlassen«, murmelte er.

»Ich auch.« Ich nahm das Telefon wieder ans Ohr. »Brad sagt, wir können Casey für die nächsten beiden Nächte bei uns aufnehmen.« So verstand Evelyn hoffentlich, dass wir bereit waren, einzuspringen, aber nur für die begrenzte Zeit, um die sie gebeten hatte.

Ihr Seufzer der Erleichterung war deutlich übers Telefon zu hören. »Wie soll ich euch nur danken? Ich bringe Casey innerhalb der nächsten halben Stunde vorbei.«

»Ich bleibe solange auf«, versprach ich. Dreißig Minuten – das gab mir genug Zeit, das Gästezimmer aufzuräumen und das Bett zu beziehen. Außerdem musste ich ein paar Dinge wegräumen. Die Nähmaschine stand dort, weil ich am frühen Abend Codys Jeans ausgebessert hatte. Außerdem lagen dort noch Wolle und Strickprojekte, an denen ich aus diversen Gründen das Interesse verloren hatte. Der Kleiderschrank war voll mit Sachen, die ich einer Wohltätigkeitsorganisation überlassen wollte, und ein paar Dingen aus der Zeit vor meiner Ehe, von denen ich noch nicht recht wusste, was ich damit tun sollte. So war das Gästezimmer zu einem Abstellraum geworden, in den alles verfrachtet wurde, was keinen festen Platz in unserem Leben hatte.

»Brauchst du meine Hilfe?«, erkundigte sich Brad.

»Ich räume nur ein paar Sachen in den Schrank und hole meine Nähmaschine aus dem Zimmer«, erklärte ich. »Es ist ja nur für ein paar Tage.«

»Genau.«

Im Geiste konnte ich Margarets lautes »Ich hab's dir ja gesagt« hören, wenn sie von dieser Sache erfuhr. Egal, das war jetzt nicht zu ändern. Kam gar nicht infrage, dass die unheilvollen Prophezeiungen meiner Schwester mein Leben bestimmten. Man hatte mich gebeten, auszuhelfen, und ich hatte mich dazu bereit erklärt. So waren wir nun mal erzogen, und ich hegte den Verdacht, dass auch meine Schwester genauso gehandelt hätte, wenn Evelyn sie angerufen hätte.

Als ich das Bett fertig bezogen hatte, zog ich einen Morgenmantel über mein Nachthemd und gesellte mich zu Brad ins Wohnzimmer. Es klingelte an der Tür, und er schloss auf, während ich direkt hinter ihm stand. Sofort fing Chase an, an Codys Zimmertür zu kratzen, bereit, uns gegen einen Eindringling zu verteidigen. Während Brad sich um den Hund kümmerte, ließ ich Evelyn und Casey ins Haus. Zuallererst fiel mir auf, wie klein Casey für ihr Alter war. Ihr Rucksack, den sie sich über einen Arm gehängt hatte, wirkte beinahe größer als sie selbst.

Brad kam zurück und hielt den aufgeregt winselnden und eifrig vorwärts strebenden Chase am Halsband fest. »Chase, sitz«, sagte er ruhig, und Chase gehorchte.

»Lydia, Brad, das ist Casey Marshall.«

Die Zwölfjährige schaute uns nicht an, sondern starrte beharrlich zu Boden.

»Hallo, Casey«, sagte Brad. »Willkommen bei uns.«

»Willkommen«, wiederholte ich. »Bestimmt bist du todmüde. Ich habe dir das Bett frisch bezogen. Es wartet schon auf dich.«

Casey starrte weiter auf den Boden.

»Casey«, murmelte Evelyn, einen Arm leicht um die dünnen Schultern des Mädchens gelegt.

Zögernd hob Casey den Blick. Herausfordernder Trotz stand in ihren kühlen dunklen Augen. Was hatte ich eigentlich erwartet? Dankbarkeit? Anerkennung? Erleichterung? Ich wusste es nicht. Jedenfalls war in Caseys Miene und Verhalten nichts dergleichen zu erkennen.

»Casey wird morgen früh zu Fuß zur Schule gehen«, erklärte Evelyn. »Sie besucht die *Carver Middle School.*«

»Ich fahre sie hin«, bot ich an. »Das liegt auf meinem Weg.«

Caseys Blick huschte zu Chase hinüber und wurde deutlich weicher, bis sie bemerkte, dass ich sie beobachtete. Rasch sah sie weg, schaute sich im Flur um und hinüber ins Wohnzimmer.

»Ich brauche niemanden, der mich fährt, ich gehe zu Fuß«, erklärte sie störrisch.

»Wie du willst.« Das lief gar nicht gut. Sie tat beinahe so, als drängten Brad und ich uns in ihr Leben. Dabei gaben wir uns doch nur Mühe, damit sie sich bei uns wohlfühlte.

»Ich lasse euch jetzt allein«, sagte Evelyn und reichte Brad ihre Visitenkarte. »Darauf stehen meine Büro- und meine Mobilnummer. Wenn ihr Fragen habt oder Probleme, könnt ihr mich jederzeit anrufen.«

Brad nahm die Karte entgegen und betrachtete sie, obwohl wir Evelyns Kontaktdaten ja bereits hatten.

Als sie sich verabschiedete, trat ich einen Schritt auf sie zu. Sie blieb stehen, einen fragenden Ausdruck in den Augen. Irgendwie fühlte ich mich der Sache nicht gewachsen. Was wusste ich schon, wie man mit einem gestörten Teenager umging? Ich hatte Angst, dass die Sache schiefgehen würde, aber Evelyn lächelte mich aufmunternd an und wandte sich endgültig zum Gehen.

Nun gut, wir haben uns bereit erklärt, auszuhelfen, rief ich mir in Erinnerung. Außerdem war es ja nur für zwei Tage. Irgendwie würden wir uns durchwursteln, und auch Casey würde damit zurechtkommen.

»Komm, ich zeige dir dein Zimmer«, sagte ich zu Casey, kaum dass Evelyn gegangen war, und gab mir Mühe, zu verbergen, wie nervös ich war.

Casey zog eine Schulter hoch, um zu zeigen, wie egal ihr alles war. Für ihr Alter war sie schmächtig, die glatten, schlecht geschnittenen Haare fielen ihr bis über die Ohren. Ihre Jeans war ausgefranst, und das war kein modischer Akzent, und was auf ihrem T-Shirt gestanden hatte, war längst unleserlich verwaschen. Das Shirt musste einmal leuchtend rosa gewesen sein, hatte jetzt aber nur noch eine schmutzig weiße Farbe mit rötlichen Flecken.

Ich ging durch den Flur voran. »Das hier ist dein Zimmer«, sagte ich und schaltete das Licht ein. Das Bett war gemacht, und alles, was herumgestanden hatte, war im Schrank verstaut oder auf der Kommode gestapelt. Frische Handtücher und ein paar Kleiderbügel hatte ich auf die Bettdecke gelegt.

Bevor sie das Zimmer betrat, schaute Casey sich um.

»Unser Sohn Cody schläft gleich nebenan. Chase ist sein Hund. Cody hat ihm diesen Namen gegeben, weil er ihm ständig nachjagen muss.« Sie lächelte nicht. »Magst du Hunde?«

Wieder ein einseitiges Achselzucken. »Sie sind okay.«

»Brauchst du noch irgendwas?«, fragte Brad, blieb hinter mir stehen und legte mir die Hände auf die Schultern.

Casey überlegte kurz und schüttelte den Kopf.

»Das Bad ist am Ende des Flurs.«

Sie nickte.

»Bis morgen früh dann«, sagte ich. Eigentlich wollte ich das Mädchen nicht allein lassen, aber ich wusste nicht, was ich sonst noch sagen oder tun sollte. Offensichtlich war Casey nicht an einer Unterhaltung interessiert. Sie verhielt sich, als wollte sie uns schnellstmöglich loswerden.

»Nacht«, sagte Brad.

»Ja, gute Nacht«, setzte ich mit einem Lächeln hinzu, das hoffentlich aufmunternd wirkte.

Casey nickte und schloss die Tür vor unseren Nasen. Verwirrt standen Brad und ich auf dem Flur.

»Hoffentlich haben wir das Richtige getan«, flüsterte er.

»Hoffentlich.«

Mitten in der Nacht wachte ich auf und wusste sofort, dass irgendetwas anders war als sonst. Nach ein paar Minuten fiel mir auch wieder ein, was: Ein Mädchen schlief im Gästezimmer. Ein Mädchen, das wir nicht kannten. Casey wollte eindeutig nicht hier bei uns sein und schien unsere Gastfreundschaft nicht im Geringsten wertzuschätzen.

Gegen sieben, unmittelbar bevor der Wecker klingelte, meldete sich Cody mit einem Schrei, der durchs ganze Haus dröhnte: »Mom, hier ist ein fremdes Mädchen in der Küche!«

Sofort schlug ich die Decke zurück und sprang aus dem Bett, warf mir meinen Morgenmantel über und eilte in die Küche. Casey saß dort am Tisch und aß eine Schüssel Müsli. Cody stand in seinem Schlafanzug da, Chase neben ihm wedelte vorsichtig mit dem Schwanz. Ganz offensichtlich stand mein Sohn unter Schock.

»Das ist Casey«, sagte ich.

Codys Augen wurden schmal. »Kann sie sprechen?«

»Casey, das ist unser Sohn Cody.«

Das Mädchen aß weiter. »Mm-hmm.«

»Er ist gar nicht übel für einen Jungen«, erklärte ich und wurde mit dem Anflug eines Lächelns belohnt.

»Mom«, protestierte Cody. »Sie bleibt doch nicht etwa hier, oder?«

Das bisschen Freude, das sich in Caseys Augen gezeigt hatte, war schlagartig verschwunden. »Keine Sorge. Ich bin bald wieder weg.«

Wohlweislich schluckte ich die Worte, die mir auf der Zunge gelegen hatten, hinunter. Konnte ich ihr sagen, sie sei willkommen, zu bleiben, solange es nötig war, obwohl ich, ehrlich gesagt, nicht wusste, ob das der Wahrheit entsprach? Wir hatten uns lediglich einverstanden erklärt, sie für kurze Zeit bei uns aufzunehmen, und mehr – so vermutete ich – konnten wir auch gar nicht leisten. Dieses Mädchen sorgte dafür, dass ich mich in meinem eigenen Zuhause unwohl fühlte.

»Ich komme heute Abend erst spät nach Hause«, sagte ich und griff nach der Kaffeekanne. Brad, der für UPS arbeitete, hatte das Haus bereits, eine Stunde bevor mein Wecker klingelte, verlassen. Wie üblich hatte er Kaffee aufgebrüht, und dafür war ich ihm zutiefst dankbar.

»Können wir in den Park gehen?«, fragte Cody, während ich mir einen Becher füllte und Zucker und Sahne hineingab. »Du hast gesagt, wir könnten.«

»Ja, kein Problem«, erwiderte ich, nachdem ich meinen ersten stärkenden Schluck Kaffee getrunken hatte. Da der Laden heute bis acht Uhr abends geöffnet sein würde, fing meine Schicht nicht vor zwölf an. Margaret würde am Morgen aufschließen, und Elise kam später am Nachmittag.

Casey murmelte etwas, das ich nicht verstand.

»Ich bin kein Baby!«, reagierte Cody sauer.

»Nur Babys gehen mit ihren Mommys in den Park.«

»Casey, das war unangebracht«, tadelte ich sie. »Du bist bei uns zu Gast, aber ich kann und will keine Respektlosigkeiten dulden. Hast du das verstanden?«

Sie antwortete nicht, stand nur vom Tisch auf und trug ihre Müslischale zur Spüle. »Ich muss jetzt zum Unterricht.«

»Es ist doch noch zu früh, oder?«

»Nein«, erwiderte sie so trotzig, dass ich sie am liebsten genauer befragt hätte.

Casey verschwand in ihrem Zimmer und kam eine Minute später mit einem Buch in der Hand zurück.

»Wann ist der Unterricht zu Ende?«, wollte ich wissen.

»Mittags.«

»Oh.« Über diesen Aspekt ihres Aufenthalts bei uns hatten wir gar nicht gesprochen. »Brad kommt erst nach drei nach Hause.«

Das schien Casey nicht zu bekümmern. »Hänge ich eben mit meinen Freundinnen ab«, sagte sie.

Offen gesagt, war ich nicht überzeugt davon, dass das eine gute Idee war. »Würdest du gern den Bus nehmen und in mein Wollgeschäft kommen? Ich werde mit Ms. Boyle reden. Vielleicht kann sie dich in einer Ganztagseinrichtung unterbringen, wenn du magst. Vielleicht schon ab morgen.«

»Ein *Wollgeschäft*?« So wie Casey das sagte, klang es, als wäre das der allerletzte Platz auf Erden, an dem sie sein wollte.

»Wenn es dich interessiert, bringe ich dir Stricken bei.«

Das ignorierte sie.

Ich schrieb ihr auf, welchen Bus sie nehmen und wo sie aussteigen musste, und gab ihr das Fahrgeld. Casey stopfte die Münzen in ihre Jeanstasche und ging kurz darauf.

Kaum war die Tür hinter ihr ins Schloss gefallen, wirbelte Cody zu mir herum. »Sie bleibt doch nicht, oder?«

»Nur für ein paar Tage.«

»Ich mag sie nicht.«

»Wir hatten noch keine Chance, sie kennenzulernen«, meinte ich, aber es war auch nicht gerade wahrscheinlich, dass wir eine bekommen würden.

Kaum hatte ich das gesagt, da klingelte das Telefon. Ein kurzer Blick aufs Display verriet mir, dass Evelyn Boyle dran war.

»Morgen«, begrüßte ich sie so fröhlich wie möglich.

»Wie war es gestern Abend?«

Ich senkte den Blick, während ich mich fragte, was ich ihr sagen sollte. »Ganz okay, schätze ich«, meinte ich schließlich. »Casey ist beinahe sofort ins Bett gegangen.« Mir entschlüpfte ein Seufzer. »Leider lief es heute Morgen nicht gut. Ich fürchte, Casey und Cody haben nicht viel miteinander gemein.«

»Gebt ihnen Zeit, sich aneinander zu gewöhnen«, riet Evelyn.

»Zeit?«, fragte ich. »Casey verlässt uns doch morgen wieder, oder?«

Evelyn zögerte, und das sagte mir alles, was ich wissen musste.

»Das Problem ist«, erklärte sie schließlich mit offensichtlichem Widerwillen, »dass die Familie, die Casey in Pflege nehmen sollte, in Urlaub ist. Ich kann versuchen, Ersatz zu finden, aber das dauert einen oder zwei Tage. Im Sommer sind Pflegestellen immer besonders knapp.« Sie schwieg einen Moment. »Ich frage nur äußerst ungern, aber könnte sie eine Woche bei euch bleiben? Ich denke, in der Zeit werde ich eine passende Familie für sie finden.«

»Eine Woche«, wiederholte ich ein wenig schockiert. »Darüber muss ich natürlich erst mit Brad reden.«

Cody kam herüber und baute sich direkt vor mir auf, die Hände in die Hüften gestemmt. Warnend funkelte er mich an. Was er diesbezüglich dachte, war sonnenklar.

»Und natürlich hat auch Cody ein Wörtchen mitzureden.«

Wenn das so weiterging, musste ich bald auch noch Chase in den Entscheidungsprozess einbeziehen.

»Ich würde mich freuen, wenn du mich so bald wie möglich zurückrufen könntest«, sagte Evelyn.

»Natürlich.« Langsam legte ich auf.

»Mom!«, jammerte Cody.

Ich schaute zu ihm hinunter. »Wollen wir so nett sein, Casey die ganze Woche bei uns aufzunehmen? Was meinst du?«

Entschieden schüttelte mein Sohn den Kopf. »Niemals!«

»Okay, dann rufe ich Ms. Boyle zurück und sage ihr, dass es nicht geht. Casey wird ihre Sachen packen und ausziehen müssen.«

Cody senkte den Blick auf seine nackten Füße und verlagerte das Gewicht von einem Bein aufs andere. »Nur eine Woche, richtig?«

»Das hat Evelyn gesagt.« Vorsichtshalber erwähnte ich nicht, dass die Sozialarbeiterin vor wenigen Stunden versprochen hatte, es gehe um höchstens zwei Nächte.

Nachdenklich kaute Cody auf seiner Unterlippe. »Was meinst *du*?«

Ich war hin und her gerissen, aber schließlich siegte mein Mitgefühl. Es würde für uns alle nicht gerade leicht werden. Casey würde es uns nicht angenehm machen. Andererseits hatte ich in den Augen des Mädchens diesen Anflug von einem Lächeln gesehen. Als ich sagte, für einen Jungen sei Cody gar nicht so übel, lagen Casey und ich für ein paar Sekunden auf gleicher Wellenlänge.

»Mom?«, hakte Cody ungeduldig nach.

»Wenn dein Vater einverstanden ist, denke ich, dass wir Casey eine Woche hierbehalten sollten.«

»Okay«, murmelte Cody. »Aber nur eine Woche, und sie darf mich nie wieder als Baby bezeichnen.« Er nickte nachdrücklich, als wäre die Sache damit entschieden.

7. Kapitel

Phoebe Rylander

Um zwanzig nach fünf, vierzig Minuten vor Beginn der ersten Strickstunde, machte Phoebe Feierabend. Clark hatte keine Ahnung von dem Kurs, ihre Mutter auch nicht. Warum sie es vorgezogen hatte, niemandem davon zu erzählen, wusste Phoebe nicht. Sie hatte es einfach nicht getan.

Es fiel ihr schwer, die andauernden Anrufe und SMS von Clark nicht zu beantworten, obwohl ihr klar war, dass es am vernünftigsten war, sie einfach zu ignorieren. Sie hätte auch ihre Festnetznummer ändern sollen, aber das war komplizierter. Zumindest redete sie sich das ein. Tatsächlich gab sie nur äußerst ungern zu, dass sie vielleicht ein ganz klein wenig von ihm hören wollte. Dabei war sie sich nicht einmal sicher, ob Clark ihr hinterhertelefonierte, weil er sie zurückgewinnen wollte oder weil er ihre Zurückweisung nicht tolerieren konnte. Für ihn zählte nur eins: zu gewinnen, und zwar immer. Wenn einer die Verlobung auflöste, dann wollte *er* den Schlussstrich ziehen. Es konnte nicht sein, dass das von ihr ausging. Daher ließ er einfach nicht locker, seit sie ihm den Verlobungsring zurückgegeben hatte.

Phoebe brauchte dringend eine Atempause, und der Strickkurs konnte sie ihr bieten.

Obwohl Leanne es nicht zugegeben hatte, war sich Phoebe ziemlich sicher, dass ihre Mutter sich mit Clarks Eltern zusammengetan hatte und alles in ihrer Macht Stehende unternahm, um den Bruch zu kitten. Weder ihre Mutter noch Clark hatten begriffen, dass Phoebe die Trennung als endgültig betrachtete, egal, wie sehr sie sich auch wünschte, es könnte anders sein.

Selbst jetzt noch und obwohl sie wusste, was er tat, sehnte sie sich danach, zu glauben, dass Clark nicht verstand, was er getan hatte oder warum sie sich darüber aufregte. Dabei hatte sie es ihm schon beim ersten Mal gesagt – und es dabei an Deutlichkeit nicht mangeln lassen. Dieses Mal würde sie nicht einknicken. Konnte sie nicht einknicken. Phoebe wusste, dass seine Schwäche für käuflichen Sex sich durch die Heirat nicht ändern würde. Das war eine Sucht; es konnte nichts anderes sein, denn sonst würde er doch nicht solche lächerlichen Risiken eingehen. Schon zweimal war er deswegen verhaftet worden, und der Himmel allein wusste, wie viele andere Gelegenheiten es gegeben hatte. Gelegenheiten, bei denen er Glück gehabt hatte, nicht erwischt zu werden. Obendrein eine Nutte vom Straßenstrich! Wenn er schon für Sex zahlen wollte, hätte Phoebe doch wenigstens angenommen, dass er sich eine Edelprostituierte suchen würde. Es sei denn, der eigentliche Reiz für ihn lag in der Gefahr … Sie seufzte. Das alles ergab keinen Sinn für sie.

Er hatte ihr versprochen, das würde nie wieder geschehen, und sie hatte ihm bei jenem ersten Mal zögernd verziehen, hatte geglaubt, er meine es ehrlich – und doch hatte er es wieder getan. Sie brauchte einen Mann, der sich ganz und gar ihr und ihrer Beziehung verpflichtet fühlte. Ob es nun eine Sucht war, der Reiz der Gefahr oder was auch immer, Clark schien nicht willens oder nicht in der Lage zu sein, sich zu beherrschen. Und sie weigerte sich, ihre eigene emotionale und körperliche Gesundheit wegen seiner Schwäche aufs Spiel zu setzen.

Bis jetzt hatte sie durchgehalten. Wenn sie in ihrem Entschluss schwankte, schien Clark das zu spüren und bombardierte sie mit Grußkarten, Blumen und Geschenken, die sie allesamt zurückgehen ließ. Aber das schien ihn nicht zu stören. Im Gegenteil, er verdoppelte nur seine Anstrengungen.

Statt ihren Wagen aus der Klinikgarage zu holen, beschloss Phoebe, den knappen Kilometer bis zur Blossom Street zu Fuß zu gehen. Sie hatte ihre funkelnagelneue Stricktasche dabei, gefüllt mit Garndocken in einem beruhigenden Salbeigrün, der Mustervorlage und einem noch in Kunststoff verpackten Paar Stricknadeln. Es war ein schöner Abend, aber schon so kühl, dass man einen Pullover brauchte. Da sie früh dran war, betrat sie das *French Café* und kaufte sich ein halbes Sandwich, Pastrami auf Roggenbrot mit Senf, und eine Tasse Kaffee.

Seit der Trennung mangelte es ihr an Appetit, und sie hatte abgenommen. Dies war das erste Mal seit zwei Wochen, dass sie so etwas wie Hunger verspürte. Ein ermutigendes Zeichen. Sie fühlte sich, als läge die Beziehung mit Clark schon Jahre zurück. Auch das machte Mut, und doch …

Unerwartet schossen ihr Tränen in die Augen, und sie musste sie gewaltsam zurückdrängen. Die Verlobung aufzulösen und Clark aus ihrem Leben auszuschließen – das alles war zwar notwendig, erfüllte sie aber mit gewaltigem Kummer. Das Ganze war so viel härter für sie, als andere sich vorstellen konnten und jemals erfahren würden. Ihren Freunden und ihrer Mutter gegenüber gab sie sich entschlossen und unbeirrbar, aber Clark geisterte ihr ständig durch den Kopf. Bald würde es besser werden; das hatte sie sich schon so oft gesagt, dass sie tatsächlich daran zu glauben begann.

Es *musste* besser werden.

Irgendwann würde der Schmerz in ihrem Herzen nachlassen. Jetzt aber, da sie an einem wunderschönen Sommerabend allein vor dem Café saß, fühlte sie sich gleich zehnmal so schrecklich. Zehnmal so einsam …

Punkt sechs Uhr überquerte sie die Straße, um *A Good Yarn* zu betreten. Während ihrer Mahlzeit hatte sie gesehen, wie zwei andere das Wollgeschäft betraten, und sich gefragt, ob sie wohl auch den Strickkurs besuchten. Sehr wahrscheinlich kam ihr das nicht vor, handelte es sich doch um einen Mann und einen scheinbar ausgebufften Teenager.

Die Glocke über der Tür bimmelte, als sie unsicher ihre Utensilien an sich drückend den Laden betrat.

»Hi, Phoebe.« Lydia eilte nach vorn, um sie zu begrüßen. »Die anderen sind schon alle da. Kommen Sie mit nach hinten und gesellen sich zu uns.«

Phoebe folgte ihr in den rückwärtigen Teil des Ladens. Sowohl der Teenager als auch der Mann hatten an dem großen Tisch Platz genommen und blickten auf, als sie näher trat. Sie hatte sich also geirrt. Die beiden nahmen tatsächlich an dem Kurs teil. Nun denn, das war immerhin eine interessante Mischung.

»Darf ich vorstellen – Phoebe Rylander«, kündigte Lydia sie an und legte einen Arm um Phoebes Schultern.

»Hi«, sagte diese und winkte nervös.

Der Mann erhob sich und streckte ihr seine Hand hin. »Ich bin Bryan Hutchinson. Man nennt mich Hutch.«

»Hallo«, erwiderte sie. Normalerweise war Phoebe nicht schüchtern, aber aus irgendeinem Grund fühlte sie sich unbehaglich und unsicher. Vielleicht lag es daran, dass dies hier ein völlig neues Wagnis für sie war, eines, für das sie Fertigkeiten benötigte, die sie nicht besaß. Obwohl sie als Mädchen hin und wieder gestrickt hatte, hatte sie doch nie großes Interesse an Handarbeiten jeglicher Art gezeigt. Nun, vielleicht würde sich das jetzt ändern.

»Ich bin Alix – mit einem I«, erklärte das Mädchen. Ihr Haar war schwarz, vermutlich gefärbt, eine kurze Igelfrisur, die ihr gut stand. Sie trug eine Lederjacke und Jeans. Beim ersten Anblick von Alix mit einem I hatte Phoebe angenommen, sie sei noch ein Teenager, aber aus der Nähe betrachtet, war sie wohl doch schon Anfang zwanzig. Die Lederjacke trug sie offen, darunter eine Baumwollbluse mit Spitzenkragen, die in krassem Gegensatz zu ihrer übrigen Erscheinung stand. Offensichtlich war sie ein wenig unorthodox, aber Phoebe gefiel das. Sie lächelte Alix zu, diese erwiderte das Lächeln, und Phoebe entschied sich für den Platz neben ihr.

Lydia trat näher an den Tisch heran. »Da wir stricken wollen, um von etwas loszukommen, dachte ich, es sei vielleicht hilfreich, wenn wir einander erzählen, warum wir uns für diesen Kurs entschieden haben und was wir damit zu erreichen hoffen.« Sie schaute Alix an. »Möchtest du vielleicht den Anfang machen, Alix?«

Die junge Frau zuckte die Achseln. »Klar, warum nicht. Wie ihr jetzt bereits wisst, heiße ich Alix.«

»Mit einem *I*«, ergänzte Hutch grinsend.

»Richtig. Ich nehme an, Lydia hat mich gebeten, den Anfang zu machen, weil ich hier schon öfter an Kursen teilgenommen habe. Vor fast fünf Jahren, als Lydia diesen Laden eröffnete, habe ich stricken gelernt.«

»Alix war in meinem ersten Kurs und ist inzwischen zu einer meiner besten Freundinnen geworden«, warf Lydia ein.

»Seit jenem ersten Kurs habe ich mich sehr verändert«, fuhr Alix fort. »Damals hegte ich einen starken Groll gegen die ganze Welt. Man hatte mich gerade fälschlicherweise wegen Drogenbesitz angeklagt. Ich schätze, dem Richter war das klar, denn er verurteilte mich zu gemeinnütziger Arbeit statt zu einer Haftstrafe.«

Interessiert beugte Hutch sich vor. »Und du hast angefangen zu stricken? Als gemeinnützige Arbeit? Wie das denn?«

»Ich habe etwas für ein Wohltätigkeitsprojekt gestrickt. Das Gericht gestattete mir, eine Babydecke für *Project Linus* zu stricken. Und ich dachte, es könnte nicht schaden, wenigstens einmal in meinem Leben etwas Konstruktives zu lernen.«

»Gute Idee«, sagte Phoebe und nickte zustimmend. Alix war ganz sicher keine typische Vertreterin ihrer Generation.

»Der Grund, dass ich mich für diesen Kurs angemeldet habe, liegt darin, dass ich angefangen habe zu rauchen, bevor Jordan und ich geheiratet haben. Das ganze Drumherum vor der Hochzeit erwies sich als extrem stressig, und so entschied ich, ich bräuchte dringend eine Zigarette. Damals redete ich mir ein, ich würde nur eine Packung rauchen. Wie ihr euch vermutlich denken könnt, wurden es sehr viel mehr, und jetzt versuche ich, damit aufzuhören.«

»Ich kann kaum glauben, dass du verheiratet bist«, platzte Phoebe heraus und kam sich im gleichen Atemzug ziemlich dumm vor. »Ich meine, du wirkst so jung.«

»Danke, aber ich bin älter, als ich aussehe.« Alix lachte leise. »Ich hoffe, es liegt nur an meiner äußeren Erscheinung und nicht an meinem Benehmen, dass du mich für jünger gehalten hast.«

»Natürlich!«

»Ganz gewiss«, murmelte Hutch.

»Na, egal. Jordan und ich wollen eine Familie gründen. Bevor ich schwanger werde, muss ich aufhören zu rauchen. Stricken hat mir schon durch andere Probleme hindurchgeholfen, also … hier bin ich.«

»Und darüber freuen wir uns«, sagte Lydia, bevor sie sich an Hutch wandte. »Und was führt dich hierher, Hutch?«

Er sieht nett aus, ging es Phoebe durch den Kopf, als sie ihn über den Tisch hinweg musterte. Sein Alter war schwer einzuschätzen. Mitte dreißig, riet sie – obwohl sie gerade erst bewiesen hatte, dass sie anderer Leute Alter nicht gerade gut einschätzen konnte. Er hatte angenehme, gleichmäßige Züge und hellbraunes Haar. Obwohl sie es nur ungern zugab, fehlte ihm die starke maskuline Ausstrahlung, die Clark hatte. Er schien ein ganz normaler Durchschnittsmann zu sein – was ja auch in Ordnung war. Was Phoebe an ihm gefiel, war, wie interessiert er zuhörte, als die anderen erzählten. Außer ihrem Chef kannte sie nicht viele Männer, die gut zuhören konnten.

Hutch lehnte sich in seinem Stuhl zurück. »Offen gesagt, hat mein Arzt vorgeschlagen, ich sollte es mit Stricken versuchen. Wir kennen uns noch vom College. Kürzlich habe ich meinen jährlichen Check-up machen lassen, und Dave lag mir in den Ohren, dass ich zu hart arbeite und nicht genug Sport treibe. Ich nehme Medikamente gegen zu hohen Blutdruck, und da es in der Familie schon Herzkrankheiten gegeben hat, meinte er, ich sollte einen Weg finden, mich zu entspannen. Ja, er sagte mir sogar, er stricke selbst. Vermutlich hat das für mich den Ausschlag gegeben.«

»Du hast einen sehr weisen Arzt«, griff Lydia den Faden auf. »Verschiedene Studien haben gezeigt, dass Stricken förderlich für die Gesundheit ist, weil es hilft zu entspannen. Aus persönlicher Erfahrung würde ich sagen: Während unsere Hände beschäftigt sind, kommen unsere Gedanken zur Ruhe.«

Hutch nickte langsam. »Klingt sinnvoll.«

»Ich glaube, du hast eine ausgezeichnete Entscheidung getroffen. Offensichtlich«, fügte sie grinsend hinzu.

»Dave sagte außerdem, Stricken würde den Heilungsprozess an meinem Daumen fördern.« Er hielt die rechte Hand hoch und zeigte allen, wo er sich geschnitten hatte. Die Narbe war rot und hässlich.

»Noch ein Vorteil«, meinte Lydia.

»Deshalb bin ich hier, aber ich muss gleich sagen, ich hatte noch nie in meinem Leben Stricknadeln in der Hand.«

»Kein Problem.« Lydia lächelte. »Ich bringe Leuten das Stricken bei, seit ich Teenager bin. Du wirst es sicher leicht lernen.«

Hutch grinste. »Dein Vertrauen in mich macht mir Mut.«

Nun wandte Lydia sich der Letzten in der Runde zu. »Phoebe, magst du uns sagen, was dich dazu bewogen hat, dich für diesen speziellen Kurs anzumelden?«

Sie zögerte, war nicht bereit, vor Fremden ihren Kummer auszubreiten. Fieberhaft überlegend schaute sie zu Lydia hoch. »Ich war verlobt und …« Was sie dann sagte, war für sie selbst völlig überraschend. Schließlich hatte sie auf keinen Fall lügen wollen, obwohl die Wahrheit ihr peinlich und sehr demütigend war. »Mein Verlobter ist gestorben.«

In Lydias Augen zeigte sich erschrockenes Mitgefühl. »Oh, Phoebe, ich hatte ja keine Ahnung. Ich … ich dachte …« Sie verstummte abrupt. »Es ist egal, was ich dachte, es tut mir unendlich leid.«

»Ich muss über ihn hinwegkommen«, sagte Phoebe und schluckte schwer. Tränen schnürten ihr die Kehle zu, und sie bemühte sich, vor den anderen zu verbergen, dass sie nahe daran war zu weinen.

Glücklicherweise fragte niemand nach Einzelheiten in Bezug auf Clarks angeblichen Tod.

»Es tut mir leid«, sagte Alix. Sie lehnte sich zu ihr hinüber und drückte ihr sacht die Hand. »Ich kann mir nicht einmal ansatzweise vorstellen, wie es wäre, wenn ich Jordan verloren hätte.«

Phoebe wich dem Blick der anderen aus. Schlimm genug, dass sie zu einer Lüge gegriffen hatte, aber jetzt musste sie diese Scharade fortsetzen. Das Mitgefühl der anderen verstärkte ihr Schuldbewusstsein nur noch mehr. Obwohl Hutch nichts gesagt hatte, verriet sein Blick, dass er betroffen und besorgt war.

Blind vor Tränen packte Phoebe ihre Stricknadeln aus und machte damit deutlich, dass es für sie jetzt mit dem Kurs losgehen konnte.

Lydia verstand den Wink, griff nach dem bereitliegenden Musterblatt für den Schal und hielt es hoch. »Ich habe mich für diese Vorlage von Bev Galeskas entschieden, weil ich glaube, dass jeder diesen Schal stricken kann, ganz gleich, wie viel oder wenig Erfahrung er oder sie bereits hat. Es beginnt mit den Grundmaschen.« Damit nahm sie aus einer Tasche hinter sich einen Schal aus weicher grauer Wolle. »Ich habe den Schal schon einmal fertiggestellt, damit jeder sehen kann, wie die vollendete Arbeit aussieht.«

»*Das* könnte ich stricken?«, fragte Hutch. Er klang schockiert.

»Das können wir alle.«

»Ganz *sicher*, dass ich das kann?«

Alix lachte. »Genauso ging es mir in meinem ersten Kurs, als Lydia mir die Babydecke zeigte. Ich garantiere dir, du wirst von dir selbst beeindruckt sein.«

»Meine Schwester wird auf alle Fälle beeindruckt sein.« Er lächelte Lydia zu. »Wenn mein Schal auch nur halb so gut wird wie deiner, dann möchte ich ihn ihr zum Geburtstag schenken.«

Seiner Schwester? Nicht seiner Frau? Das bedeutete dann ja wohl vermutlich, dass er nicht verheiratet war. Phoebe war zwar nicht in der Stimmung, sich mit einem Mann einzulassen, aber Hutch weckte immer mehr ihre Neugier. Seine Persönlichkeit schien komplett gegensätzlich zu der von Clark zu sein. Er hatte nicht das Bedürfnis, ständig im Mittelpunkt zu stehen, und hörte stattdessen allen anderen aufmerksam zu. Soweit es Phoebe anging, war das eine seltene Tugend. Mochte er auch noch so gewöhnlich wirken, konnte sie doch jetzt schon sehen, dass er ganz und gar nicht gewöhnlich war, und das, obwohl sie ihn gerade erst kennengelernt hatte.

Bevor sie ihre Maschen anschlugen, beschrieb Lydia das Muster und erklärte, es sei besser, es einmal komplett zu lesen, um später Fehler zu vermeiden. Außerdem bot sie an, ihre Musterblätter zu fotokopieren, damit sie die Kopien als Arbeitsblätter benutzen konnten.

»Auf den kopierten Bögen könnt ihr euch Notizen machen, markieren, wo ihr gerade seid, und ihr könnt sie zu eurem Strickzeug packen. Geht solch ein Blatt verloren, habt ihr immer noch das Original.«

Anschließend führte sie vor, wie man Maschen anschlug. Phoebe war überrascht, wie schnell sie sich wieder einarbeitete. Damit hatte sie nicht gerechnet.

Lydia setzte sich neben Hutch und ging die Technik immer wieder mit ihm durch. Sorgsam folgte er ihren Anweisungen, und obwohl es ihm schwerfiel, Nadeln und Wolle zu halten und gleichzeitig Maschen anzuschlagen, verlor er doch nie die Geduld. Phoebe konnte sich nicht vorstellen, dass Clark so durchgehalten hätte. Wahrscheinlich hätte er Nadeln und Garn längst angewidert fortgeworfen.

Clark.

Wie leicht er ihr doch wieder in den Sinn gekommen war, aller Entschlossenheit zum Trotz. Sie zwang sich, sich auf ihre Arbeit zu konzentrieren, und strickte die Reihe systematisch zu Ende. Dann die nächste …

Nach etwa einer Stunde klingelte das Telefon. Lydia entschuldigte sich und ging nach vorn an den Tresen.

Nach dem, was Phoebe hören konnte, war es ein privater Anruf.

»Wasserbomben im Haus?«, stieß Lydia an einem Punkt keuchend hervor und bedeckte die Augen mit der freien Hand.

Als sie ein paar Minuten später an den Tisch zurückkehrte, wirkte sie beunruhigt und nervös.

Alix war diejenige, die sie darauf ansprach. »Alles in Ordnung mit Cody und Brad?«

»Ich … ich bin mir nicht sicher. Wir haben einen Hausgast, und so wie es aussieht, hat sie es geschafft, jemanden ordentlich zu ärgern.«

»Wie lange bleibt euer Gast?«, erkundigte sich Hutch.

»Eine Woche.« Lydia runzelte die Stirn, gab aber keine weiteren Einzelheiten preis.

Draußen war es noch hell, als die Kursstunde offiziell zu Ende war. Phoebe packte ihr Strickzeug ein und nahm ihre Handtasche, da wurde die Ladentür geöffnet, und ein adretter junger Mann trat ein.

»Jordan«, sagte Alix sichtlich erfreut. »Hi!«

Der Mann ging zu Alix und legte ihr seinen Arm um die Taille. »Ich dachte, ich komme vorbei und hole dich ab.«

Alix lächelte zu Hutch und Phoebe hinüber. »Das ist mein Mann, Jordan Turner.«

Jordan schüttelte beiden die Hand. »Nett, Sie kennenzulernen.«

Angesichts der offensichtlichen Liebe zwischen Alix und ihrem Mann durchzuckte Phoebe ein unerwarteter Schmerz.

Sie wandte den Blick ab. Ihr fiel wieder ein, wie Clark ... Schnell verwarf sie den Gedanken.

Nein, sie wollte nicht an ihn denken. Auch wenn es eine glasklare Lüge gewesen war, zu behaupten, er sei tot, so entsprach es doch in gewisser Weise der Wahrheit. Für sie war er gestorben. Je eher diese Botschaft den Weg von ihrem Verstand zu ihrem Herzen schaffte, desto eher würde sie über ihn hinwegkommen. Und desto eher hatte die Qual ein Ende.

Phoebe wünschte allen einen guten Abend und eilte aus der Tür. Hutch ging direkt nach ihr. Ein paar Mal in den letzten beiden Stunden hatte sie versucht, ihn in die Unterhaltung einzubeziehen. Hutch hatte sich aber so darauf konzentrieren müssen, die grundlegenden Maschen – rechte und linke – zu lernen, dass er nicht einmal aufgeschaut hatte. Phoebe bewunderte seine Ausdauer.

»Es war nett, dich kennenzulernen, Phoebe«, sagte er jetzt, die Aktentasche mit seiner Wolle und den Stricknadeln darin unter dem Arm.

Sie standen sich auf dem Bürgersteig gegenüber. »Ganz meinerseits«, erwiderte sie.

»Es tut mir leid wegen deines Verlobten.«

»Ich weiß ... mir auch.« Schnell wandte sie den Blick ab, weil sie sich unbehaglich dabei fühlte, die Lüge weiterzuspinnen.

»Steht dein Wagen in der Nähe?«

»Nicht sehr weit. Ich habe ihn in der Parkgarage an meinem Arbeitsplatz gelassen.«

»Soll ich dich hinfahren?«

Das war ein freundliches Angebot, aber Phoebe schlug es aus. »Danke. Den Spaziergang werde ich genießen.«

»In Ordnung. Bis nächste Woche.«

»Bis dann.«

Phoebe genoss den Spaziergang tatsächlich. Die Kursstunde war interessant gewesen, und sie freute sich jetzt schon darauf, nächste Woche Zeit mit Alix, Hutch und Lydia zu verbringen. Heute war der erste Abend seit Langem, an dem die Einsamkeit sie nicht zu erdrücken drohte. Das Einzige, was sie bereute, war die Lüge. So war sie zwar um komplizierte Erklärungen herumgekommen, die sie lieber nicht geben wollte, aber dennoch …

Phoebe betrat die Lobby ihres Apartmenthauses und eilte zum Fahrstuhl, während sie sich fragte, was wohl bei Lydia zu Hause los gewesen sein mochte. Ganz offensichtlich hatte jener Anruf sie verstört und …

»Wo warst du?«

Sie wirbelte herum. Direkt hinter ihr stand Clark. »Was tust du hier?«, gab sie scharf zurück. Sie dachte gar nicht daran, seine Fragen zu beantworten.

»Was glaubst du denn, was ich hier tue? Ich warte seit zwei Stunden auf dich. Phoebe, so kann das nicht weitergehen. Ich bin unglücklich ohne dich. Ich brauche dich.«

»Clark …«

»Hör mich an. Bitte.«

Sie musste die Augen schließen, weil sie Angst davor hatte, von seinem Gesichtsausdruck und seiner flehentlichen Stimme beeinflusst zu werden. »Lass das.« Zu ihrer großen Erleichterung kam im selben Moment der Fahrstuhl, und sie stürmte förmlich hinein. »Geh einfach!«

Schnell schob Clark den Arm zwischen die Fahrstuhltüren und hielt sie so mühelos auf. »Beantworte mir eine Frage. Dann gehe ich.« Eindringlich schaute er sie an. »Sag mir, dass du nicht mit einem anderen Mann aus warst, während ich hier zwei Stunden gesessen und gewartet habe. Das könnte ich nicht ertragen, Phoebe. Alles, nur nicht das.«

Was er wirklich nicht ertragen kann, ist eine Niederlage, ging es ihr durch den Kopf. Nach kurzem Zögern entschied sie, es sei am besten, ihm die Wahrheit zu sagen. »Ich … ich gehe mit niemand anderem.«

»Danke«, flüsterte er und nickte. Dann trat er zurück, und die Fahrstuhltüren glitten zu.

8. Kapitel

Anne Marie Roche

Jetzt waren sie seit einer Woche wieder zu Hause, aber Anne Marie fand nur sehr langsam in ihren Alltag zurück. Sie saß in dem kleinen Büro in ihrem Laden und beglich Rechnungen, die sich in ihrer Abwesenheit angesammelt hatten. In Gedanken war sie jedoch ziemlich oft woanders als bei ihrer Arbeit. Die Erinnerungen an Paris waren noch so lebendig. Sainte-Chapelle hatte ihr den Atem verschlagen. Beim Besuch in der prachtvollen Kathedrale Nôtre Dame hatte sie sich winzig klein gefühlt, und der Abstecher auf den Eiffelturm war aufregend gewesen. Bootsfahrten auf der Seine, Mahlzeiten in bezaubernden kleinen Bistros … Die Reise hatte alles geboten, von dem Anne Marie immer geträumt hatte, und noch viel mehr.

Ellen war kaum in der Lage gewesen, alle Eindrücke zu verdauen, und Anne Marie hatte dieselbe Mischung aus Ehrfurcht und Staunen empfunden. Nach diesem Erlebnis dachte sie nur noch daran, die Stadt ein weiteres Mal zu besuchen.

Begeistert war Anne Marie außerdem, mit welcher Leichtigkeit Ellen die fremde Sprache lernte. Sie schien französische Wörter beinah mühelos aufzuschnappen, hörte sie ein- oder zweimal und behielt sie. Anne Marie wollte, dass sie sich davon so viel wie möglich bewahrte, und Ellen übte bei jeder Gelegenheit, vor allem mit Baxter. Ihre besondere Art der Kommunikation machte es möglich, dass der Hund Ellen anscheinend verstand, ganz gleich, in welcher Sprache sie mit ihm redete. Wahrscheinlich war es der Tonfall, der dem Hund sagte, was gemeint war. Das vermutete jedenfalls Anne Marie. So oder so hatte Baxter schnell gelernt, auf »assis« genauso zu reagieren wie auf »Sitz« und auf »parle« genauso wie auf »Sprich«.

Für den Rest der Sommerferien besuchte Ellen das ganztägige Ferienprogramm der Freien Methodistengemeinde, die ihren Sitz gleich um die Ecke hatte. Das Programm war nicht zu teuer, und Ellen schien es zu gefallen. Auch Cody Goetz nahm daran teil, genauso wie Casey, Lydias und Brads Pflegetochter, Letztere allerdings nur noch für ein paar Tage. Die Kinder unternahmen häufig Ausflüge, konnten kunsthandwerkliche Kurse besuchen und an sportlichen Aktivitäten teilnehmen. Zusammen mit zahlreichen jungen Helfern leitete Jordan Turner, Alix' Mann, das Programm.

Kurz nach der Adoption hatten Anne Marie und Ellen begonnen, zur Sonntagsschule und zum morgendlichen Gottesdienst zu gehen. Als frischgebackene Mutter – auch wenn ihr »Baby« schon fast neun war – hielt Anne Marie das für angebracht.

Nach der Trennung von Robert war sie nicht mehr regelmäßig zum Gottesdienst gegangen. Später, als ihr geliebter Ehemann in dem Moment starb, in dem sie sich gerade wieder aussöhnen wollten, haderte Anne Marie mit Gott. Sie war so wütend auf ihn …

Doch sie wusste, dass Ellens Großmutter sich eine christliche Erziehung für ihre einzige Enkelin gewünscht hatte. Dolores Falk hatte Ellen sehr geliebt, und Anne Marie fühlte sich verpflichtet, zu tun, worum Dolores sie gebeten hatte.

Sie wusste, dass die Liebe der Großmutter das Mädchen beschützt hatte. Zum Glück hatte Ellens leibliche Mutter, Dolores' Tochter, die drogensüchtig und kriminell geworden war, all ihre Rechte als Mutter aufgegeben. Dadurch wurde es Anne Marie ermöglicht, das Kind zu adoptieren.

Plötzlich schaute Teresa zur Tür herein. »Er ist wieder da.«

Gedankenverloren blickte Anne Marie auf. »Wer ist wieder da?«

»Der Mann.«

»Welcher Mann?«

»Der Mann, der nach dir gefragt hat, als du mit Ellen in Paris warst.« Teresa klang ein wenig ungeduldig.

»Oh.« Tatsächlich hatte Anne Marie den geheimnisvollen Unbekannten nicht vergessen, aber auch nicht ständig an ihn gedacht. »Hat er gefragt, ob er mich sprechen kann?«

»Noch nicht, aber er ist garantiert genau deshalb hier.«

»Na schön.« Anne Marie schob ihren Schreibtischstuhl zurück und stand auf.

Teresa blieb in der Tür stehen, zwinkerte Anne Marie schamlos zu und senkte die Stimme. »Er ist immer noch heiß.«

»Teresa! Du bist eine verheiratete Frau.«

Ihre Freundin grinste breit. »Stimmt, aber blind bin ich nicht.«

Schulterzuckend ging Anne Marie um ihren Schreibtisch herum und verließ leise das Büro. Richtig, ein Mann stand am Tresen und sah sie unvermittelt an. Sie wusste, dass sie ganz attraktiv war, und doch drückte der Blick dieses Mannes mehr aus als beiläufiges Interesse oder Anerkennung aus. Er schaute sie intensiv und bedeutsam an, ja, geradezu erwartungsvoll. Das verwirrte Anne Marie.

Sie trat an die Kasse hinter den Tresen. »Kann ich Ihnen behilflich sein?«, fragte sie kühl und dennoch höflich.

»Sind Sie Anne Marie Roche?«

»Ja, das bin ich.« Erneut fragte sie sich, warum dieser umwerfend gut aussehende Mann sich für sie interessierte. Wahrscheinlich war er hier, um ihr eine Versicherung zu verkaufen. Oder er war Vertreter für eine neue Geschenkartikelserie. Sie war ihm noch nie zuvor begegnet, daher konnte es nicht um etwas Persönliches gehen. Das war auch gut so, denn obwohl er so attraktiv war, wollte Anne Marie unbedingt Distanz zu ihm wahren. Seit Roberts Tod hatte sie kein Interesse mehr daran, mit Männern auszugehen. Und seit Ellen in ihr Leben getreten war, drehte sich ihre ganze Welt ausschließlich um ihre Tochter.

Seine Haltung veränderte sich, und er verengte kaum merklich die Augen. »Ich bin Tim Carlsen.«

Worum ging es hier? Falls er etwas verkaufen wollte, hielt er sich nicht gerade mit Höflichkeiten auf. »Hallo, Tim«, antwortete sie. Sie würde sich nicht von ihm einschüchtern lassen. »Kann ich Ihnen irgendwie behilflich sein?«

Er schaute hinüber zu Teresa, die damit beschäftigt war, eine Auslage mit neuen Kinderbüchern zu gestalten. Sie gab sich größte Mühe, so zu tun, als hörte sie nicht zu, obwohl ihr kein Wort entgehen konnte.

»Darf ich fragen, worum es geht?«, versuchte Anne Marie es noch einmal.

»Vielleicht können wir uns irgendwo ungestört unterhalten.«

»Worüber?«

Er straffte die Schultern. »Über Ellen«, erklärte er leise. »Es geht um das Kind, das Sie vor Kurzem adoptiert haben.«

Anne Marie schnappte nach Luft, versuchte jedoch zu verbergen, wie überrascht sie war. Scheinbar seelenruhig deutete sie auf die Tür zu ihrem Büro. Sie war wie gelähmt, während sie versuchte, dahinterzukommen, welche mögliche Verbindung es zwischen diesem Mann und ihrer Tochter geben mochte. In der Geburtsurkunde war der Vater nicht genannt, und doch …

Im Büro nahm sie hinter ihrem Schreibtisch Platz. Tim setzte sich auf einen Stuhl ihr gegenüber, ohne auf eine Aufforderung zu warten.

»Sie kennen *meine* Tochter?«, fragte sie, um ihm klarzumachen, dass vor dem Gesetz außer ihr niemand irgendwelche Rechte an dem Kind hatte.

Ihr Besucher schüttelte den Kopf. »Nein, leider nicht.«

Aus irgendeinem Grund empfand Anne Marie diese Information als beruhigend. »Woher wissen Sie dann von Ellen?«

»Ich habe nur von ihr gehört.« Tim starrte zu Boden. »Ich bin trockener Alkoholiker und habe seit acht Jahren keinen Tropfen mehr angerührt.«

Von ihr gehört? Aber wie? Am liebsten hätte sie diese Fragen als Allererstes gestellt, aber sie wusste nicht, wie sie auf sein Bekenntnis reagieren sollte. Genauso wenig verstand sie, warum er es für nötig hielt, ihr etwas so Persönliches zu erzählen.

»Ich gratuliere«, meinte sie zögernd, »aber was hat das mit Ellen oder mir zu tun?«

»Ich habe Candy Falk auf dem absoluten Tiefpunkt meines Lebens kennengelernt«, fuhr er fort, ohne auf ihre Frage einzugehen.

Niemand musste Anne Marie daran erinnern, dass Candy Falk Ellens leibliche Mutter war und bekanntermaßen drogensüchtig.

»Damals waren Candy und ich beide abhängig.«

»Drogen?«

Tim nickte. »Drogen, ja. Wir konsumierten alle Arten von Drogen, die es so gibt. Aber auch Alkohol. Es war keine gute Zeit … Wie schon gesagt, für mich war es ein Tiefpunkt.«

Anne Maries Nacken begann zu kribbeln. Ihr Verdacht schien sich zu bestätigen. Schnell fing sie an, die Mosaikstückchen zusammenzusetzen, und das Bild, das vor ihrem inneren Auge entstand, gefiel ihr gar nicht.

»Sie haben mir immer noch nicht gesagt, was all das mit meiner Tochter zu tun hat«, erklärte sie kurz angebunden. Ellen war jetzt Teil ihres Lebens – ein sehr wertvoller Teil, und sie dachte gar nicht daran, einem völlig Fremden zu gestatten, dass er sich zwischen sie drängte und Ansprüche erhob.

Wieder ignorierte Tim ihre Frage. »Candy und ich haben uns getrennt. Meine Familie sorgte dafür, dass ich eine Entziehungskur machen konnte. Seitdem bin ich clean und habe nicht mehr getrunken.«

»Und?«

»Ich folge den zwölf Schritten und den Regeln der Anonymen Alkoholiker. Mit Unterstützung meines Betreuers habe ich begonnen, so weit wie möglich Wiedergutmachung zu leisten.«

»Das ist sehr anständig von Ihnen, aber ich sehe nicht, was das alles mit Ellen oder mir zu tun haben soll.« Soweit es Anne Marie anging, war das Gespräch beendet. Sie stand auf und deutete zur Tür.

»Bitte, setzen Sie sich wieder, Ms. Roche.«

Unter seinem Blick geriet ihre Entschlossenheit ins Wanken, und sie ließ sich langsam wieder auf ihren Stuhl sinken.

»Bei meinem Versuch, Wiedergutmachung zu leisten, habe ich mich bemüht, Candy ausfindig zu machen«, fuhr Tim fort. »Es ist mir nicht gelungen, aber mir fiel wieder ein, wo ihre

Mutter damals wohnte.« Er wandte den Blick ab. »Ich hatte auch sie um Vergebung zu bitten.«

»Dolores?«

Klar und ruhig redete er weiter: »Candy und ich hatten Geld von ihrer Mutter gestohlen, und ich wollte es zurückgeben.«

Anne Marie schluckte. Das war nur ein winziger Teil des Kummers, den Candy Falk ihrer Mutter bereitet hatte.

»Ich erinnerte mich an das Haus, in das Candy mich mitgenommen hatte, aber es stand leer.«

»Ja, ich weiß.«

Er schien sie nicht zu hören. »Die Nachbarin goss die Rosen, und wir sind ins Gespräch gekommen. Sie sagte, Dolores sei vor einiger Zeit verstorben, und ihre Enkeltochter sei adoptiert worden.«

Anne Marie schwieg.

»Ich fragte nach Candy, aber die Nachbarin wusste nicht, wo sie steckt.«

Das war eine Information, die Anne Marie gern weiterzugeben bereit war. »Ich weiß es auch nicht. Irgendwo in Kalifornien, glaube ich. Soweit ich weiß, ist sie immer noch abhängig.«

»Das habe ich vermutet.« Er verzog das Gesicht.

»Eine traurige Sache ...« Für den Fall, dass Tim es nicht wusste, fügte sie hinzu: »Ellens Tante Clarisse sitzt im Gefängnis.«

Er schüttelte den Kopf. »Ich habe der Nachbarin noch ein paar Fragen gestellt«, fuhr er fort, »und erfahren, dass Dolores das Sorgerecht für ein kleines Mädchen hatte – Candys Tochter. Als ich nach dem Kind fragte, erzählte mir die Nachbarin, Ellen sei acht gewesen, als ihre Großmutter starb.«

»Sie ist jetzt neun.«

Tim schaute ihr direkt in die Augen. »Es ist fast zehn Jahre her, dass Candy und ich zusammengelebt haben. Wir … haben uns nicht um Verhütung gekümmert. Mir kam der Gedanke, dass Ellen womöglich meine Tochter ist.«

Dass er das sagen würde, hatte Anne Marie schon die ganze Zeit befürchtet. Sie beschloss, seinem Besuch jetzt sofort ein Ende zu setzen.

»Sie irren sich, Mr. Carlsen. Ellen *kann* gar nicht Ihre Tochter sein. Ellen ist mein Kind, und ich habe die nötigen Dokumente, die das beweisen.« Erneut sprang sie auf und stützte sich mit den Händen an der Tischkante ab. »Ich denke, Sie sollten jetzt gehen.«

»Nein.« Tim rührte sich nicht, und der Blick seiner dunklen Augen bohrte sich förmlich in sie. »Mir ist klar, dass das ein Schock für Sie ist. Dafür bitte ich um Entschuldigung. Ich möchte nur die Wahrheit erfahren und will wissen, ob ich Ellens Vater bin. Das ist meiner Meinung nach keine unangemessene Bitte.«

»Leider ist es das doch. Ellen ist von mir adoptiert worden. Wie ich bereits gesagt habe: Ellen ist mein Kind.«

»Als Sie sie adoptiert haben, haben die Eltern da zugestimmt?«

»Ihr Name steht nicht auf der Geburtsurkunde, und der Staat hatte keine Möglichkeit, Kontakt mit Ihnen aufzunehmen, selbst wenn sich herausstellen sollte, dass Sie Ellens biologischer Vater sind.«

Tims Gesichtszüge verhärteten sich. »Ich musste immerzu an sie denken, seit ich erfahren habe, dass Candy ein Baby hatte.« Sichtlich aufgewühlt fuhr er sich durchs Haar. »Da gibt es noch etwas, das Sie nicht wissen: Nach unserer Trennung, während meiner Entziehungskur, hat Candy zweimal versucht, Kontakt zu mir aufzunehmen.«

»Ja, aber …«

»Ich habe ihren Brief nie gelesen und sie nie zurückgerufen«, fiel er ihr ins Wort. »Soweit es mich betraf, bedeutete Candy nichts Gutes und gehörte zu einem Teil meines Lebens, mit dem ich nichts mehr zu tun haben wollte. Vermutlich war es dumm von mir, aber mir kam nie der Gedanke, sie könnte schwanger sein.«

Anne Marie sprach bewusst langsam, um sicherzugehen, dass er sie verstand. »Candy Falk hat alle elterlichen Rechte aufgegeben. Daran lässt sich nichts ändern. Das ist ein für alle Mal entschieden.«

»Ja, das ist mir klar.«

»Gut, dann ist Ihnen sicher auch klar, dass Sie keinerlei Rechte an Ellen haben.«

»Natürlich habe ich Rechte.« Offensichtlich war er nicht gewillt, klein beizugeben, und starrte sie entschlossen an. »Wenn Ellen mein Kind ist – und ich habe jeden Grund, das zu glauben –, dann will ich sie kennenlernen. Auch sie hat ein Recht, ihren Vater kennenzulernen.«

Anne Marie schüttelte den Kopf. »Es spielt keine Rolle, ob Ellen ihre leibliche Tochter ist oder nicht. Sie hat jetzt eine andere Familie.«

»Einen anderen Vater?«

Anne Marie zögerte.

»Sind Sie verheiratet?«

»Das geht Sie nichts an.«

»Da bin ich anderer Meinung. Vielleicht sollte ich mit Ihrem Mann reden.« Er schien zu glauben, dass er sie zwingen konnte, Farbe zu bekennen, oder – schlimmer noch – dass er eher vernünftig mit einem Mann reden konnte. So oder so machte er sie damit wütend.

Anne Marie schwieg einen Moment. Sie war nicht bereit, zuzugeben, dass sie verwitwet war, sah aber, dass ihr Schweigen ihm nicht entging. »Tut mir leid, aber das ist im Moment unmöglich«, erklärte sie hastig.

»Ich habe nicht die Absicht, Ihnen Ellen wegzunehmen.«

Beinahe hätte sie laut aufgelacht. »Ich würde zu gern sehen, wie Sie das versuchen. Wie ich Ihnen bereits mehrfach gesagt habe, ist Ellen jetzt mein Kind, meine Tochter. Ob sie mit Ihnen verwandt ist oder nicht, ist vollkommen irrelevant.«

»Für Sie vielleicht. Für mich ist es jedoch sehr wichtig. Wenn ich Ellens leiblicher Vater bin, sollte ich wenigstens die Chance bekommen, meine eigene Tochter kennenzulernen.«

»Dafür ist es zu spät«, erklärte Anne Marie unnachgiebig.

»Ich wusste nicht, dass Candy schwanger war«, wiederholte er. »Im Laufe der Jahre habe ich sehr viel Mist gebaut, aber niemals hätte ich mein eigen Fleisch und Blut im Stich gelassen.«

»Das ist sehr nobel von Ihnen, Mr. Carlsen, aber wie ich schon sagte: Es ist zu spät. Ich bin sicher, dass in den AA-Regeln irgendwas steht, das Ihnen hilft, damit zurechtzukommen. Mein Rat wäre, die Sache ruhen zu lassen. Ellen ist glücklich. Sie hat ein gutes Leben bei mir.«

»Nicht bei Ihrem Mann?«, bohrte er nach.

»Mein Mann …«

Tim verengte die Augen, und ihr wurde klar, dass er bereits wusste, dass sie verwitwet war. Mit seinen früheren Bemerkungen hatte er ihr nur auf den Zahn fühlen wollen. Weiterhin so zu tun als ob war sinnlos.

»Ich bin jetzt Ellens Familie«, erklärte Anne Marie, ohne direkt auf die Frage einzugehen. Für sie war das Gespräch beendet. »Ich glaube, es ist an der Zeit, dass Sie gehen, Mr. Carlsen. Ansonsten müsste ich die Polizei rufen.«

Langsam erhob sich Tim. »Ich wollte keinen Anwalt einschalten, aber wenn nötig, werde ich das tun.«

»Tun Sie, was Sie nicht lassen können.«

Tim wartete einen Moment, als wüsste er nicht recht, was er jetzt tun sollte. »Danke, dass Sie mich empfangen haben«, sagte er schließlich.

Die Arme vor der Brust verschränkt, nickte Anne Marie kurz.

Tim verließ das Büro, und Anne Marie setzte sich wieder hin. Sie war so durcheinander, dass sie zu zittern begann.

Ein paar Minuten später betrat Teresa das Büro. »Alles in Ordnung?«, fragte sie.

Mühsam rang Anne Marie sich ein Lächeln ab. »Nicht wirklich …«

»Oh?« Fragend musterte Teresa sie. »Kann ich irgendwie helfen?«

Anne Marie stützte die Ellenbogen auf den Tisch und schlug die Hände vor die Augen. »Ich bin mir nicht sicher … ich brauche Zeit zum Nachdenken.«

»Wenn ich irgendwie helfen kann, lass es mich einfach wissen«, drängte Teresa.

Anne Marie murmelte ein Dankeschön. Sie würde eine Weile brauchen, um sich darüber klar zu werden, was sie nach dieser schwierigen Unterredung tun sollte, zumal Tim mit rechtlichen Schritten gedroht hatte. Na schön, sie würde gegen ihn kämpfen, und das mit allen ihr zur Verfügung stehenden Mitteln. Aber zuerst musste sie in Erfahrung bringen, welche Rechte sie selbst hatte.

Ihre Hand zitterte, als sie die Rotationskartei auf ihrem Schreibtisch nach Evelyn Boyle durchblätterte. Als Sozialarbeiterin kannte Evelyn das Adoptionsrecht. Sie würde ihr sicher weiterhelfen können.

Ihr Herz hatte sich verkrampft. Sie hatte bereits ihren Mann verloren, war mit achtunddreißig Jahren Witwe geworden. Dann hatte das Leben eine wunderbare und unerwartete Wendung genommen und ihr Ellen beschert. Anne Marie würde das Kind nicht aufgeben. Für niemanden.

9. Kapitel

Lydia Goetz

Am Dienstagabend war mein Magen völlig verkrampft, als ich nach der Arbeit in unsere Einfahrt einbog. Casey lebte jetzt seit fast einer Woche bei uns. Bevor ich mein Geschäft verlassen hatte, hatte Cody mich nicht weniger als dreimal angerufen, und ich selbst hatte genauso oft mit Brad telefoniert. In jedem einzelnen dieser Telefonate ging es um Casey. Das Mädchen hatte unser friedliches Familienleben völlig ins Chaos gestürzt. Wie Evelyn vorausgesagt hatte, gab es ein paar Anpassungsprobleme. Sie hatte auch vorausgesagt, dass die Kinder sich in ein bis zwei Tagen akzeptiert haben würden; das aber war nicht geschehen. Brad fühlte sich nicht in der Lage, allein mit dem Konflikt zwischen Cody und Casey fertig zu werden. Anscheinend glaubte er, ich könnte besser damit umgehen, aber ich war mir genauso unsicher wie er, was zu tun war.

»Ich bin wieder zu Hause«, rief ich, als ich von der Garage her die Küche betrat. Meine Ankündigung erwies sich als völlig überflüssig, denn Cody und Brad warteten bereits auf mich. Die Erleichterung in ihren Mienen war geradezu komisch, und sie stießen beide einen tiefen Seufzer aus, als ich eintrat.

Ich küsste meinen Mann auf die Wange. Wie üblich hatte Brad bereits mit den Vorbereitungen fürs Abendessen begonnen. Es sollte Huhn und spanischen Reis geben. Casey saß am Küchentisch über eins meiner Kochbücher gebeugt und stöberte im Kapitel übers Backen. Ich fand das interessant, enthielt mich aber vorsichtshalber jeglichen Kommentars.

Von der anderen Seite des Raumes her sah Cody sie böse an. »Ich muss mit euch reden«, sagte er. »Vertraulich«, fügte er flüsternd hinzu.

»In Ordnung.« Ich ging zu ihm und nahm ihn in die Arme, aber er blieb steif und wirkte weiterhin verärgert.

Ich brauchte einen Moment, um meine Taschen loszuwerden und die Schuhe zu wechseln. »Wie war's in der Schule?«, fragte ich Casey, als ich in die Küche zurückkam.

Sie zuckte die Achseln.

»Was kann ich dir holen?« Es war wohl besser, eine Frage zu stellen, die eine gesprochene Antwort verlangte.

»Ich brauche nichts.« Genau wie die Körpersprache verrieten ihre Worte Trotz.

»In Ordnung. Falls doch, sag Bescheid.«

»Kann ich *jetzt* mit dir und Dad reden?«, fragte Cody.

»Meinetwegen«, sagte Brad und drehte den Herd, auf dem der Reis köchelte, herunter. Das Huhn schmorte im Backofen. In etwa einer halben Stunde würde das Abendessen fertig sein.

»Würdest du uns ein paar Minuten entschuldigen?«, fragte ich Casey.

Wieder machte sie sich nicht die Mühe, mir zu antworten. Also verließen Brad und ich die Küche. Cody führte uns in sein Zimmer, Chase trottete hinterher. Unser Sohn wartete, bis wir im Zimmer waren, dann schloss er nachdrücklich die Tür. Brad und ich setzten uns nebeneinander auf sein schlampig gemachtes Bett, und mein Mann griff nach meiner Hand.

Bevor er auch nur fragen konnte, worum es ging, wirbelte Cody herum und betrachtete uns mit gerunzelter Stirn. »Ich mag sie nicht.«

»Cody …«

»Sie ist unverschämt und gemein und sagt, ich bin verwöhnt und ein Baby – mir direkt ins Gesicht!«

»Cody …«, setzte Brad erneut an, aber unser Sohn war nicht in der Stimmung, vernünftig zu sein.

»Wir drei haben über eine Adoption gesprochen, wisst ihr noch?«, fragte Cody. »Und ich habe gemeint, das wäre okay, und ihr habt gesagt, ihr hört darauf, was *ich* will.«

»Natürlich werden wir darauf hören! Aber Casey wird nur noch ein paar Tage bei uns bleiben. Höchstens«, erinnerte ich ihn. Es war ja nicht so, dass das Mädchen Teil unserer Familie werden würde.

»Sie sollte zwei Nächte bleiben, und jetzt ist sie schon eine ganze Woche hier.« In Codys Augen blitzte Empörung auf. »Da ihr sie länger hier wohnen lasst, als ihr versprochen habt, habe ich eine Liste mit Forderungen.«

»Eine *Liste*?«, fragte ich.

»Forderungen?« Brad zog die Brauen in die Höhe.

»Na schön, lies uns deine Liste vor«, forderte ich Cody auf. So viel waren wir ihm meiner Meinung nach schuldig. Er hatte ja recht. Die Situation hatte sich ohne Vorwarnung verändert, und wir hatten nicht wirklich darüber gesprochen. Sicher, er war erst neun Jahre alt und damit nicht derjenige, der Entscheidungen für die Familie traf. Aber diese Sache wirkte sich auch auf ihn aus, und wir mussten seine Empfindungen ernst nehmen – und darauf Rücksicht nehmen, soweit das möglich war.

Dass Cody tatsächlich an die Möglichkeit einer Adoption gedacht hatte, freute mich. Ich wollte, dass wir alle offen miteinander redeten, besonders wenn es um so etwas Wichtiges wie die Aufnahme eines Babys in die Familie ging.

»Gut, das tue ich.« Cody marschierte ans Fußende seines Bettes, schob eine Hand unter die Matratze und zog ein zusammengefaltetes Blatt Papier hervor. Dabei beobachtete ihn Chase, der neben der Tür herumlungerte.

Brad und ich tauschten überraschte Blicke und gaben uns Mühe, uns nicht anmerken zu lassen, wie sehr uns das amüsierte. Offenbar war Cody so aufgebracht, dass er sein geheimes Versteck verraten hatte, ohne es überhaupt zu bemerken.

Chase ließ sich auf dem Vorleger neben dem Bett nieder und legte sein Kinn auf die Pfoten, während seine dunklen Augen jeder Bewegung von Cody folgten. Der Hund wirkte leicht verunsichert, zweifellos weil er sehr feine Antennen für die Stimmungen unseres Sohnes hatte.

Direkt vor uns stehend, faltete Cody das Blatt Papier auseinander und räusperte sich. »Forderung Nummer eins: Wenn ihr ein Kind adoptiert, will ich einen Bruder, keine Schwester.«

Brad seufzte. »Es kann sein, dass diese Entscheidung nicht bei uns liegt, Cody. Wenn Lydia schwanger würde, wäre es genauso. Wir wüssten erst sehr viel später, ob es ein Junge oder ein Mädchen wird.«

»Ich will einen *Bruder*«, beharrte Cody.

»Wir tun, was wir können, um dir einen Bruder zu sichern«, versuchte ich, unseren Sohn zu beschwichtigen.

»Was steht sonst noch auf deiner ... ähm ... Liste von Forderungen?«, fragte Brad ernst.

»Ich werde das älteste Kind in der Familie sein.« Er schaute uns direkt an, den Mund zu einer geraden, zornigen Linie verkniffen. »Ich war zuerst hier, klar? Wenn ihr ein anderes Kind anschleppt, dann darf es mich nicht rumkommandieren.«

»Das klingt fair«, bestätigte Brad, und ich nickte.

Unsere Zustimmung schien ihn zu verblüffen. »Versprochen?«

»Das kann ich nicht«, erklärte Brad, »weil wir nicht das Alter kennen, bevor wir uns für ein Kind entscheiden. Aber wir haben um ein Baby gebeten. Die Frage stellt sich also vermutlich nicht.«

Cody wirkte einigermaßen zufriedengestellt.

»Sonst noch was?«, erkundigte ich mich.

»Ja.« Erneut schaute er uns an, und seine Miene verriet finstere Entschlossenheit. »In diesem Punkt gebe ich nicht nach«, erklärte er, als befände er sich inmitten hochrangiger diplomatischer Verhandlungen. Na ja, aus seiner Sicht war es vermutlich auch so. »Und wenn ihr dem nicht zustimmt, dann will ich nichts mehr davon hören, dass wir noch ein Kind in die Familie holen.«

»Lass hören«, bat Brad.

»Ich will das letzte Wort haben«, erklärte er und verlieh seiner Forderung so viel Nachdruck, dass seine Stimme zitterte. »Ich entscheide, welches Kind wir adoptieren. Wenn ich es nicht mag, dann kann es nicht hier leben.«

»Wie dein Dad bereits gesagt hat: Wir hoffen auf ein Baby. Das sollte deine Forderungen erfüllen, denke ich. Wir werden auch um einen Jungen bitten ... obwohl das eine Weile dauern kann.« Es entmutigte mich jetzt schon, wie lang die Liste potenzieller Eltern war.

Einigermaßen ausgesöhnt, warf Cody einen Blick auf den Hund. »Chase hat auch ein Wort mitzureden.«

Beinah hätte ich gekichert, aber Brad runzelte die Stirn. »Hör mal, mein Sohn, ich weiß, dass du verärgert bis, weil Casey ...«

»Ich möchte nur sicher sein, dass ihr nicht *sie* adoptiert«, rief er.

»Nein«, erwiderte Brad ruhig. »Wie Lydia schon sagte: Casey bleibt nur vorübergehend bei uns.«

Ich hörte ein Geräusch draußen vor der Tür, und mir kam der Verdacht, dass Casey dahinter gestanden und unserer Unterredung gelauscht hatte. Als ich in die Küche zurückkam, saß sie jedoch noch genauso am Tisch, wie wir sie zurückgelassen hatten.

Als Nächstes bereitete ich den Salat vor und bat Casey, den Tisch zu räumen, damit wir fürs Abendessen aufdecken konnten. Schweigend schlug sie das Kochbuch zu und stellte es ins Regal zurück. Ich fragte mich, wie sie wohl im Matheunterricht mitkam, aber von sich aus erzählte sie nichts und wich meinen Fragen aus. Da sie nicht um Hilfe gebeten hatte, nahm ich an, dass alles in Ordnung war. Casey holte die Teller aus dem Küchenschrank, stellte Gläser dazu und legte Besteck auf. Obwohl ich versuchte, sie in eine Unterhaltung zu verwickeln, blieb sie stumm, ja, geradezu stoisch.

»Casey«, sprach ich sie freundlich an und legte ihr meine Hand auf die Schulter, um ihr ein gewisses Gefühl von Sicherheit und Geborgenheit zu geben. Sofort schüttelte sie meine Hand ab, als wäre ihr meine Berührung zuwider. Aber so schnell gab ich nicht auf, weil ich das Gefühl hatte, etwas sagen zu müssen, nur für den Fall, dass sie unser Gespräch mit Cody zumindest teilweise mit angehört hatte. »Ich weiß, dass du dich hier nicht wohlfühlst, und es tut mir leid – entschuldige. Ich habe das Gefühl, dass wir dir gegenüber sehr unhöflich gewesen sind. Du bist uns hier sehr willkommen.«

Ein höhnisches Kichern war die Antwort. »Ja, klar doch.«

Dabei schaute sie mich an, und für einen winzigen Moment entdeckte ich Schmerz in ihren Augen. Doch im nächsten Moment war dieser Ausdruck wieder verschwunden. Zorn und Trotz nahmen seinen Platz ein.

Das Abendessen wurde zu einer trübseligen Angelegenheit. Casey sagte kein einziges Wort und aß nicht mehr als ein paar Bissen. Auch Cody ging es nicht viel besser. Obwohl spanischer Reis zu seinen Lieblingsspeisen zählte, war sein Teller nahezu unberührt, als er ihn von sich schob. Zwischen ihm und Casey herrschte anscheinend Krieg, und wütend funkelten sie einander über den Tisch hinweg an.

Brad und ich unternahmen mehrere Anläufe, um ein ungefährliches Gesprächsthema zu finden, aber es schien keines zu geben. Weder Casey noch Cody reagierten auf unsere Bemerkungen zu Kinofilmen, den gewieften Possen meines Katers oder anderen Themen, und als sie schließlich vom Tisch aufstanden, fühlte ich mich völlig erledigt.

Kaum vom Essenstisch entlassen, verschwanden beide in ihren Zimmern. Brad seufzte, und ich schüttelte den Kopf. Ich wusste kaum, was ich sagen sollte.

»Das war eine absolute Katastrophe«, meinte er schließlich leise.

Dem konnte ich nur zustimmen.

»Besteht auch nur die geringste Chance, dass Evelyn eine andere Pflegefamilie für Casey findet?« Fragend sah er mich an.

»Ich … ich weiß nicht. Ich könnte sie natürlich anrufen.« Der Gedanke war mir zuwider, aber noch eine Mahlzeit wie diese, und wir würden uns gegenseitig an die Gurgel gehen.

Brad wirkte genauso mutlos wie ich. »Ich schätze, wir sollten sie bis zum Ende der Woche hierbehalten.«

Kurz hatten wir darüber gesprochen, sie bei uns zu behalten, bis sie ihren Ferienkurs abgeschlossen hatte, aber das kam inzwischen nicht mehr infrage. So, wie es jetzt war, ging es einfach nicht weiter. Ich hatte keine Ahnung gehabt, dass zwei Kinder eine so schnelle und kompromisslose Abneigung gegeneinander entwickeln konnten.

Bei Cody verstand ich es. Casey war ihm ohne Vorwarnung vor die Nase gesetzt worden. Wenn wir vorher mit ihm hätten reden können, dann hätte er sie willkommen geheißen oder doch wenigstens akzeptiert. Dessen war ich mir sicher. Und ich vermutete, dass Caseys Abwehrhaltung ihren bisherigen Erfahrungen geschuldet war.

Cody lag um neun im Bett, und während Brad in sein Zimmer ging, um ihm Gute Nacht zu sagen und mit ihm zu beten, beschloss ich, nach Casey zu sehen. Ich hatte keinen Piep mehr von ihr gehört, seit sie in ihrem Zimmer verschwunden war und die Tür hinter sich zugezogen hatte.

Leise klopfte ich an, wartete einen Moment, und als keine Reaktion erfolgte, trat ich ein. »Casey?«, flüsterte ich.

Ich konnte sehen, dass sie schon im Bett lag, das Gesicht zur Wand gedreht. Entweder schlief sie schon oder tat so als ob. Vermutlich Letzteres. Also ging ich zu ihrem Bett hinüber und legte ihr leicht die Hand auf den Rücken.

Sie zuckte heftig zurück. Minutenlang stand ich nur da und fragte mich, was ich sagen sollte. Dutzende möglicher Bemerkungen gingen mir durch den Kopf. Zwar fühlte ich mich außerstande, sie zu trösten, wusste aber doch, dass ich es wenigstens versuchen musste.

»In wie vielen Pflegefamilien warst du schon?«, fragte ich sie.

Keine Antwort.

»Mehr als fünf?«

Sie nickte.

»Ich möchte, dass du meine Freundin Alix kennenlernst. Sie ist auch als Pflegekind aufgewachsen.«

»Wer?«

Die Frage überraschte mich. Ich hatte nicht ernstlich damit gerechnet, dass sie reagieren würde. »Alix«, wiederholte ich. »Sie hat bei mir einen Strickkurs belegt, kurz nachdem ich mein Wollgeschäft eröffnet hatte. Sie strickte eine Babydecke, um eine ihr vom Gericht auferlegte gemeinnützige Arbeit zu verrichten.« Ich hatte auch Casey angeboten, ihr das Stricken beizubringen, aber sie hatte abgelehnt und behauptet, sie sei nicht interessiert.

Ich wartete, ob sie antworten oder weitere Fragen stellen würde. Als das nicht geschah, fuhr ich fort: »Alix arbeitet im *French Café* gegenüber von meinem Wollgeschäft.«

Schweigen.

Offenbar war die nur aus einem Wort bestehende Frage alles gewesen, was ich an Antworten bekommen sollte. »Du wirst schon bald in eine neue Familie kommen und kannst dich dort einleben.«

Wieder keine Reaktion.

»Und denk dran: Wenn du stricken lernen möchtest, bringe ich es dir sehr gern bei.«

Casey rückte noch näher an die Wand, als wäre ihr schon allein die Vorstellung, von mir etwas beigebracht zu bekommen, zuwider. Ganz leise schlich ich mich aus dem Zimmer, zutiefst frustriert und deprimiert.

Auf dem Flur traf ich mit Brad zusammen. »Wie ist es gelaufen?«, fragte er.

»Schlecht. Und mit Cody?«

»Er will sie loswerden.«

»Sie tut mir entsetzlich leid«, sagte ich nickend. »Ich wünschte nur, ich könnte irgendetwas sagen oder tun, um ihr zu helfen. Sie ist völlig durch den Wind, weil sie aus ihrer letzten Pflegefamilie gerissen wurde und jetzt bei uns leben muss.«

Aufgrund von irgendwelchen Regelverstößen bekam die

Pflegestelle, bei der sie vorher untergebracht gewesen war, keine Pflegekinder mehr zugeteilt. Evelyn hatte uns dazu nur das Allernotwendigste gesagt. Deshalb wusste ich nicht, wie es dort gewesen war, und Casey konnte ich schlecht fragen.

»Ich glaube nicht, dass sie ein schlechtes Kind ist«, murmelte Brad und wandte sich unserem Schlafzimmer zu. »Unglücklicherweise passt sie nur einfach nicht zu uns.«

»Nur noch ein paar Tage«, erinnerte ich ihn nicht zum ersten Mal.

Während Brad duschte, zog ich mein Nachtzeug an und legte mich ins Bett. Ich hatte mich darauf gefreut, Casey das Stricken beizubringen. Vermutlich war es naiv von mir, zu glauben, ich könnte durch das Stricken irgendwie eine Kommunikation mit ihr aufbauen. Bei anderen funktionierte das so gut, dass ich trotz ihrer unmissverständlichen Weigerung Hoffnung gehegt hatte.

Ich griff nach dem Buch, das ich gerade las – eine Biografie von C. S. Lewis – und das ich für lobenswert anspruchsvoll hielt. Ich war es gewohnt, jeden Abend zu lesen, bevor ich einschlief; Brad tat das auch. Es war ungemein behaglich, wenn wir beide mit einem Buch in den Händen nebeneinander im Bett lagen. Ich genoss diese Zeit der Ruhe und Intimität und betrachtete sie als perfekte Metapher – zusammen, aber trotzdem Individuen – unserer Ehe.

Nicht lange darauf legte Brad sich zu mir, die Haare noch nass vom Duschen. Ich lächelte ihn an und wollte gerade etwas sagen, da vernahm ich ein Geräusch.

»Hast du das gehört?«, flüsterte ich.

Er schaute von seinem Buch auf. »Was denn?«

Angestrengt lauschte ich. Dann schüttelte ich den Kopf.

Einen Augenblick später hörte ich es wieder. »Brad?«

»Da ist nichts.«

Dessen war ich mir nicht so sicher und wollte gerade aufstehen und nachsehen, als Chase zu bellen begann.

»Da ist jemand im Haus«, brachte ich heiser hervor, bemüht, meine aufsteigende Panik zu verbergen. In letzter Zeit war es vermehrt zu Einbrüchen gekommen, und deshalb kam mir ein Eindringling als Erstes in den Sinn.

»Ich habe alle Türen abgeschlossen«, erklärte Brad, stand hastig auf und griff nach seiner Hose.

»Ich weiß.«

»Bleib hier«, sagte er.

»Soll ich den Notruf wählen?«, fragte ich, überrascht, wie sehr es mir die Kehle zuschnürte.

»Noch nicht.« Vorsichtig schob er die Schlafzimmertür auf und schaltete das Licht im Flur an.

Ich konnte nicht untätig zurückbleiben und folgte ihm. Dabei fiel mir schnell auf, was er bereits gesehen hatte. Caseys Schlafzimmertür stand offen.

»Casey!«

Brad rief nach ihr und eilte den schmalen Flur hinunter. Als ich hinter ihm um die Ecke bog, sah ich, dass er das Mädchen am Arm festhielt. Sein Gesicht war gerötet vor Zorn. »Ich habe sie dabei erwischt, wie sie das Haus verlassen wollte«, sagte er anklagend.

»Casey? Wolltest du weglaufen?« Fragend sah ich sie an.

Sie ließ den Blick zu Boden sinken. »Ihr wollt mich hier nicht haben, und ich will nicht hier sein.«

»Aber wohin willst du denn gehen?«

Jetzt blickte sie auf und sah mich an. Zorn blitzte in ihren Augen auf. »Das kann euch doch egal sein.«

»Ist es aber nicht.« Ich streckte ihr den Arm entgegen, achtete aber darauf, sie nicht anzufassen. »Weglaufen hat noch nie irgendwelche Probleme gelöst. Hör zu, wir werden uns alle noch mehr Mühe geben. Es wäre hilfreich, wenn auch du uns eine Chance gibst, weißt du.«

Inzwischen war auch Cody auf. Verschlafenen Blickes, Chase an seiner Seite, stand er da und beobachtete uns. Casey starrte ihn an, er starrte zurück.

»Nur noch bis Freitag«, versprach Brad, und dieses Versprechen galt ihr genauso wie uns. »Hältst du es noch so lange aus, Casey?«

Sie reagierte auf ihn mit demselben eisigen Schweigen wie auf mich.

»Du solltest bleiben«, erklärte Cody.

Am liebsten hätte ich meinen Sohn für seine Großherzigkeit in den Arm genommen, war mir doch klar, was es ihn gekostet haben musste, diese Worte auszusprechen. Nie hatte ich ihn mehr geliebt als in diesem Moment.

»Freitag – nur noch zwei Tage. Wenn du es bis dahin aushältst, können wir das auch«, versuchte Brad es noch einmal. »Schaffst du das?«

Zögernd nickte Casey.

»Also, abgemacht.« Brad klang so erleichtert, wie ich mich fühlte.

»Das kommt nicht wieder vor, ja?«, fragte ich.

Casey begegnete meinem Blick, dann Codys. »Ich bleibe, aber nicht gern.«

»Danke«, flüsterte ich.

Daraufhin ging Casey an Cody und Chase vorbei in ihr Schlafzimmer zurück und zog die Tür hart ins Schloss. Als sie weg war, marschierte auch Cody zurück in sein Zimmer. Dabei hielt er Chase am Halsband fest.

Brad legte seinen Arm um meine Taille, und ich lehnte mich an ihn, um zu verarbeiten, was gerade geschehen war. Mir fiel auf, dass Casey genug Lärm gemacht hatte, um uns auf ihre Fluchtpläne aufmerksam zu machen. Das zeigte mir, dass sie nicht wirklich hatte abhauen wollen. Sie wollte von uns aufgehalten werden.

Zum ersten Mal seit ihrer Ankunft bei uns kam mir der Gedanke, ich könnte vielleicht dieses verschmähte Kind verstehen lernen. Und ich betete, dass es uns gelang, ihr zu zeigen, dass sie uns nicht gleichgültig war.

Uns allen, sogar Cody.

10. Kapitel

Bryan »Hutch« Hutchinson

Die Zähne fest aufeinandergebissen, beendete Hutch das Telefonat mit seinem Anwalt John Custer. Besorgt bemerkte er, dass sein Blutdruck merklich gestiegen war. John, ein langjähriger Freund und Vertrauter seines Vaters, hatte vorgeschlagen, in dem leidigen Rechtsstreit einen Vergleich anzubieten. Die Frau, die das Verfahren angestrengt hatte, war Mitte vierzig und behauptete, dass *Mount Rainier Chocolates* schuld an ihrer Gewichtszunahme war; außerdem daran, dass sie wegen ihres Übergewichts auf Vorurteile von potenziellen Arbeitgebern stieß und daher berufliche Nachteile hatte.

Aber Hutch hatte sie schließlich nicht *gezwungen*, seine Schokolade zu essen. Sie selbst hatte die Entscheidung getroffen, zu viel davon zu sich zu nehmen.

Zählten Selbstdisziplin und Eigenverantwortung denn heutzutage gar nicht mehr? Das fragte er sich in letzter Zeit ziemlich oft. Schließlich hatte er seiner Schokolade weder süchtig machende Substanzen beigemischt, noch stopfte er sie den Leuten in den Mund. Aus seiner Sicht machte er sich – und jeden anderen Süßwarenhersteller – nur zur Zielscheibe für tausend weitere Rechtsverfahren, wenn er in diesem Fall nachgab. Dieser Rechtsstreit war nichts weiter als ein opportunistischer Versuch, die Süßwarenindustrie in die gleiche Bredouille zu bringen wie schon vor Jahren die Tabakwarenhersteller.

Stöhnend lehnte er sich in seinem Bürostuhl zurück. Was wollte er wirklich? Ganz einfach, entschied er: dass diese Frau ihre Anklage zurückzog. Dazu bestand jedoch keine Chance, da die Klägerin – zweifellos angestachelt von ihrem Anwalt – den Rechtsstreit als Gelegenheit betrachtete, leicht an eine große Menge Geld zu kommen.

In diesem Moment klopfte Gail leise an seine Tür.

»Was denn?«, fragte er gereizter, als er eigentlich wollte.

Seine Assistentin betrat das Büro. »Ich dachte, du würdest vielleicht wissen wollen, dass deine Mutter gerade auf den Parkplatz gefahren ist.«

»Danke.« Hutch nickte und zögerte keine Sekunde, um Entschuldigung zu bitten. »Ich wollte dich nicht anblaffen.«

»Ich weiß.« Lächelnd verzieh sie ihm. »Das war ein Anruf von John Custer, richtig?«

»Ja.«

»Alles in Ordnung?«

Er schüttelte den Kopf. »Sieht ganz so aus, als würde dieser Rechtsstreit tatsächlich vor Gericht landen.« Seine Firma war nicht die einzige, die sich mit solchen lästigen Rechtsstreitigkeiten herumschlagen musste. Sehr viele davon wurden außergerichtlich beigelegt, wie John gar nicht oft genug betonen konnte. Ein Vergleich war einfacher, als sich der Tortur eines Geschworenenverfahrens zu unterziehen. Johns Ansicht nach war einer Jury nicht zu trauen, und es gab keine Garantie auf einen für ihn günstigen Ausgang. Hutch wünschte, er wüsste, was sein Vater an seiner Stelle getan hätte. Vielleicht war es ja dumm, nicht auf den Rat seines Anwalts zu hören.

»Oh, Hutch, das tut mir leid«, sagte Gail.

»Ja, mir auch.«

Wenn dieser Rechtsstreit vor Gericht ausgetragen würde,

dann würden sich unweigerlich die Medien darauf stürzen. Und es war durchaus möglich, dass sie ihn in einem unvorteilhaften Licht darstellten. Sein Vater hatte ihm einmal gesagt, schlechte Publicity gäbe es gar nicht, aber davon war Hutch nicht überzeugt. Obendrein konnte er gut auf den Stress, den diese lächerliche Situation mit sich brachte, verzichten.

»Soll ich deine Mutter gleich reinschicken?«, fragte Gail und wandte sich zur Tür.

Hutch nickte. Aus Fürsorge versuchte er, weitestgehend alle Sorgen von seiner Mutter fernzuhalten. Im Gegenzug fühlte sie sich verpflichtet, sich um ihn zu kümmern, danach zu fragen, ob er anständig aß, genug schlief und seine sozialen Kontakte nicht vernachlässigte. Meistens störte Hutch das nicht. In letzter Zeit jedoch brachte sie immer wieder das Thema Ehe auf. Wie sie sagte, wollte sie nicht, dass er dieselben Fehler beging wie sein Vater und sich in seiner Arbeit vergrub.

Vergraben – was seinen Vater anging, war das wörtlich zu nehmen. Die Firma hatte ihn umgebracht, und nach seinem letzten Gesundheitscheck war Hutch klar geworden, dass er auf dem besten Weg war, genau wie sein Vater zu enden.

Ihm war bewusst, dass er dazu neigte, zu hart und zu lange zu arbeiten, und traf deshalb Vorkehrungen, das zu verhindern. Ein gutes Beispiel dafür waren der Strickkurs und seine Mitgliedschaft im Fitnessclub. Was Letzteres anging, plagte ihn allerdings ein schlechtes Gewissen, denn ihm fiel ein, dass er nur einmal da gewesen war: an dem Tag, an dem er seinen Mitgliedsbeitrag entrichtet hatte. Er beschloss, noch am selben Tag mit dem Training zu beginnen. Ab jetzt gab es keine Ausreden mehr, kein Aufschieben.

Ein paar Minuten später öffnete Gail die Tür seines Büros, und seine Mutter trat ein. Ein Stirnrunzeln verunzierte ihre sonst so heitere Miene. Offensichtlich wollte sie den Tag in der Stadt verbringen, denn sie trug einen flotten lavendelfarbenen Hosenanzug, dazu farblich passende Handtasche und Schuhe. »Ich habe die ganze Woche nichts von dir gehört«, begrüßte sie ihn.

War es tatsächlich schon so lange her? »Tut mir leid, Mom, ich habe gar nicht gemerkt, wie die Zeit vergangen ist.«

»Du warst doch nicht krank, oder?«

»Nein, nein.« Schnell warf er einen Blick zu seiner Assistentin hinüber. »Würdest du uns bitte grünen Tee bringen?«, fragte er.

»Aber gern«, erwiderte Gail mit einem wissenden Lächeln. Er hatte gefragt, um seine Mutter vom Thema abzulenken, und Gail war das natürlich bewusst.

Seine Mutter wartete, bis Gail das Büro verlassen hatte. »Grüner Tee?«, fragte sie dann sichtlich überrascht.

»Ich habe beschlossen, mein Leben ein wenig umzukrempeln.«

Seine Mutter lächelte. In ihren Augen konnte er sowieso nur wenig falsch machen.

»Ich habe doch erwähnt, dass ich mich in einem Fitnessclub angemeldet habe?« Dass er nur einmal da gewesen war, musste er ihr ja nicht unbedingt erzählen.

»Oh ja. Auch den Strickkurs hast du erwähnt.«

Als wollte er beweisen, dass er den Rat seines Arztes ernst nahm, griff er hinter seinen Schreibtisch, wo er sein Strickzeug aufbewahrte, obwohl er es nach der ersten Kursstunde kein einziges Mal in die Hand genommen hatte. »Letzte Woche habe ich gelernt, Maschen anzuschlagen«, erklärte er stolz und wedelte mit dem unregelmäßig gestrickten Teil auf seiner Nadel, um es ihr zu zeigen. Er hatte es geschafft, drei oder vier

Reihen zu stricken. Allerdings hatte er für jede gestrickte Masche zwei wieder aufribbeln müssen. Aber, so sagte er sich, er lernte dabei.

Als er die Nadel mit dem weißen Garnknäuel wieder in seiner Aktentasche verstaute, klatschte Gloria erfreut in die Hände. Sie vermittelte ihm das Gefühl, dass es nichts gab, was er nicht bewältigen konnte. Jeder brauchte eine solche Mutter, und was das betraf, konnte er sich sehr glücklich schätzen.

»Hast du schon angerufen?«, fragte sie und schaute ihn erwartungsvoll an, als sie auf dem Ledersofa Platz nahm.

Angerufen? Hutch sollte jemanden angerufen haben? Er zermarterte sich das Hirn, aber ihm wollte partout nicht einfallen, wovon seine Mutter redete.

»Bryan, du hast es *versprochen.*«

Bryan – so nannte sie ihn stets, wenn er sie enttäuscht hatte. Offenbar verriet ihn seine verständnislose Miene. »Sag mir noch mal, wen ich anrufen sollte.«

Glücklicherweise kam Gail genau in diesem Augenblick mit einem Tablett zurück ins Büro, darauf die Teekanne unter einem weißen Kannenwärmer, zwei Tassen, ein kleines Milchkännchen und Zuckertütchen. Sie stellte das Tablett am Rand seines Schreibtischs ab und ging schweigend wieder.

»Lass mich einschenken.« Damit erhob sich seine Mutter und trat an seinen Schreibtisch heran.

»Ich nehme meinen schwarz … beziehungsweise grün in diesem Fall«, sagte er und kam sich dabei ziemlich schlau vor.

»Jessies Freundin«, sagte Gloria und reichte ihm eine Tasse.

Seine Schwester hatte viele Freundinnen … Aber dann fiel es ihm schlagartig ein. »Ach, *die* Freundin.« Seine Mutter hatte etwas von einer Frau gesagt, aber schon Anfang letzter Woche, und er hatte die Sache völlig vergessen.

»Mia Northfield heißt sie.« Ihre eigene Teetasse in der Hand, setzte seine Mutter sich wieder aufs Sofa und nahm einen vorsichtigen Schluck.

Dummerweise konnte Hutch sich kaum an den Inhalt ihrer Unterhaltung erinnern – auch nicht daran, dass er seiner Mutter versprochen hatte, diese Mia anzurufen.

»Sie ist geschieden.«

Er nickte. Das kam ihm vage bekannt vor.

Die Augen seiner Mutter begannen zu leuchten. »Ich will dir damit nicht in den Ohren liegen, wirklich nicht. Aber ich wünsche mir, dass du eine nette Frau kennenlernst, dich häuslich niederlässt und zwei oder drei Kinder zeugst … oder auch zehn.«

Hutch verschluckte sich heftig an seinem Tee. *»Zehn?«*

»Ich würde sie alle nach Kräften verwöhnen, weißt du.«

»Ja, das weiß ich.« Die Vorstellung von seiner Mutter im Kreis kleiner Kinder gefiel ihm auf seltsame Weise. Das Problem war nur, dass er schon lange nicht mehr mit einer Frau ausgegangen war. Es war ihm peinlich zuzugeben, wie lange schon. Der Tag schien einfach nicht genug Stunden für ein aktives gesellschaftliches Leben zu haben, jedenfalls nicht so wie noch vor dem Tod seines Vaters.

Ganz plötzlich hatte er Phoebe Rylanders Gesicht vor Augen. Wärme durchflutete ihn, als er sich an ihr zaghaftes Lächeln erinnerte. »Zufälligerweise«, murmelte er, die Teetasse zwischen beiden Händen haltend, »habe ich jemanden kennengelernt.«

Seine Mutter richtete sich kerzengerade auf. »Wann?«, fragte sie misstrauisch, als ob sie ihm nicht glaubte.

»Letzte Woche beim Strickkurs«, erklärte er grinsend.

»Erzähl mir von ihr.«

Viel gab es nicht zu berichten. »Der Kurs heißt *Stricken, um loszulassen*«, setzte er an.

Sofort erschienen Sorgenfalten auf Glorias Gesicht. »Sie raucht doch nicht etwa, oder?« Sie ließ ihm keine Zeit zu antworten. »Hat das Mädchen Gewichtsprobleme?« Im selben Moment schien sie es jedoch zu bereuen, gefragt zu haben. »Offen gesagt, das würde mich nicht annähernd so sehr stören wie Rauchen.«

»Diese *Frau* raucht nicht …« Das hoffte er jedenfalls. »Und sie ist mit Sicherheit nicht übergewichtig.«

»Dann erzähl mir mehr von ihr. Warum besucht sie den Kurs?«

Hutch ließ sich noch einmal durch den Kopf gehen, wie sich jeder vorgestellt hatte. »Ehrlich gesagt, ich weiß nicht genau, wovon Phoebe loskommen möchte.« Er erinnerte sich nur an eine ziemlich traurige Geschichte. »Anscheinend war sie verlobt, und ihr Verlobter starb kurz vor der Hochzeit.« Achselzuckend zog er eine Schulter hoch und ließ sie wieder sinken. »Ich schätze, sie versucht, über ihn hinwegzukommen.«

»Phoebe, was für ein schöner Name.« In den Augen seiner Mutter stand Mitgefühl. »Das arme Mädchen.«

»Sie ist so schön wie ihr Name.« Hutch wurde erst bewusst, dass er laut gesprochen hatte, als ihm die Reaktion seiner Mutter auffiel.

Gloria nippte an ihrem Tee und schaute ihren Sohn über den Rand der Tasse nachdenklich an. »Sie braucht natürlich Zeit, um sich von dem Schlag zu erholen. Hat sie gesagt, wann es passiert ist?«

Phoebe hatte der Gruppe kaum Einzelheiten erzählt. Tatsächlich schien sie nur widerstrebend über den Tod ihres Verlobten zu sprechen. Das zeigte ihm, dass sie noch mit dem Verlust zu kämpfen hatte.

Hutch verstand das. Nie würde er vergessen, was er empfunden hatte, als sein Vater an einem Herzinfarkt gestorben war. Ein solches Trauma ließ sich nicht schnell überwinden.

»Hab Geduld mit ihr«, riet seine Mutter.

Hutch nickte einfach nur. Er hatte gehofft, dass Gloria sich mit den wenigen Bemerkungen über Phoebe zufriedengeben würde, aber er erkannte, dass dem nicht der Fall sein würde.

»Wie sieht sie aus?«, hakte seine Mutter nach. Dann lachte sie. »Ich weiß, dass die äußere Erscheinung nicht viel bedeutet, aber sie hat offenbar dein Interesse geweckt, und das weckt wiederum meins. Sie muss schön sein.«

»Das ist sie.« Zumindest in seinen Augen war Phoebe außerordentlich attraktiv. »Sie hat große dunkle Augen.« In denen er ihren Schmerz erkennen konnte und ihre Entschlossenheit, diesen Schlag zu überleben, genau wie alles andere, womit das Leben sie konfrontierte. Die Frau hatte Mut, und das sprach ihn noch mehr an als ihre Schönheit. Als er sie beschreiben sollte, fiel ihm nichts Besseres ein, nur dass sie *hübsch* aussah.

»Sie ist etwa so groß wie du«, sagte er und wandte sich seiner Mutter zu. Dass er sich so mühelos an Phoebe erinnern konnte, war für ihn selbst überraschend. Seit der Strickstunde in der letzten Woche hatte er nicht mehr an sie gedacht.

»Also klein.«

»Nein.« So sah Hutch sie nicht. »Zierlich.« Das war ein Wort, das er normalerweise nicht benutzte, aber in seinen Augen war es die passende Beschreibung für Phoebe.

»Wie trägt sie ihr Haar?«

»Ihr Haar … Es ist … es ist …« Nach ein paar vergeblichen Versuchen, es mit Gesten zu beschreiben, gab er schließlich auf. »Sie trägt es irgendwie … lang. Schulterlang, glaube ich. Es ist, ähm, leicht gewellt.« Besser konnte er es nicht wiedergeben.

Offensichtlich belustigt, lachte seine Mutter. Schließlich schüttelte Hutch den Kopf. »Du wirst sie noch früh genug kennenlernen, und dann bekommst du die Antwort auf all deine Fragen.«

Vor Aufregung begann seine Mutter förmlich zu strahlen. »Du hast dich schon mit ihr verabredet?«

»Na ja …«

»Lass es langsam angehen, Hutch. Sie hat einen schrecklichen Verlust erlitten und kann es ganz sicher nicht gebrauchen, jetzt schnell in eine neue Beziehung gedrängt zu werden.«

»Ja, Mutter.«

Wie er das sagte, ließ seine Mutter lächeln. »Ich weiß, ich weiß, du brauchst solche Ratschläge nicht von mir.«

Damit hatte sie recht, aber sagen wollte er das nicht.

Seine Mutter trank ihren Tee aus und verabschiedete sich kurze Zeit später. Hutch begleitete sie zu ihrem Auto, während sie ihm erzählte, dass sie zum Essen mit seiner jüngeren Schwester verabredet war und sie beide anschließend shoppen gehen wollten.

Auf dem Rückweg ins Büro drängte sich erneut Phoebe Rylanders Bild in seine Gedanken. Er erinnerte sich daran, wie sie ihm gegenüber am Tisch gesessen und still an ihrem Projekt gearbeitet hatte, während er sich bemühte, diese Handarbeit zu erlernen. Plötzlich wurde ihm bewusst, wie viel Aufmerksamkeit er ihr geschenkt hatte, und das machte ihn nervös. Bis zum Besuch seiner Mutter war es ihm gar nicht aufgefallen, und das sagte eine Menge. So viele Jahre waren vergangen, seit er sich das letzte Mal mit Frauen verabredet hatte, dass er sich kaum noch entsinnen konnte, wie es war, eine Beziehung zu haben.

Es war ein Akt der Höflichkeit gewesen, Phoebe anzubieten, sie nach dem Kurs zu ihrem Wagen zu begleiten. Erst jetzt gestand er sich ein, dass ihre Ablehnung ihn enttäuscht hatte. Er hatte keine Übung mehr im Umgang mit Frauen – dieser Schlussfolgerung konnte er sich nicht entziehen –, aber er war dennoch entschlossen, sich um sie zu bemühen. So sacht und vorsichtig wie möglich natürlich. Er wollte dem Rat seiner Mutter folgen und es langsam angehen lassen. Schließlich wusste er nicht einmal, ob sie nicht längst eine andere Beziehung pflegte, auch wenn er das nicht für wahrscheinlich hielt.

Das Telefon auf Gails Schreibtisch klingelte, als Hutch sein Büro betrat. Er hörte, wie sie das Gespräch annahm und dann sagte: »Einen Augenblick, Mr. Custer. Ich schau mal, ob er zu sprechen ist.«

Hutch blieb stehen.

Mit der Hand bedeckte Gail die Sprechmuschel des Telefons. »Es ist John. Möchtest du ihn noch mal sprechen?«

Halb hatte Hutch erwartet, dass der Anwalt noch einmal anrufen würde. »Ich nehme das Gespräch an meinem Schreibtisch entgegen.« Damit eilte er in sein Büro und schloss die Tür.

»Hutch«, meldete John sich aufgeregt. »Hör zu, die Leute sind zu Verhandlungen bereit. Sie wollen genauso wenig vor Gericht ziehen wie wir.«

»Gut.« Natürlich hoffte er, dass die Klage gänzlich zurückgezogen wurde. Das war jedoch leider unwahrscheinlich.

»Ihr Anwalt sagt, die Sache lässt sich für eine halbe Million Dollar aus der Welt schaffen.«

Beinahe hätte Hutch laut aufgelacht. »Kommt überhaupt nicht infrage!«

»Hutch, sei doch vernünftig«, bemühte sich John, ihn zu überzeugen. »Ein Verfahren zu vermeiden ist allein schon eine halbe Million wert. Schaff dir die Sache ein für alle Male vom Hals.«

Hutch zögerte und entschied sich dann, seinem Bauchgefühl

zu folgen. »Meiner Meinung nach ist das Erpressung, nichts weiter.«

»Stimmt, aber wenn du jetzt nicht einem Vergleich zustimmst, könntest du es bereuen. Der Vorschlag steht im Raum, wir können ihn nur annehmen oder ablehnen. Sie verlangen noch heute Nachmittag eine Antwort.«

Hutch musste sich eingestehen, dass er versucht war. Nichts hätte er lieber getan, als diesen Schlamassel zu beenden. »Wenn wir in diesem Fall zahlen, wer garantiert uns, dass nicht schon in zwei Monaten der Nächste mit der gleichen Klage droht?«

John antwortete nicht sofort. »Das ist unwahrscheinlich«, meinte er schließlich. »Wir sollten uns erst mal um das kümmern, was jetzt anliegt. Die ganze Geschichte kann heute noch ad acta gelegt werden, wenn wir zahlen. Meinst du nicht, das ist es wert?«

Hutch wünschte sich nichts sehnlicher, als dass die drohende Klage sich in Luft auflöste. Wenn er jedoch einen Scheck über eine halbe Million Dollar ausstellte, hieß das einfach nur, dass er sich den Frieden erkaufte, noch dazu nur vorläufig, nicht endgültig. Wenn er jetzt nachgab, öffnete er damit weiteren Klägern Tür und Tor, davon war er überzeugt, und das wollte er unter keinen Umständen.

»Das kann ich nicht, John.«

Der alte Freund seines Vaters seufzte laut. »Ich dachte mir schon, dass du das Angebot nicht annehmen würdest.«

»Glaubst du ehrlich, dass ich es tun sollte?«

»Dazu sage ich nichts. Die Entscheidung liegt bei dir, und du hast dich von deinem Instinkt leiten lassen. Dein Vater hätte dasselbe getan.«

Hutch legte auf, erfreut über diesen Vergleich – bis ihm einfiel, dass sein Vater mit achtundfünfzig Jahren gestorben war.

11. Kapitel

Phoebe Rylander

Phoebe eilte durch den Regen zum Restaurant am Wasser, in dem sie sich mit ihrer Mutter zum Essen verabredet hatte. Sie war nicht so dumm, anzunehmen, dass die Einladung dem Wunsch ihrer Mutter nach ihrer Gesellschaft entsprang. Höchstwahrscheinlich würde sich ihre Unterhaltung hauptsächlich um Clark drehen.

Im ersten Moment war sie versucht gewesen, die Einladung auszuschlagen. Passende Ausreden fielen ihr genug ein. Zum einen hatte sie nur eine Stunde Mittagspause, und es war nicht garantiert, dass sie rechtzeitig wieder am Arbeitsplatz sein konnte. Zum anderen hatte sie ihre Mutter gerade erst gesehen, auch wenn dieser Besuch nur kurz gewesen war, weil Leanne darauf bestanden hatte, über Clark zu reden.

Und doch, obwohl ihre Mutter sie dazu drängen würde, Clark zu verzeihen und die ganze unschöne Angelegenheit zu vergessen, hatte Phoebe sich mit ihr zum Essen verabredet. Warum, wusste sie selbst nicht.

Beziehungsweise, sie wusste es doch.

Irgendwo tief in ihrem Inneren vermisste sie Clark sehr, vermisste seine Küsse und seine überschäumende Energie, verzehrte sich nach Neuigkeiten von ihm. Wenn sie ihn schon nicht haben konnte – und das konnte sie definitiv nicht –, dann wollte sie doch wenigstens von ihm hören. So dumm war sie.

Und ihre Mutter würde mehr als bereit sein, ihr all die Einzelheiten zu erzählen, nach denen sie sich heimlich sehnte.

Die Wut war inzwischen verraucht, übrig blieb eine unglaubliche Traurigkeit. Sie liebte Clark. Fast zwei Jahre lang war er ein sehr wichtiger Teil ihres Lebens gewesen. Sie hatte das Gefühl, als hätte sich ein tiefes Loch in ihrem Alltag aufgetan, ein Loch, das mit jedem Tag größer und tiefer zu werden schien. Phoebe schwankte zwischen dem Wunsch, Clark aus ihrer Erinnerung zu tilgen, und dem kläglichen Verlangen nach jeder noch so kleinen Information über ihn.

Die Trennung von Clark wäre ihr entschieden leichter gefallen, wenn sie ihre Gefühle einfach hätte ausschalten können. Oder doch wenigstens ignorieren. Aber trotz allem begehrte sie den Mann noch immer. Obwohl sie einen Job hatte, der ihr viel bedeutete, fühlten ihre Tage sich leer an. Die Abende verbrachte sie in Apathie, während sie irgendwie die Zeit zu füllen versuchte, die sie sonst mit Clark hätte verbringen können.

Das Restaurant am Wasser, in der Nähe des *Pike Place Market*, gehörte zu den Plätzen, die gern von Touristen besucht wurden. Die Wirtin war gerade damit beschäftigt, Gäste an ihre Tische zu geleiten, als Phoebe eintraf. Schnell nahm sie den Schal ab, mit dem sie ihre Haare vor dem Nieselregen geschützt hatte, und schaute hinüber zur Fensterfront mit Blick auf das trübgrüne Wasser des Puget Sound. Zu ihrer Überraschung saß ihre Mutter bereits an einem Tisch. Leanne winkte ihr zu, und Phoebe winkte zurück, bevor sie sich zwischen den Tischen hindurchschlängelte.

»Du bist früh dran.« Ein seltenes Ereignis. Phoebe zog ihren Regenmantel aus, hängte ihn an einen Haken neben der kreisrunden Nische und setzte sich neben ihre Mutter.

»Ich wollte uns einen guten Platz sichern.« Leanne legte die Speisekarte weg. »Wie ich sehe, bist du pünktlich wie immer.«

Darauf ging Phoebe nicht ein. Ihre Mutter tat so, als wäre es eine Charakterschwäche, pünktlich zu sein.

»Als Tagesspezialität wird Kürbisrisotto angeboten – und eine Tomaten-Basilikum-Suppe.«

»Das klingt beides gut«, meinte Phoebe, obwohl sie kaum Appetit hatte.

»Ich nehme die gegrillten Garnelen«, erklärte ihre Mutter. »Die sollen ausgezeichnet sein. Marlene Snowden hat sie empfohlen, als wir das letzte Mal hier gegessen haben.« Sie verstummte, fragte sich offenbar, ob es ein Fehler gewesen war, Clarks Mutter zu erwähnen.

Phoebe ignorierte die Bemerkung. »Ich nehme nur die Suppe.«

»Da wir schon von Clarks Mutter sprechen …«, nahm Leanne den Faden vorsichtig wieder auf.

»Müssen wir das?«, unterbrach Phoebe sie sofort.

»Ach Phoebe, ich glaube, dir ist gar nicht klar, wie bestürzt alle sind. Marlene war in Tränen aufgelöst, als sie mich anrief. Sie kann es einfach nicht fassen, dass du so etwas tust.«

»Ich?«, stieß Phoebe schrill hervor und zog damit neugierige Blicke von den Gästen in der Nähe auf sich. »Warum gibt man mir die Schuld an dem Ganzen?«, fragte sie etwas leiser. »Clark ist derjenige, der seine Hose nicht anbehalten kann.«

Ihre Mutter wurde blass. »Phoebe, bitte …«

»Ich bin nicht gekommen, um über Clark, seine Familie oder irgendetwas anderes zu reden, das mit ihnen zu tun hat«, fuhr Phoebe fort, obwohl das nicht ganz der Wahrheit entsprach. »Wenn du meinst, du müsstest unbedingt über ihn reden, ist es vermutlich besser, wenn ich jetzt gehe.«

»Ach Süße, bitte bleib. Es tut mir leid, aber das alles ist auch für mich nicht einfach. Marlene und ich sind so gute Freundinnen geworden.«

»Selbst wenn Clark und ich nicht mehr verlobt sind, gibt es keinen Grund, warum du nicht mit seiner Mutter befreundet bleiben könntest«, flüsterte Phoebe, obwohl sie wusste, dass diese »Freundschaft« nicht halten würde. Ihre Mutter und Marlene hatten nur wenig miteinander gemein. Leanne hatte es genossen, in den gesellschaftlichen Kreis der Snowdens aufgestiegen zu sein, aber nachdem die Verlobung gelöst worden war, war nicht damit zu rechnen, dass Marlene sie auch weiterhin zu den exklusiven Veranstaltungen einladen würde, an denen sie solche Freude hatte.

Der Kellner kam, um ihre Getränkebestellung aufzunehmen, und zu Phoebes Erstaunen bestellte ihre Mutter ein teures Glas Weißwein. Phoebe bat um Kaffee. Das Wetter verlangte geradezu nach einem Heißgetränk, und außerdem musste sie am Nachmittag noch arbeiten.

Minuten später kam der Kellner mit ihren Getränken und notierte sich ihre Essenswünsche.

»Meine erste Strickkursstunde ist gut gelaufen«, versuchte Phoebe das Gespräch in andere Bahnen zu lenken.

Erstaunt sah ihre Mutter sie an. »Ich wusste gar nicht, dass du stricken lernst.«

»Na ja, es ist mehr ein Auffrischen meiner Kenntnisse.« Phoebe hatte vergessen, dass sie das eigentlich hatte geheim halten wollen. »Ich brauchte etwas …« Den Rest ließ sie unausgesprochen. Ihrer Mutter musste klar sein, wie verloren und einsam sie sich ohne Clark fühlte.

Leanne nahm einen Schluck von ihrem Wein. »Max hat diesen Sauvignon Blanc empfohlen. Er stammt aus Neuseeland und hat ein nettes, frisches Zitrusaroma. Irgendwann musst du ihn unbedingt mal probieren.«

Phoebe seufzte. Sie mochte Clarks Vater wirklich. Er war wunderbar scharfsinnig und charmant. Nach Clarks erster »Indiskretion« war Max zu ihr gekommen, um mit ihr zu reden und sich für seinen Sohn einzusetzen. Zwar war er genauso empört und schockiert wie Phoebe, aber er bat sie trotzdem, Clark noch einmal eine Chance zu geben. Zu seiner Ehre hatte Max nicht versucht, sie zu kontaktieren, seitdem sie den Verlobungsring zurückgegeben hatte. Sie vermutete, er würde es auch nicht tun.

»Hast du vor, immer wieder auf Clarks Familie zu sprechen zu kommen?«, fragte Phoebe, bemüht, gelassen zu klingen.

»Oje, ich habe es schon wieder getan, nicht wahr?« Immerhin hatte ihre Mutter den Anstand, Bedauern zu zeigen.

Wie aufrichtig ihre Entschuldigung gemeint war, konnte Phoebe schwer einschätzen. »Mom, du musst mir nicht sagen, wie schlimm das für dich ist. Ich weiß es, denn für mich ist es noch viel schlimmer.« Ihre Mutter schien das immer wieder zu vergessen.

»Natürlich ist es das. Entschuldige meine Gedankenlosigkeit, Schatz.«

Phoebe starrte aus dem Fenster und versuchte, mit Gewalt jeden Gedanken an Clark beiseitezuschieben. Das war allerdings unmöglich, wenn Leanne die Namen seiner Eltern bei jedem denkbaren Thema fallen ließ. Das hatte sie gewusst und sich dennoch auf dieses gemeinsame Essen eingelassen. Sosehr sie auch ihre eigene Schwäche verachtete, so sehr war sie erpicht auf Neuigkeiten. Trotzdem musste das aufhören, sie musste aufhören, dem nachzugeben …

»Leanne, Phoebe, wie schön, euch hier zu treffen.«

Als hätte der bloße Gedanke an ihren Exverlobten gereicht, um ihn herbeizuzaubern, erschien Clark wie aus dem Nichts. Bevor sie sich dagegen verwahren konnte, ließ er sich neben Phoebe in der Nische nieder, und damit saß sie in der Falle.

Phoebe versteifte sich und weigerte sich, ihn auch nur anzusehen.

»Clark!« Ihre Mutter heuchelte Überraschung, und zwar ausgesprochen schlecht. »Was tust *du* denn hier?«

»Eigentlich war ich mit einem Klienten zum Essen verabredet, doch der hat in letzter Minute abgesagt. Ich wollte gerade gehen, als ich euch beide hier sitzen sah. Ich hoffe, es macht euch nichts aus, wenn ich mich zu euch geselle?«

Wie glatt ihm doch die Lügen über die Zunge gingen, aber Phoebe konnte er nicht täuschen. Sie wusste, dass das Ganze ein abgekartetes Spiel war.

»Offen gesagt, mir macht es etwas aus«, erklärte sie schroff.

»Phoebe, bitte, was ist schon dabei, mit mir gemeinsam Mittag zu essen?«, fragte er und klang dabei so ruhig und vernünftig, dass sie einen Augenblick versucht war nachzugeben.

»Es macht mir eine Menge aus, fürchte ich. Geh jetzt bitte.«

»Wo bleiben deine Manieren?«, tadelte ihre Mutter sie.

Phoebe wandte sich Leanne zu und gab sich keine Mühe, zu verbergen, wie sehr sie sich verraten fühlte. »Du hast das arrangiert. Meine eigene Mutter! Ich kann es nicht fassen.«

»Sei nicht böse auf deine Mutter. Es ist meine Schuld«, warf Clark leise ein. »Ich habe sie dazu angestiftet. Ich wollte unbedingt mit dir reden und habe keine andere Möglichkeit gesehen.«

»Ich bitte dich nur um eines«, flehte ihre Mutter, »nämlich dass du dir anhörst, was Clark zu sagen hat. Wenn du zuhören würdest, würdest du verstehen, dass das Ganze eine von der Polizei gestellte Falle war.«

Soweit es Phoebe anging, spielte es keine Rolle, wie es dazu gekommen war, dass Clark verhaftet wurde. Wichtig war allein, dass es überhaupt dazu gekommen war. Trotzdem wusste sie, dass es keinen Zeck hatte zu diskutieren. Clark war ein Meister der Manipulation. Er konnte Tatsachen so blitzschnell verdrehen, dass ihr der Kopf zu schwirren begann. Mit ihm zu streiten war sinnlos, ein zum Scheitern verurteiltes Unterfangen.

Clark griff nach ihrer Hand, und obwohl sie sie ihm entziehen wollte, tat sie es nicht.

»Ich habe dich vermisst, Baby«, sagte er leise und verführerisch.

Phoebe konnte beinahe spüren, wie ihre Entschlossenheit ins Wanken geriet. Um ihres Seelenfriedens willen weigerte sie sich, ihn anzusehen, wich jedem Blickkontakt aus. Wenn sie ihm erst in die Augen schaute, war sie verloren.

Der Kellner eilte mit der Speisekarte herbei und reichte sie Clark. Der warf nur einen flüchtigen Blick darauf und bestellte ein Sirloin-Steak, blutig. Typisch Clark! In einem der besten Fisch- und Meeresfrüchte-Restaurants an der Westküste bestellte er Steak. Anscheinend nahm er immer eine Gegenposition ein, hob sich immer bewusst von allen anderen ab.

Er wartete, bis der Kellner gegangen war, bevor er seine Aufmerksamkeit wieder Phoebe zuwandte. Mit dem Daumen strich er auf beinah sexuell aufreizende Weise über ihren Handrücken. Hastig entzog Phoebe ihm die Hand und starrte hinaus auf das dunkle, aufgewühlte Wasser des Puget Sound.

»Ich habe sehr viel nachgedacht«, fuhr Clark fort. Leanne hörte aufmerksam zu. »Du hast allen Grund, wütend zu sein.

Wenn ich in deiner Lage wäre, würde ich vermutlich ähnlich empfinden.«

»Tatsächlich?« Sie konnte nicht widerstehen nachzuhaken. »Wenn ich für Sex bezahlen würde, würde dir das etwas ausmachen?«

Er blinzelte überrascht, als fände er den Gedanken völlig absurd.

»Aber warum sollte es das?«, fuhr sie fort. »Es bedeutet doch nichts, richtig? Das ist einfach etwas ... was die Leute so machen, und es hat wirklich nichts mit unserer Beziehung zu tun. Hast du nicht genau das gesagt?«

»Das habe ich, aber ich habe mich geirrt.«

»Du hast dich zweimal geirrt, soweit ich weiß.«

Langsam atmete er aus. »Manche Menschen brauchen länger, um zu lernen. Aber es wird nie wieder vorkommen. Das schwöre ich bei allem, was mir lieb und teuer ist.«

»Was du mit diesen Frauen hattest, hatte nichts mit Gefühlen zu tun, weißt du noch? Es war eine rein körperliche Beziehung.« Auch das war eine seiner Begründungen für sein Verhalten gewesen. Vermutlich hatte er sie damit nur besänftigen wollen.

Clark schloss die Augen. »Ich habe mich geirrt«, wiederholte er.

»Welche Entschuldigung hast du dafür, dass es noch einmal passiert ist?«

Zuerst glaubte sie, er würde ihr nicht antworten. Als er es dann doch tat, klang seine Stimme angespannt. Sie vibrierte geradezu vor Schmerz. Ob das nun echt oder nur gespielt war, dessen war sie nicht sicher.

»Ich war betrunken. Sinnlos betrunken. Ich hatte keine Ahnung, was ich tat. Wenn es für dich einen Unterschied macht, dann sollst du wissen, dass ich sie nicht mal attraktiv fand.«

»Es macht keinen Unterschied«, zischte Phoebe. »Das ist völlig irrelevant.«

Clark ließ den Kopf hängen. »Es tut mir leid.«

Sie wollte ihm so gern glauben und wusste doch, dass sie es nicht konnte. »Betrunken zu sein entschuldigt ein solches Verhalten keineswegs.«

»Du hast recht, das tut es nicht, aber vielleicht hilft es dir zu verstehen, warum es dazu gekommen ist. Ich war schwach und …«

»Was garantiert mir, dass du nicht wieder … schwach wirst?«

»Es würde mich umbringen, dir so wehzutun. Es passiert nicht wieder. Darauf gebe ich dir mein Wort.«

»Er meint es ehrlich, Süße«, mischte ihre Mutter sich flehend ein. »Hör auf Clark. Jedes seiner Worte ist ehrlich gemeint. Er könnte das Ganze nicht stärker bereuen. Gib ihm noch eine Chance. Mehr will er nicht, mehr wollen wir alle nicht.«

Phoebe wandte sich Clark zu und begegnete zum ersten Mal seinem Blick. Er wirkte so gramerfüllt, dass selbst ein Stein sich hätte erweichen lassen. Trotz allem stellte Phoebe fest, dass sie kurz davor stand nachzugeben. Sie war bereit, zu kapitulieren, als der Kellner ihr Essen an den Tisch brachte. Diese Störung, dieser Aufschub für ihr Zugeständnis, Clark noch eine Chance zu geben, erfüllte sie mit beinah überwältigender Erleichterung. Für Clark war es immens wichtig zu gewinnen. Sie konnte nicht sicher sein, dass er meinte, was er sagte, oder nur die Oberhand behalten musste, indem er sie dazu überredete, ihn zurückzunehmen.

Clark schien zu spüren, dass ihre Entschlossenheit wankte, denn er griff erneut nach ihrer Hand und verschränkte die

Finger mit ihren. Während der Kellner servierte, hielt er sie fest.

»Soll ich Champagner bestellen?«, fragte er. »Sag mir, dass wir einen Grund zum Feiern haben.«

»Noch nicht«, flüsterte sie.

Ihre Mutter beugte sich vor. »Phoebe, bitte. Es würde Marlene und mir ungeheuer viel bedeuten, wenn du und Clark wieder verlobt wärt.«

Wie aufs Stichwort zog Clark den diamantenen Verlobungsring aus seiner Anzugtasche und legte ihn neben ihrer Suppentasse auf den Tisch. »Ich trage ihn mit mir herum, seit du ihn mir wiedergegeben hast«, gestand er mit gebrochener Stimme. »Ich kann dir gar nicht sagen, wie oft ich diesen Diamantring betrachtet habe. Ich will dich nicht verlieren, Phoebe. Ich kann nicht. Du bedeutest mir alles.«

»Es sei denn, du bist betrunken«, setzte sie hinzu. Ihr war klar, dass sie verbittert und zornig klang, aber das war ihr egal.

»Wenn es hilft, werde ich nie wieder trinken. Sag nur ein Wort, und ich schwöre, ich rühre nie wieder einen Tropfen an.«

Phoebe entzog ihm die Hand. »Warum solltest du das tun?« Clark genoss seine Drinks. Soweit sie wusste, trank er nur selten zu viel.

»Wenn das der einzige Weg ist, um dich zurückzugewinnen, dann verzichte ich für alle Zeiten auf Alkohol.«

»Warum gibst du dir so viel Mühe?«, fragte sie. Sie brauchte einen Beweis, dass hier nicht nur sein Stolz sprach, nicht nur sein Verlangen, in ihrer Beziehung zu bestimmen, wo es langging.

Er blinzelte, als könnte er ihre Frage nicht verstehen. »Das weißt du nicht?«, fragte er leise. »Das weißt du ehrlich nicht?«

»Sag es ihr«, drängte Leanne. »Sag ihr, was du mir gesagt hast.«

»Ich liebe dich«, behauptete Clark mit Nachdruck. »Ganz einfach. Ich möchte den Rest meines Lebens mit dir verbringen. Ich möchte, dass wir gemeinsam eine Familie gründen, und wenn wir alt und grau sind, will ich dich an meiner Seite haben.«

Ihre Kehle schnürte sich zu. Keine Frau konnte solchen Worten lauschen, ohne dass sie ihre Wirkung entfalteten. »Ich … ich muss darüber nachdenken.«

Clark schaute ihr immer noch in die Augen, und sie sah den Triumph in seinem Blick, als ihre Abwehr den ersten Riss bekam. Plötzlich begriff sie, dass er genau das brauchte und genau das zu erreichen gehofft hatte.

»Ich muss mal in den Waschraum«, erklärte sie.

»Du kommst doch gleich wieder?«, fragte ihre Mutter. »Soll ich dich begleiten?«

»Mach dich nicht lächerlich.«

Zögernd stand Clark auf und gab ihr den Weg frei. Sie verließ die Nische und ließ ihren Regenmantel am Haken hängen. Mit ihrer Handtasche eilte sie durchs Restaurant zu den Toiletten und trat hastig ein.

Sie schloss sich in einer Kabine ein und lehnte sich gegen die Tür.

Dieses kurze Aufblitzen in Clarks Augen gerade eben. Sie hatte es gesehen – seine Befriedigung, sie immer noch manipulieren zu können. Er war davon ausgegangen, sie zurückerobert zu haben … und das hatte er tatsächlich beinahe geschafft. Fast hätte er sein Ziel erreicht, aber jetzt, da sie sich seinem Einfluss und dem ihrer Mutter entzogen hatte, gewann ihre Vernunft wieder die Oberhand.

Ohne ihr Verhalten zu hinterfragen, verließ Phoebe die Toilette und eilte aus dem Restaurant. Glücklicherweise wartete ein Taxi am Straßenrand. Während der Regen auf sie niederprasselte, stieg sie hinten ein und gab dem Fahrer die Adresse ihrer Arbeitsstelle.

Erst als sie sich etliche Blocks entfernt hatte, gelang es ihr, ihren Atem zu beruhigen. Sie fühlte sich wie jemand, der einen Fehltritt getan, das Gleichgewicht verloren hatte und dabei beinahe abgestürzt war. Erst jetzt, da sie Clark entkommen war, fühlte sie sich wieder sicher.

12. Kapitel

Alix Turner

In ihrer fünfzehnminütigen morgendlichen Kaffeepause zündete Alix sich in der Seitenstraße hinter dem Café eine Zigarette an. Sie schloss die Augen und nahm ihren ersten Zug, behielt den Rauch extra lange in den Lungen und genoss das sofortige Gefühl von Erleichterung, bevor sie ihn wieder ausstieß. Als sie die Augen wieder aufschlug, konnte sie sich nur zu deutlich die schmerzliche Enttäuschung im Gesicht ihres Mannes vorstellen.

Als guter Junge hatte Jordan Turner nie geraucht. Daher konnte er nicht einmal ansatzweise verstehen, wie schwer es war, damit aufzuhören. Und noch weniger konnte er verstehen, warum Alix nach vierjähriger Abstinenz wieder damit angefangen hatte.

Sie *wollte* aufhören. Aber anscheinend konnte sie nicht, obwohl sie sich beide einig waren, dass sie erst völlig nikotinfrei sein musste, bevor sie schwanger wurde.

Ein Baby.

Ein Schauer lief ihr über den Rücken. Alix hoffte, schon bald schwanger zu werden, und Jordan wünschte sich das ebenfalls. Sie waren in Grandma Turners Haus am Star Lake gezogen. Es war ideal, auf jeden Fall für sie, aber vielleicht sogar noch mehr für ihn. So viele seiner Kindheitserinnerungen hingen an dem Haus am See. Erst am Abend zuvor hatte Jordan gesagt, es sei der perfekte Ort, um eine Familie zu gründen. Was sie natürlich schon die ganze Zeit gemeint hatte …

Es wäre schön, sinnierte Alix, wirklich schön – bis ihr Blick auf die Zigarette fiel. In einem Anfall von Frust und Zorn warf sie sie auf den Asphalt und trat sie aus. Nur um anschließend sofort zu bereuen, den Großteil einer Zigarette verschwendet zu haben.

Abgesehen davon, dass diese üble Angewohnheit dafür sorgte, dass ihre Haare nach Zigaretten rochen und ihre Finger gelb verfärbt waren, ging sie auch ins Geld. Immerhin war sie inzwischen auf maximal fünf Zigaretten pro Tag herunter, das waren weniger als zwei Schachteln pro Woche. Ihre tägliche Dosis war nicht gleichbleibend, je nachdem, wie ihr Tag verlief, aber mehr als fünf rauchte sie nie. Das war ihre Obergrenze, und sie war stolz auf ihre Disziplin, stolz, dass es ihr gelungen war, die Menge auf die Hälfte dessen, was sie vor ein paar Monaten geraucht hatte, zu reduzieren. Sie wusste, das reichte noch nicht. Aber immerhin …

Jordan war so lieb, sich nicht über die Kosten zu beklagen, aber Sorgen bereiteten sie ihm bestimmt. Genauso wie Alix selbst. Inzwischen hatte sie erkannt, dass ihr Unvermögen, mit dem Rauchen aufzuhören, nicht nur darauf beruhte, dass sie abhängig war. Es gab noch einen anderen Grund: Sosehr sie sich auch ein Baby von Jordan wünschte, so sehr fürchtete sie sich davor.

Eigentlich hielt sie sich nicht für einen ängstlichen Menschen. Vor ein paar Jahren hatte sie einem bewaffneten Drogendealer die Stirn geboten, ohne auch nur mit der Wimper zu zucken. Damals war es ihr aber auch ziemlich egal gewesen, ob sie weiterlebte oder starb.

In Wahrheit fürchtete sie sich davor, Mutter zu werden. Sie

hatte versucht, Jordan ihre Befürchtungen zu erklären. Inzwischen hatte er besser gelernt, zuzuhören, aber schon nach wenigen Worten wurde ihr klar, dass er ihre diesbezüglichen Empfindungen nicht verstehen konnte, weil er nie erfahren und erlebt hatte, was sie durchgemacht hatte.

Seine Familie hatte nichts, aber auch gar nichts mit ihrer gemein.

Jordans Vater war ein Reverend. Jordan hatte den gleichen Beruf ergriffen und würde eines Tages seine eigene Gemeinde leiten.

Jordans Eltern waren gute Menschen: liebevoll, voller Mitgefühl, bescheiden, unkompliziert. Ohne Weiteres hätte seine Mom der Serie *Drei Mädchen und drei Jungen* entsprungen sein können, deren Mutter Kekse buk und ein Bügelbrett besaß.

Eltern wie ihre eigenen hingegen waren ihm völlig fremd. Er konnte unmöglich verstehen, wie es war, sich in einem Kleiderschrank zu verstecken, um nicht hören zu müssen, wie ihre Eltern sich volltrunken stritten. Er wusste zwar, dass solche Dinge geschahen, denn er hatte schon mit gestörten Teenagern gearbeitet. Aber seine Kenntnisse beschränkten sich auf die Theorie, waren indirekt. Sie waren nicht Teil von ihm, keine Erinnerung, die immer im Hintergrund lauerte und einen nie losließ.

Na schön, der Gedanke, Mutter zu werden, machte ihr also Angst. Das gab Alix zu, und sie hegte den Verdacht, dass die Zigaretten im Grunde eine Vermeidungsstrategie waren. Wenn sie rauchte, brauchte sie sich nicht mit ihren Zweifeln zu befassen, musste sich nicht fragen, ob sie eine gute Mutter sein konnte. Obendrein konnte sie schreiende Babys nicht gut ertragen. Volle Windeln fand sie ekelhaft. Und die Vorstellung, ein Kind an der Brust zu stillen, machte sie nervös, während

Jordan offenbar der Meinung war, Frauen hätten von Natur aus keine Probleme damit. Andere Frauen mochten ja starke mütterliche Instinkte haben – Alix hatte sie nicht. Und angesichts des Vorbilds, das ihre Mutter geboten hatte, war das vermutlich kein Wunder.

»Alix.«

Becky Major, die Hilfsköchin mittleren Alters, stand in der Hintertür.

»Winter sucht nach dir.« Winter Adams war die Besitzerin des *French Café*.

»He, ich habe noch zehn Minuten.« Alix war nicht bereit, sich die Pausenzeit verkürzen zu lassen. Nachdem es eine Woche lang ständig geregnet hatte, schien endlich die Sonne, und das wollte sie so lange wie möglich genießen.

»Lydia ist auch da. Sie möchte dich sprechen.«

Alix zögerte keine Sekunde. Sie konnte sich später immer noch mit ihren Befürchtungen in Sachen Mutterschaft beschäftigen. Wenn Lydia sie besuchte, war das immer ein Vergnügen. Auf ihrem Weg durch die Küche goss Alix sich eine Tasse Kaffee ein. Wenn sie schon kein Nikotin haben konnte, musste es eben Koffein sein.

Lydia wartete am Tresen auf sie, vor sich ebenfalls eine dampfende Tasse Kaffee. »Hast du ein paar Minuten Zeit für mich?«

Alix fiel auf, wie sorgenvoll ihre Freundin dreinschaute. »Natürlich. Was brauchst du? Sollen wir nach draußen gehen?« Lydia nickte. Dort konnten sie ungestörter reden.

Die Sonnenschirme über den Tischen auf dem Gehweg waren aufgespannt, und Alix entschied sich für einen Tisch im Schatten nah am Eingang des Cafés. Lydia nahm ihr gegenüber Platz.

»Ich hoffe, es macht dir nichts aus, dass ich deine Pause unterbreche.«

»Ganz und gar nicht«, versicherte Alix. Tatsächlich war sie dankbar, das Chaos in ihrem Kopf eine Weile vergessen zu können.

»Es geht um Casey.«

»Um wen?« Kaum hatte sie die Frage ausgesprochen, fiel es Alix auch schon wieder ein. »Ach ja, das Pflegekind.«

»Richtig.« Lydia umfasste ihren Kaffeebecher mit beiden Händen und ließ sie auf dem Tisch ruhen.

»Sollte Casey nicht nur eine Woche bei euch bleiben?« Das wusste Alix, weil Margaret in der vergangenen Woche im Strickkurs eine entsprechende Bemerkung gemacht hatte.

»Ja, das sollte sie.« Lydia seufzte. »Jetzt könnte es länger dauern.«

Alix fragte nicht, warum. Wenn Lydia es erklären wollte, dann würde sie das tun, aber Alix begriff auch so, dass die Sozialarbeiterin offenbar keinen anderen Platz für Casey gefunden hatte. Das überraschte sie nicht, war sie doch selbst lange genug von Pflegestelle zu Pflegestelle weitergereicht worden.

»Und? Wie läuft's so mit Casey?«, fragte sie, obwohl sie sich das recht gut denken konnte.

»Mittelprächtig. Wir tolerieren einander – mehr aber auch nicht. Wenn Casey vom Ferienkurs nach Hause kommt, zieht sie sich sofort in ihr Zimmer zurück und schließt die Tür.« Lydia schwieg einen Moment. »Es ist total verrückt …«

»Was?«

»Sie hortet allerlei Zeug.«

»Zum Beispiel?«

Lydia wirkte ein wenig peinlich berührt. »Toilettenpapier.

Ich habe sechs Rollen in ihrem Zimmer gefunden. Letzten Montag habe ich Lebensmittel gekauft und konnte später die Kräcker nicht finden. Sie waren in Caseys Zimmer, versteckt unter ihrem Bett. Die Schachtel lugte ein bisschen hervor, und als ich mich vors Bett kniete, um sie aufzuheben, fand ich außerdem eine Schachtel Müsli, Kekse und das Toilettenpapier. Ich habe sie danach gefragt, und sie meinte, sie könnte das alles eventuell brauchen.«

»Hast du ihr die Sachen weggenommen?«, fragte Alix.

Lydia schüttelte den Kopf. »Ich dachte, wenn sie sich sicherer fühlt, wenn sie diese Dinge in ihrem Zimmer aufbewahren kann, dann soll es mir recht sein.«

Alix vermutete, dass dem Mädchen irgendwann so notwendige Dinge wie Kräcker, Müsli und Toilettenpapier vorenthalten worden waren. In ihrer Zeit als Pflegekind hatte Alix selbst einige Eigenarten entwickelt.

»Die gemeinsamen Abendessen sind besonders schlimm«, fuhr Lydia fort.

»Wie meinst du das?«

Lydia war sichtlich angespannt. »Wenigstens isst sie, aber sie redet kaum ein Wort. Ich habe getan, was ich kann, um sie aus der Reserve zu locken, aber nichts, was ich sage oder tue, scheint bei ihr anzukommen. Wenn sie mich anschaut, habe ich das Gefühl, sie nimmt es mir übel, dass ich Interesse an ihr zeige. Cody verhält sich in letzter Zeit einfach großartig, Brad auch, aber es scheint einfach keinen Weg zu geben, zu ihr durchzudringen.«

Alix hatte genug Pflegestellen durchlaufen, um das Verhalten einordnen zu können. »Sie weiß, dass sie schon bald wieder fortmuss. Also versucht sie zu verhindern, dass sie einen von euch lieb gewinnt.«

»Aber warum? Brad und ich reißen uns ein Bein aus, um ihr das Gefühl zu geben, bei uns willkommen zu sein.«

Das war etwas, das andere kaum verstehen konnten. »Hör zu«, sagte Alix und beugte sich zu ihrer Freundin hinüber. »Lass es mich so erklären. Du hast ein Stück Klebeband, klebst es auf etwas, und es bleibt kleben. Okay?«

Lydia blinzelte. »Okay. Ja.«

»Zieh es ab, und klebe es woanders auf. Was passiert?«

»Es bleibt immer noch kleben.«

»Richtig. Aber was passiert, wenn du es zum dritten oder vierten Mal abziehst?«

Lydia zuckte die Achseln. »Die Klebkraft lässt immer mehr nach.«

»Mit Kindern ist es ganz genauso. Casey versucht, sich das bisschen Klebkraft, das sie noch hat, für die Familie zu bewahren, die sie bei sich behalten, sich um sie kümmern und sie lieb haben wird. Sie kann nicht riskieren, ihr Herz an eine Familie zu verschenken, die nur ein paar Wochen Teil ihres Lebens sein wird.«

Erneut schüttelte Lydia den Kopf, als wollte sie widersprechen. »Brad und ich *haben* sie aber lieb.«

»Sicher habt ihr sie lieb.« Alix wollte nicht schnippisch oder zynisch klingen, konnte es aber nicht verhindern. »*Jetzt* habt ihr sie lieb. Aber Casey weiß, dass ihr euch in sechs Monaten kaum noch an ihren Namen erinnern werdet, insbesondere wenn ihr öfter Pflegekinder in Notlagen aufnehmt.«

»Oh.« Das brachte Lydia anscheinend ins Grübeln. »Wäre es besser, wenn wir ihr das Gefühl gäben, sie wäre uns egal?«

»Nein. Schenkt ihr alle Aufmerksamkeit und Liebe, die ihr ihr geben könnt. Das wird sie aufbauen. Und das ist eine gute Sache, insbesondere dann, wenn sie wieder in eine andere Pflegestelle kommt.«

Lydia senkte den Blick und rang die Hände. »Sie ist jetzt seit neun Tagen bei uns.«

»Es kommt euch länger vor, nicht wahr?«

»Oh ja.« Lydia grinste. »Sie hat schon einmal versucht wegzulaufen.«

»So, dass ihr es bemerken musstet?«

Die Frage überraschte Lydia. Sie nickte.

»Typisch.« Alix hatte das selbst öfter als einmal versucht. Wenn Casey wirklich hätte abhauen wollen, ohne dass es jemand merkt, hätte sie das auch geschafft. So war es eine List, um zu sehen, ob Lydia und Brad sie aufhalten würden.

»Was wisst ihr über ihren familiären Hintergrund?«

»So gut wie nichts. Evelyn hielt es nicht für nötig, uns viel zu erzählen, da Casey ja nur kurze Zeit bei uns bleiben sollte.«

»Und jetzt?«

»Gestern Nachmittag rief Evelyn an und fragte, ob Brad und ich Casey noch ein paar Wochen bei uns behalten könnten – bis ihre Ferienkurse vorbei sind. Anscheinend wird man sie in einem anderen Schulbezirk unterbringen müssen. Evelyn sagte, diesen Sommer seien Pflegefamilien ganz besonders knapp.«

»Was werdet ihr jetzt tun?«, fragte Alix sachlich.

»Ich habe mit Brad und Cody gesprochen, und wir haben uns darauf geeinigt, Casey länger bei uns bleiben zu lassen. Nur … nur glauben wir nicht, dass sie bei uns bleiben *will*.«

»Sie will«, stellte Alix nachdrücklich klar. »Das Problem ist nur, dass sie schon so oft hin und her geschoben wurde, dass sie Angst davor hat, jemanden wissen zu lassen, was sie möchte – aus Furcht, man könnte es ihr wegnehmen.«

Bestürzt runzelte Lydia die Stirn. »Du meinst … Liebe? Sicherheit?«

»Ja … und sogar Toilettenpapier«, meinte Alix leise lachend.

Das war für ihre Freundin eine ganz und gar fremde Welt. Lydia konnte nicht verstehen, wie ein Kind wie Casey tickte. Jedenfalls nicht so, wie Alix es tat. Auch Alix war eine Nummer gewesen, ein Name in einer Akte. Evelyn Boyle tat alles, was sie konnte; sie war eine gute Frau mit einem großen Herzen, aber sie trug eine schwere Last.

»Du hast von Klebeband und Klebkraft gesprochen«, griff Lydia den Faden wieder auf.

»Ja.«

»Wie kann ich dafür sorgen, dass Casey ein bisschen Klebkraft zurückgewinnt?«

Gute Frage. Alix beugte sich vor, stützte einen Ellenbogen auf den Tisch und dachte darüber nach, ließ diese Zeit in ihrem eigenen Leben Revue passieren. In der achten Klasse hatte sie nacheinander in drei verschiedenen Pflegefamilien gelebt und drei verschiedene Schulen besucht. Das war ein besonders schlimmes Jahr für sie gewesen, und sie vermutete, wenn Casey bei Lydia und Brad auszog, würde ihr Jahr der gleichen Abwärtsspirale folgen.

»Hat Casey irgendwelche Angehörigen? Eine Großmutter? Tante? Cousinen? Hat …« Sie unterbrach sich, als Lydia nickte.

»Sie hat einen Bruder erwähnt – das heißt, eigentlich war es wohl Evelyn, die mir erzählt hat, Casey habe einen älteren Bruder. Anscheinend sitzt er eine Strafe im Jugendgefängnis von Kent ab.«

Kurze Zeit hatte auch Alix im Gefängnis gesessen. Kent war ein Bezirk im Süden von Seattle und besaß die größte Jugendhaftanstalt der Gegend, vielleicht sogar die größte des Bundesstaates.

»Es wäre hilfreich, wenn ihr für Casey einen Besuch bei ihrem Bruder arrangieren könntet.«

»Aber wie?«, fragte Lydia verwirrt.

»Wendet euch an Evelyn. Ich kann euch garantieren, dass Casey sich sehr viel besser fühlen wird, wenn sie wenigstens ein kleines bisschen Zeit mit ihm verbringen kann.«

Auch Alix hatte ihren Bruder geliebt. Sie redete nicht über Tom, und nur sehr wenige wussten von ihm. Toms Tod war der Wendepunkt in Alix' Leben gewesen. Bis dahin hatte sie mit Drogen experimentiert, hatte sich mit Losern abgegeben und sich immer wieder in Schwierigkeiten gebracht.

Dann wurde Tom tot aufgefunden, erstickt an seinem eigenen Erbrochenen, nachdem er Heroin gespritzt hatte. Solange sie lebte, würde Alix nie den Tag vergessen, an dem sie erfahren hatte, dass der einzige Mensch, der sie wirklich liebte, von ihr gegangen war. Für immer. Am liebsten wäre sie selbst gestorben.

Schnell schüttelte sie die Erinnerung ab und wandte ihre Aufmerksamkeit wieder Lydia zu.

»Ich werde Evelyn anrufen, sowie ich wieder im Laden bin«, sagte diese. »Danke für deinen Rat.«

»Ich freue mich, wenn ich helfen konnte.«

»Hast du sonst noch irgendwelche Vorschläge?«

»Tja ... ihr werdet sehr viel Geduld brauchen.«

»Du meinst, noch mehr, als Brad und ich bereits aufbringen?«, fragte Lydia ironisch.

In Erinnerung an ihre eigene Jugend nickte Alix. »Sehr viel mehr.«

»Das habe ich befürchtet.« Ein leises Lachen begleitete diese Aussage.

Alix musste ebenfalls lachen. Sie fragte sich, ob Lydias Schwester wohl eine eigene Meinung über die jüngsten Entwicklungen hatte. Nein, sie war sich dessen sicher. »Was hat Margaret zu dieser Situation zu sagen?«

»Das willst du nicht hören.« Lydias Lächeln verblasste, und sie schüttelte den Kopf. »Margaret meint es gut. Sie ist nur sehr daran gewöhnt, sich um mich zu kümmern. Noch heute ist sie sich immer sicher, alles besser zu wissen.«

Alix warf einen Blick auf ihre Armbanduhr und stellte fest, dass ihre Pause seit fünf Minuten vorbei war. Sie sollte besser in Erfahrung bringen, warum Winter sie hatte sprechen wollen.

»Ich muss zurück an die Arbeit«, sagte sie, stand auf und nahm die leeren Tassen an sich.

»Danke noch mal«, murmelte Lydia.

»Lass mich wissen, wenn ich sonst noch etwas tun kann. Oder wenn du einfach nur mal reden musst«, sagte Alix aufrichtig.

13. Kapitel

Bryan »Hutch« Hutchinson

Hutch saß am Tisch hinten im Wollgeschäft und versuchte sich auf seine Strickarbeit zu konzentrieren. Soweit er sehen konnte, kam er mit dem Musterschal gut voran, zumindest was die ersten beiden Abschnitte anging. Er hatte inzwischen rechte und linke Maschen gelernt, was anscheinend alle beeindruckte, von seiner Mutter bis hin zu seiner Assistentin Gail. Heute war die dritte Kursstunde, und Lydia zeigte ihnen, wie man ein Zopfmuster strickte. Das würde erst recht Eindruck bei Gloria und Gail machen.

Lydia unterrichtete sie in kleinen Schritten, und er vermutete, die Maschen würden von Woche zu Woche komplizierter werden. Ein bisschen beunruhigte ihn das, da ihm das Stricken nicht gerade leichtfiel. Eigentlich hatte er sich davon Entspannung erhofft, nicht aber eine neue Herausforderung – obwohl diese neue Fertigkeit ihm die Gelegenheit gab, damit zu prahlen. Vielleicht hätte er sogar darüber nachgedacht, aus dem Kurs auszusteigen, wenn es da nicht noch eine interessantere Herausforderung gegeben hätte.

Phoebe Rylander.

Als er ankam, war sie schon da, und er war abgelenkt, seitdem er Platz genommen hatte. Hoffentlich war nicht offensichtlich, wie sehr sie ihn faszinierte. Er hatte Angst, sich zu blamieren und sie abzuschrecken.

Kaum zu glauben, wie eingerostet er in Liebesdingen war. Natürlich, so sagte er sich, gab es mildernde Umstände. Phoebe trauerte noch über den Tod ihres Verlobten, und er wollte nicht den Eindruck erwecken, unempfänglich für ihren Schmerz zu sein. Zugleich aber … nun ja, er hätte sie gern näher kennengelernt.

Er versuchte, den Rat seiner Mutter zu beherzigen – es langsam angehen zu lassen –, aber wenn er es noch langsamer anging, würde die nächste Eiszeit anbrechen, bevor er dazu kam, sich mit ihr zu verabreden.

Zum dritten Mal saß er ihr jetzt gegenüber am Tisch. Dabei kam er sich vor wie ein Mittelstufenschüler, und das gefiel ihm ganz und gar nicht. Nach der ersten Stunde hatte er ihr angeboten, sie bis zu ihrem Auto zu begleiten. Da Phoebe abgelehnt hatte, wiederholte er das Angebot nicht. Ein paar Mal hatten sie sich unterhalten, immer über Belanglosigkeiten. Sie lachte über seine Witze. Das war ein gutes Zeichen, aber auch Alix und Lydia lachten darüber.

Am Ende der Stunde packte Phoebe ihre Strickutensilien zusammen. »Inzwischen habe ich richtig Spaß am Kurs«, sagte sie.

Hutch verwahrte sein Strickzeug nach wie vor in seiner Aktentasche. Das lag nicht so sehr daran, dass niemand wissen sollte, dass er strickte. Er zog es einfach vor, nicht mit einem dieser übergroßen Shopper herumzulaufen, die nicht selten wie Wickeltaschen aussahen.

Am Ende der zweiten Stunde war Phoebe als Erste bereit zu gehen, und Hutch beeilte sich, ihr die Tür aufzuhalten. Zum Dank lächelte sie ihn an.

Hutch erwiderte das Lächeln, blieb dann aber wie ein Depp in der Tür stehen, während sie davoneilte.

Sie war schon einen halben Block weiter, als er sich entschloss, ihr nachzugehen – und dann abrupt stehen blieb, weil er nicht wusste, was er als Nächstes sagen oder tun sollte. Nach ihrer Vorstellung am ersten Kursabend hatte sie ihren Verlobten nie mehr erwähnt. Hutch ging davon aus, dass der Mann noch nicht lange tot war. Sicher konnte er sich dessen aber nicht sein.

Er wollte Phoebe definitiv kennenlernen, aber auf keinen Fall eine Unterhaltung damit beginnen, eine kaum verheilte Wunde wieder aufzureißen. Einerseits hatte er keine Ahnung, ob es angemessen war, sie auf ihren Verlobten anzusprechen. Andererseits kam es ihm herzlos vor, den Mann, den sie offensichtlich geliebt hatte, komplett zu ignorieren.

Soweit er das beurteilen konnte, musste er bald etwas unternehmen, oder er konnte die Sache gleich vergessen. Und Phoebe vergessen wollte er definitiv nicht. Wenn er jedoch zu lange wartete und sein Interesse nicht deutlich zeigte, würde das Ganze irgendwann unangenehm werden, und zwar für sie beide. Dass er im Umgang mit Frauen völlig eingerostet war, machte die Sache nicht einfacher.

»Soll ich mir deine Maschen mal anschauen?«, fragte Lydia und unterbrach damit seine Grübeleien. Er hatte schon Dutzende Male darüber nachgedacht, was er zu Phoebe gesagt hatte – und was nicht. Am Ende hatte er sie doch nicht konkret angesprochen und bedauerte das dann den Rest der Woche. In dieser dritten Kursstunde musste es endlich geschehen. Wenn er jetzt nichts unternahm, würde er es nie tun, fürchtete er.

Er sah zu Lydia hoch und stellte fest, dass sie ihn erwartungsvoll anschaute. Vielleicht war ihm etwas von der Unterhaltung entgangen. Verunsichert reichte er ihr sein Strickzeug.

Sie nahm es entgegen und runzelte die Stirn.

»Habe ich was falsch gemacht?«, fragte er. Obwohl seine Aufmerksamkeit vor allem Phoebe gegolten hatte, hatte er sich doch große Mühe gegeben, Lydias Anweisungen zu folgen.

Lydia lächelte aufmunternd. »Das Muster ist perfekt gelungen.«

Das hatte Hutch auch angenommen, aber es von Lydia bestätigt zu bekommen tat gut.

»Das Problem ist deine Anspannung, Hutch. Siehst du, wie fest du gestrickt hast?«

Es stimmte: Das Gestrickte auf den Nadeln zu verschieben war ziemlich schwer, aber so war es ihm von Anfang an ergangen.

»Sieht fast so aus, als wolltest du eine Rüstung stricken«, neckte sie ihn.

»Das habe ich von Anfang an so gemacht.«

»Entspann dich. Deshalb hast du dich doch für den Kurs angemeldet, nicht wahr? Um dich zu entspannen?«

Hutch nickte und warf einen raschen Blick zu Phoebe hinüber.

Lydia hatte recht. Er hatte sich für den Kurs angemeldet, in der Hoffnung, seinen Blutdruck zu senken und neue Techniken der Stressbewältigung zu lernen. Aber … im Kurs war er Phoebe begegnet, und sie hatte, ohne es zu wollen, sein Stresslevel noch erhöht. Wenigstens wurde sein Daumen wieder beweglicher. In diesem Punkt hatte das Stricken ihm also schon einmal geholfen.

»Ich habe genau das entgegengesetzte Problem«, meldete sich Phoebe zu Wort, nachdem Lydia gegangen war. »Meine Maschen sind zu locker. Wenn ich so weitermache, wird mein Schal drei Meter lang.«

»Und meiner gerade mal fünfundzwanzig Zentimeter.«

Sie lachte über seinen eher flachen Witz und machte ihm damit Mut. »Gefällt dir der Kurs?«, fragte er und stöhnte innerlich auf. Wenn schon der Witz nicht geistreich gewesen war, dann war es dieser Versuch, eine Unterhaltung anzuknüpfen, erst recht nicht.

Phoebe lächelte ihn an. »Sehr. Und dir?«

»Auch sehr.« Hutch erwähnte nicht, dass ihm der Kurs vor allem ihretwegen Spaß machte. Er hatte sich auf den Abend gefreut und sich gleichzeitig davor gefürchtet. Die ganze Woche hatte er ständig an sie denken müssen, und jetzt saß sie ihm gegenüber, und er fühlte sich genauso unsicher wie zuvor. Vielleicht sogar unsicherer, denn ein Risiko mit ihr einzugehen, wagte er nicht, aus Angst, ihr so kurz nach ihrem herben Verlust zu nahe zu treten. Und von ihr abgewiesen zu werden. Letzteres gestand er sich allerdings nur äußerst ungern ein. Er schwieg einen Moment, in der Hoffnung auf weitere ermutigende Zeichen. Die blieben aus, aber da er endlich einmal vorankommen musste, redete er doch weiter. »Ich gehe nicht davon aus ... ich meine, nach der Stunde ... aber wenn du schon andere Pläne hast, verstehe ich ...« Himmel, was für ein jämmerliches Gestammel. Am liebsten wäre er aufgestanden und gegangen. Er verstummte, entschlossen, nichts mehr zu sagen. Was war nur los mit ihm? Er war ein kompetenter Geschäftsmann, der ein Familienunternehmen leitete und zu dem über hundert Angestellte respektvoll aufsahen. In Gegenwart von Phoebe jedoch benahm er sich wie ein Mittelstufenschüler, der zum ersten Mal ein Mädchen ansprach.

»Was für andere Pläne?«, fragte sie neugierig.

Toll, jetzt hatte er es verpfuscht, obwohl er sich doch bemüht hatte, beiläufig zu klingen. »Würdest du gern einen Kaffee mit mir trinken?«, fragte er schroff. Seine Stimme klang beinahe zornig. Konnte es noch schlimmer kommen?

Zu seiner großen Überraschung nickte Phoebe. »Gern.«

Er zwang sich, den Mund zu halten, bevor er ihr das am Ende noch wieder ausredete.

»Da wäre das *French Café* auf der anderen Straßenseite.« Alix blickte von ihrer Arbeit auf. »Es hat bis heute Abend um zehn geöffnet.«

»Gute Idee«, sagte Phoebe. »Du arbeitest da, nicht wahr?«

»Genau. Ich gehöre zur Frühschicht. Ich backe.«

»Dann bist du also diejenige, die dieses herrliche Gebäck fabriziert«, meinte Phoebe. »Ich bin neulich extra vorbeigefahren und habe ein halbes Dutzend Gebäckstücke für die Klinik gekauft. Sie waren fantastisch.«

»Das ist nicht allein mein Verdienst«, wiegelte Alix ab.

»Oh doch«, mischte sich Lydia ein. »Ich habe Alix schon bei der Arbeit zugesehen und ihre Backwaren gegessen.«

»Ich auch«, setzte Margaret hinzu. »Seht ihr die Extrapfunde auf meinen Hüften? Dafür ist Alix verantwortlich.«

»Hey, es war *deine* Entscheidung, all die Kopenhagener und Croissants zu essen«, erinnerte Alix sie.

»Das sehe ich genauso«, meinte Hutch, dem der Rechtsstreit wieder einfiel, der ihm drohte. Nicht nur die Süßwarenindustrie würde die Folgen eines Prozesses zu spüren bekommen. Wenn er verlor, waren Bäckereien vermutlich die Nächsten, die verklagt wurden. Und Restaurants. Es war gar nicht absehbar, wo dieser Wahnsinn hinführen würde.

»Ja, ja, schon gut.« Margaret seufzte. »Ich habe mir jedes Gramm Übergewicht selbst zuzuschreiben.«

Hutch grinste. Dann merkte er, dass Phoebe ihn beobachtete. Sie lächelte ebenfalls, und ihm wurde warm ums Herz. Er fühlte sich glücklich. Und behaglich. Vielleicht hatte er sich doch nicht so sehr zum Narren gemacht, wie er gedacht hatte.

»Wollen wir nach der Stunde ins *French Café* gehen?«, fragte sie.

»Klar, gern.« Wenn sie vorgeschlagen hätte, in Costa Rica Kaffee zu trinken, hätte er einen Weg gefunden, mit ihr dorthin zu kommen. Die Straße zu Fuß zu überqueren war kein Problem – sofern er nicht so etwas Dummes tat, wie einem Bus vor den Kühlergrill zu laufen.

Ein paar Minuten vor acht endete die Kursstunde. Alix war fast den ganzen Abend recht still gewesen. Hutch mochte sie, genau wie ihren Mann, der sie wieder abholte. Offenbar arbeitete Jordan an den Abenden, die Alix in *A Good Yarn* verbrachte, länger, sodass die beiden gemeinsam nach Hause fahren konnten.

Phoebe erhob sich und sammelte ihre Sachen zusammen. Hutch tat es ihr gleich.

»Gute Nacht, ihr beiden«, verabschiedete sie Lydia, als sie zur Tür gingen.

»Nacht«, gab Hutch zurück.

»Bis nächste Woche«, meinte Phoebe und schaute dabei über die Schulter zurück.

Lydia winkte ihnen zu. Als sie die Tür schlossen, hörte Hutch zufällig, wie Margaret darüber spekulierte, ob sich zwischen ihm und Phoebe etwas anbahnte. Einen Moment war er in Versuchung, stehen zu bleiben und zu lauschen. Ihn interessierte, wie die beiden seine Chancen bewerteten.

Draußen wartete Phoebe auf dem Gehsteig, während Hutch seine Aktentasche in sein Auto stellte. Er hatte das große Glück gehabt, einen Parkplatz beinahe vor der Tür des Wollgeschäfts gefunden zu haben. Vielleicht war das ja ein gutes Omen. Anschließend eilten sie über die Straße.

Das *French Café* war hell erleuchtet, und außer ihnen saßen noch ein paar Paare an den Tischen, nahmen ein spätes Abendessen zu sich oder tranken Kaffee.

»Was hättest du gern?«, fragte Hutch, als sie sich dem Tresen näherten.

»Kaffee, schwarz, sonst nichts.«

»Dann such uns doch schon mal einen Tisch aus. Ich besorge uns Kaffee.«

Sie nickte, und er sah zu, wie sie einen ruhigen Tisch im hinteren Bereich des Restaurants wählte. Nachdem er ihre Getränke bestellt und bezahlt hatte, trug er die beiden Becher an den Tisch.

Jetzt, da er allein mit Phoebe war, wusste er nicht mehr weiter. Er versuchte sich an seine Collegezeit zu erinnern, aber damals war alles so einfach gewesen. So natürlich und mühelos. Eigentlich hielt er sich für geistreich und gesellig. Jetzt konnte er das kaum glauben.

»Also«, setzte er an. »Erzähl mir doch mal ein wenig von dir.«

Phoebe strich sich die Haare aus dem Gesicht. Diese Angewohnheit war ihm bereits aufgefallen, und öfter als einmal war er versucht gewesen, sich vorzubeugen und das für sie zu tun. Das wäre natürlich unpassend gewesen, um es vorsichtig auszudrücken. Schnell verschränkte er die Hände in seinem Schoß.

»Na ja … ich glaube, ich erwähnte bereits, dass ich Physiotherapeutin bin.«

Er nickte. »Ja, gleich in der ersten Stunde.«

»Und was machst du?«

Offenbar hatte sie sich nicht gemerkt, was er über sich gesagt hatte. »Ich arbeite für ein Familienunternehmen«, erklärte er.

»Ach ja, jetzt fällt es mir wieder ein.«

Bewusst erwähnte er den Namen der Firma, *Mount Rainier*

Chocolates, nicht. Die Firma war in der Gegend wohlbekannt, und sowie die Leute erfuhren, dass er etwas damit zu tun hatte, bombardierten sie ihn mit Fragen – immer denselben Fragen. Er war es leid, sie zu beantworten, genauso wie er all die dummen Witze und hinterhältigen Bemerkungen leid war. Außerdem definierte er sich nicht nur über seine Arbeit.

»Du hast dich für den Kurs angemeldet, um dich zu entspannen. Hattest du das nicht gesagt? Und wegen deines Daumens.«

»Ja.« Er hob die Hand und wackelte mit dem Daumen. Es tat ein bisschen weh.

»Hattest du Krankengymnastik?«, fragte sie.

Er schüttelte den Kopf. Krankengymnastik kostete Zeit, die er nicht erübrigen konnte. Außerdem war die Verletzung nicht schwer, auch wenn sie nur sehr langsam heilte.

»Es gibt eine Reihe verschiedener Übungen, um die Beweglichkeit zurückzuerlangen«, erklärte Phoebe.

»Du meinst, außer eine Rüstung zu stricken«, witzelte er.

Phoebe lächelte wieder, und im ganzen Raum schien es ein wenig heller zu werden.

Von da an lief ihr Gespräch wie von allein. Es war leicht, mit Phoebe zu reden, ihre Anmerkungen waren interessant und lebhaft. Wann immer ihre Unterhaltung ins Stocken geriet, fand sie einen neuen Ansatz. Dennoch hatte Hutch das Gefühl, etwas zu ihrem Verlobten sagen zu müssen. Am besten tat er das jetzt gleich – um es hinter sich zu bringen. Auch wenn das ein bisschen krass formuliert war, entsprach es doch seinem Empfinden.

»Ich weiß, was für eine schwere Zeit du durchmachst«, sagte er feierlich, als ihr Austausch über die neuesten Kinofilme nichts mehr hergab.

Interessiert sah sie ihn an. »Tatsächlich?«

»Der Verlust deines Verlobten …«

»Ja. Nun ja … so was passiert.« Es war unübersehbar, dass es sie nervös und unruhig machte, über den Mann zu reden, den sie geliebt hatte. Hutch war nicht wohl dabei, ein so schmerzliches Thema anzusprechen, aber er wollte, dass Phoebe wusste: Er fühlte mit ihr.

Ihre Reaktion ließ ihn das Thema wechseln. Also sagte er das Erste, was ihm in den Sinn kam. »Ich finde es schön, im selben Kurs mit dir zu sein.«

Ihr Blick wurde weicher, während sie ihn langsam senkte. »Das geht mir genauso.«

»Ich, ähm … ich würde dich gern wiedersehen. Außerhalb des Kurses.« Er gab ihr keine Chance zu antworten. »Aber nur, wenn du bereit bist. Wenn es noch zu früh ist, verstehe ich das. Ich möchte dich nur darum bitten, dass du mich wissen lässt, wenn du das Gefühl hast, wieder mit einem Mann ausgehen zu können.«

»Ich … ich …« Sie zögerte.

Ihm sank der Mut.

»Ich glaube, ich kann es jetzt«, sagte sie schließlich und begegnete seinem Blick.

Freudige Erregung packte ihn. »Das ist großartig.« Und dann, weil er das Gefühl hatte, näher erklären zu müssen, was er meinte, fügte er hinzu: »Großartig, dass du bereit bist, mich wieder zu treffen. Nicht großartig, dass dein Verlobter gestorben ist.« Kaum hatte er die Worte über die Lippen gebracht, hätte er sich am liebsten auf die Zunge gebissen. Noch dämlicher oder gedankenloser hätte er sich kaum äußern können. »So meinte ich das nicht.«

»Keine Sorge. Ich habe verstanden, was du meinst.«

Er stieß einen Seufzer der Erleichterung aus. »An diesem Wochenende ist der Unabhängigkeitstag.«

»Ich weiß.«

»Hättest du Lust auf ein Picknick?« Am Unabhängigkeitstag zu picknicken war seines Wissens Tradition. »Ich habe ein paar Fahrräder«, fügte er spontan hinzu.

»Das klingt nach einer Menge Spaß. Hast du ein besonderes Ziel vor Augen?«

Hutch hatte sein Fahrrad seit Jahren nicht mehr benutzt. »Ich bin einmal durchs Skagit Valley gefahren und fand es wunderschön.« Die Strecke war eben. Er wollte sich nicht keuchend einen Hügel hinaufquälen; deshalb ging er lieber auf Nummer sicher.

Phoebes Augen begannen zu leuchten. »Ich liebe das Skagit Valley.«

Am liebsten wäre er aufgesprungen und in Jubel ausgebrochen. »Dann ist es also abgemacht.«

»Ich freue mich darauf.«

Sie trennten sich vor dem Café, und Hutch fühlte sich ungewohnt zufrieden – mit der Unterhaltung, mit Phoebe und sogar mit sich selbst.

Am nächsten Morgen trudelte Hutch in sagenhaft guter Laune im Büro ein.

»Du pfeifst«, sagte Gail.

»Echt? Wann?«

»Gerade eben.« Offenbar fand sie das aber gut, denn sie lächelte ihn zufrieden an.

»Das war mir gar nicht bewusst«, stellte er leicht verwirrt fest. »Hör mal, du müsstest ein paar Dinge für mich erledigen.«

»In Ordnung.«

»Bestell mir zwei fahrbereite Mountainbikes. Ein blaues und ein rotes. Und Fahrradhelme dazu. Sie sollen an meine Privatadresse geliefert werden.«

»Wird sofort erledigt.«

Am Morgen hatte er sich die Fahrräder in seiner Garage angesehen. Sie waren alt und nicht im besten Zustand. Also war er zu dem Schluss gekommen, dass es einfacher wäre, neue zu kaufen, als Zeit darauf zu verschwenden, die alten aufmöbeln und reparieren zu lassen.

»Sonst noch was?«

»Ja.« Die nächste Bitte machte ihn ein wenig verlegen. »Geh online, und bestell mir ein Buch.«

»Natürlich. Wie lautet der Titel, beziehungsweise wie heißt der Autor?«

»Den Namen des Autors kenne ich nicht, aber vom Titel her wäre *Dating für Dummies*, *Beziehungen für Trottel* oder etwas in der Art genau richtig.«

Gail gelang es nicht, ihre Belustigung zu verbergen, aber Hutch tat so, als hätte er nichts bemerkt. Er konnte ihr keinen Vorwurf daraus machen, aber er war nun einmal gewillt, sich grundlegend darüber zu informieren, wie man einer Frau am besten den Hof machte, denn er wollte unbedingt Zeit mit Phoebe Rylander verbringen.

14. Kapitel

Anne Marie Roche

»Blossom Street Books«, meldete sich Anne Marie freundlich wie immer am Telefon, denn sie ging davon aus, dass der Anrufer nach den Öffnungszeiten oder einem bestimmten Buch fragen wollte.

»Anne Marie, Tim Carlsen hier.«

Sie erstarrte und holte tief Luft. Natürlich hatte sie gewusst, dass sie nicht darauf hoffen durfte, nie wieder von ihm zu hören. Glücklicherweise war sie allein im Buchladen. »Was kann ich für Sie tun, Mr. Carlsen?«, fragte sie steif.

Er ignorierte die offensichtliche Ablehnung in ihrer Stimme. »Haben Sie noch mal über unser Gespräch von letzter Woche nachgedacht?«

Vor zehn Tagen hatte sie das letzte Mal von Carlsen gehört. An einem Montagnachmittag vor zehn Tagen hatte er ihr gesagt, er sei möglicherweise Ellens leiblicher Vater. Von jenem Augenblick an bis jetzt hatte Anne Marie gewartet und sich gefragt, ob er seine Drohung, rechtliche Schritte einzuleiten, wohl wahr machen würde.

»Ich dachte, Sie wären am Zug«, erwiderte sie. Hoffentlich gab ihm ihre Unverblümtheit deutlich genug zu verstehen, dass sie ihm nicht zu erlauben gedachte, sich in das Leben *ihrer* Tochter zu drängen. Dafür war es zu spät, und außerdem war das Gesetz auf ihrer Seite.

»Hören Sie«, sagte Tim, »ich werde keinen Anwalt einschalten. Sie haben recht. Sie sind jetzt Ellens Familie. Ob ich ihr leiblicher Vater bin oder nicht, spielt keine Rolle.«

Anne Marie war bereit gewesen, bis zum Obersten Gerichtshof zu gehen, um gegen ihn zu kämpfen. Dass er so bereitwillig kapitulierte, überraschte sie. »Danke«, flüsterte sie und wusste nicht recht, was sie sonst sagen sollte.

»Wenn Sie sich je dazu bereit erklären, Ellen testen zu lassen ...«

»Das werde ich nicht.«

Unbeeindruckt fuhr er fort: »Oder wenn Ellen eines Tages nach ihrem Vater fragt, hoffe ich, dass Sie Kontakt mit mir aufnehmen.«

Anne Marie war sich nicht sicher, ob das nicht nur eine List war. »Ich bezweifle, dass das nötig wird.«

»Irgendwann vielleicht, schon aus medizinischen Gründen«, gab er zurück.

»Was meinen Sie damit? Gibt es irgendwas, das sie mir verheimlichen?«

»Nein, ganz und gar nicht. Ich möchte nur, dass Ihnen klar ist, dass Sie mich anrufen können, wenn sich jemals etwas ergeben sollte.«

»Oh.«

»Keine Sorge, ich werde Sie nicht wieder anrufen. Ich möchte Ihnen aber meine Telefonnummern geben. Wenn Sie es sich irgendwann aus irgendeinem Grund anders überlegen, würde ich mich über einen Anruf freuen.«

Langsam diktierte er ihr drei Telefonnummern: seine Privatnummer, seine Büronummer und seine Mobilfunknummer. Sie schrieb sie pflichtbewusst auf und wiederholte sie, obwohl sie nicht die Absicht hatte, sie jemals zu benutzen – außer in einem absoluten Notfall.

Dann herrschte Schweigen. »Ich schätze, mehr ist wohl nicht zu sagen«, räumte er schließlich ein. Dass er litt, war absolut nicht zu überhören.

»Nein, mehr ist nicht zu sagen«, bestätigte Anne Marie. Soweit es sie anging, war die Unterhaltung vorüber.

»Falls Ellen …« Er brachte den Satz nicht zu Ende.

»Falls Ellen was?«

»Falls sie jemals etwas braucht oder Sie in Erwägung ziehen, mich an ihrem Leben teilhaben zu lassen …«

»Darüber haben wir bereits gesprochen, Mr. Carlsen. Sie kennen meine Antwort.«

»Ja«, sagte er zutiefst niedergeschlagen. »Danke, Ms. Roche.«

Anne Marie stellte das Telefon zurück in die Ladeschale, ließ die Hand aber noch einen Moment darauf liegen. Sie war Tim Carlsen dankbar, dass er sich gegen einen Rechtsstreit mit ihr entschieden hatte, und ihre Anspannung ließ ganz langsam nach. Um Ellens willen hoffte sie, die richtige Entscheidung getroffen zu haben.

Aber schon am selben Abend hatte sie Grund, daran zu zweifeln.

Total begeistert kam Ellen vom Ferienprogramm zurück, erzählte, welche Spiele sie gespielt und welches Lied sie gelernt hatte. Dann schnappte sie sich Baxter und ging mit ihm auf der Blossom Street Gassi, wobei sie voller Energie über den Gehsteig hüpfte und fröhlich all ihre Freunde grüßte.

Anne Marie blieb in der Tür ihres Buchladens stehen und sah ihrer Tochter nach. Inzwischen war Ellen ein fröhliches Kind, aber sie erinnerte sich noch gut daran, wie zurückhaltend und still die Kleine gewesen war, als sie sie kennengelernt hatte. Wo war da Tim Carlsen gewesen? Wo war ihr Vater gewesen, als Ellen ihn am dringendsten gebraucht hatte?

Sofort wurde Anne Marie bewusst, dass diese Gedanken Tim gegenüber unfair waren. Schließlich hatte er keine Ahnung gehabt, dass Candy Falk ein Kind zur Welt gebracht hatte. Selbst angesichts des Wenigen, das sie über Ellens Vergangenheit wusste, war Anne Marie durchaus klar, dass eine ganze Reihe von Männern als Ellens Erzeuger infrage kamen.

An jenem Abend, als Anne Marie vor dem Einschlafen noch einmal nach ihrer Tochter sah, fand sie Ellen im Schneidersitz auf ihrem Bett vor, einen Bleistift und einen Notizblock auf den Knien. Baxter hatte sich neben ihr auf dem Bett zusammengerollt, und Ellen wirkte tief in Gedanken versunken.

»Was hast du denn da?«, fragte Anne Marie und setzte sich neben sie.

»Meine Wunschliste.«

»Fügst du neue Wünsche hinzu?«

Ellen kaute an ihrem Bleistift. »Nein. Ich schaue mir alle Wünsche an, die ich schon aufgeschrieben habe.«

»Eine Menge sind in Erfüllung gegangen, nicht wahr?« Das Mädchen hatte stricken lernen wollen und es getan. Sie hatte inzwischen ihre eigenen Schlafzimmermöbel, und eine Schulfreundin hatte erst kürzlich bei ihr übernachtet.

»Nicht *jeder* Wunsch ist in Erfüllung gegangen«, erwiderte Ellen. »Dieser nicht.«

»Welcher denn?«

»Ich möchte meinen Vater finden.«

Was ging hier vor? Es war beinahe so, als hätte Ellen das Telefongespräch mit Tim Carlsen mit angehört.

»Was glaubst du, wie mein Vater aussieht?«, fragte Ellen.

Um ihr Unbehagen zu verbergen, zog Anne Marie eine Grimasse. »Ich wette, dass er Warzen hat.«

»Warzen?«

»Ja. Große. Überall im Gesicht.«

Kichernd legte Ellen Stift und Block beiseite und kniete sich hin.

»Und richtig große Füße. Mindestens Schuhgröße 56. So groß, dass er Schuhe tragen muss wie ein Clown.«

Erneut kicherte Ellen.

»Außerdem sind seine Arme bestimmt gaanz lang, die Hände schleifen über den Boden.« Anne Marie stand auf und ging mit hochgezogenen Schultern und krummem Rücken wie ein Menschenaffe um das Bett herum und ließ die Arme baumeln, sodass ihre Fingerknöchel den Teppich streiften.

Ihre Possen erregten Baxters Aufmerksamkeit. Er begann hysterisch zu bellen und hörte erst auf, als Anne Marie das Spiel beendete, sich aufs Bett setzte und ihn beruhigend streichelte. Besänftigt rollte Baxter sich wieder zusammen und schloss die Augen.

Ellen streichelte ihn ebenfalls. »Nein, das stimmt nicht«, erklärte sie. »So sieht mein Vater nicht aus.«

»Aha, und was glaubst du, wie er aussieht?«

Ellens Augen leuchteten vor Aufregung. »Ich wette, er sieht *richtig* gut aus.«

Damit liegst du gar nicht mal falsch, schoss es Anne Marie durch den Kopf. Tim Carlsen war attraktiv. Natürlich bestand durchaus die Möglichkeit, dass er gar nicht Ellens Vater war, aber vermutlich war hier eher ihr Wunsch Vater des Gedankens.

»Ich frage mich, ob seine Haare so sind wie meine.«

Das waren sie. Plötzlich erkannte Anne Marie, wie sehr Ellen ihm ähnlich sah. Sie hatte Tims Hautfarbe, sein glattes dunkles Haar und seine ausdrucksvollen braunen Augen. Die Unterhaltung wurde von Minute zu Minute schwieriger.

»Außerdem mag er bestimmt auch Tiere.«

Dazu konnte Anne Marie nichts sagen.

»Meine erste Mom mochte keine Tiere. Sie hat gesagt, sie schenkt mir einen Hund, hat das aber nie getan.«

»Du jedenfalls liebst Tiere«, meinte Anne Marie.

Ellen streichelte die Flanken des Yorkies. »Ja, und ganz besonders Baxter.«

»Ganz besonders Baxter«, stimmte Anne Marie zu und warf einen Blick auf die Uhr. »Du solltest längst schlafen, junge Dame«, fügte sie gespielt streng hinzu.

Ellen widersprach nicht. »Darf ich noch ein bisschen lesen, bevor ich einschlafe?«

Anne Marie nickte. Wie immer kniete sie sich neben das Bett und lauschte Ellens Gebet. Das Mädchen gähnte laut, als sie die Liste der Freunde, für die sie jeden Abend betete, halb abgearbeitet hatte, und beendete ihr Gebet mit einer rührenden, von Herzen kommenden Bitte, dass Gott ihre Grandma von ihr grüßen möge.

»Bist du sicher, dass du noch lesen möchtest?«, fragte Anne Marie, als sie sich über Ellen beugte, um sie auf die Stirn zu küssen.

Ihrer Tochter waren die Augen schon halb zugefallen. »Vielleicht … nicht«, flüsterte sie.

Anne Marie lächelte, schaltete das Licht aus und schlich sich auf Zehenspitzen aus dem Zimmer.

Anschließend saß sie noch lange im Wohnzimmer und dachte über Tim Carlsen nach. Zunächst war sie davon überzeugt gewesen, die richtige Entscheidung für Ellen getroffen zu haben. Außerdem hatte Carlsen rechtlich gesehen keinerlei Ansprüche.

Sie ließ sich nicht täuschen. Natürlich hatte er einen sehr guten Grund, nicht gegen sie vor Gericht zu ziehen. Inzwischen musste er herausgefunden haben, was Evelyn Boyle bereits gesagt hatte: Da er nicht als Vater in Ellens Geburtsurkunde eingetragen war, hatten die Behörden ihn vor der Adoption nicht kontaktieren können. Das wiederum bedeutete, dass Tim bei dem Ganzen keine Rolle spielte und damit auch keinen Platz in Ellens Leben hatte. Selbst wenn er jetzt beweisen konnte, dass er ihr leiblicher Vater war, kam dieser Beweis zu spät.

Tim hatte nur eine Chance, Ellen jemals kennenzulernen, nämlich wenn Anne Marie ihm das gestattete, und das hatte sie nicht vor. Der Mann war ein Trinker gewesen und ein Drogensüchtiger. Es spielte keine Rolle, dass er inzwischen trocken und clean war – oder das von sich behauptete. Ein solches Leben zu führen hatte Folgen. Außerdem, wer garantierte, dass er nicht rückfällig würde? Anne Marie war nicht bereit, dieses Risiko einzugehen. Nein, es war besser, wenn Ellen nie etwas von ihm erfuhr.

Nachdem sie ihre Entscheidung nochmals vor sich gerechtfertigt hatte, beschloss Anne Marie, dabei zu bleiben. Sie machte sich bettfertig und schaffte es, anders als ihre Tochter, noch mindestens dreißig Minuten im Bett zu lesen. Aber allen Anstrengungen zum Trotz kehrten ihre Gedanken immer wieder zu Tim und ihrem Telefongespräch zurück.

Nachdem sie denselben Absatz dreimal gelesen und immer noch nicht verstanden hatte, schlug sie das Buch zu und legte es auf ihr Nachtschränkchen.

»Das ist lächerlich«, grummelte sie und schaltete die Nachttischlampe aus. Sie streckte sich lang aus, rückte ihre Kissen zurecht und kuschelte sich hinein. Dann schloss sie die Augen.

Sofort sah sie Tim Carlsen vor sich. »Geh weg«, forderte sie und stöhnte laut, »lass mich in Ruhe.«

Wütend drehte sie sich auf die Seite und versuchte, den Schlaf mit Gewalt herbeizuzwingen.

Eine Stunde später lag sie immer noch wach.

Nach Roberts Tod hatte Anne Marie unter Schlafstörungen gelitten. Eine Zeit lang hatte sie Aspirin-Dragées genommen, die angeblich beim Einschlafen helfen sollten, ohne die Magenschleimhaut zu reizen. Tatsächlich hatten sie ihr auch fast immer geholfen.

Also holte sie sich ein Dragée aus dem Bad, schluckte es und setzte sich dann noch einmal für eine halbe Stunde ins Wohnzimmer, um zu stricken, bis sie schläfrig wurde. Aber diesmal half nicht einmal das gegen die Grübelei. Anne Marie seufzte. Sie war verwirrt, frustriert und fühlte sich schuldig. Wenn Ellen nicht von ihrem Vater gesprochen hätte, hätte sie das Thema einfach abhaken können, und sie beide hätten friedlich ihr Leben weitergeführt.

Es war schon seltsam mit Kindern. Ellen schien eine Art natürliches Radar zu haben, das sie immer zielgenau das Thema ansprechen ließ, das Anne Marie zu meiden versuchte.

Schließlich gähnte sie und ging wieder ins Bett. Sie kroch unter die Decke und ermahnte sich, auf keinen Fall an Tim Carlsen und seine unvernünftige Bitte zu denken.

Schlafen konnte sie jedoch immer noch nicht.

Ihre Gedanken drehten sich um tausend verschiedene Dinge. Tagsüber hatte sie mit zwei Immobilienmaklern gesprochen und eine Hausbesichtigung nach den Feiertagen vereinbart. Aber ganz gleich, was ihr gerade durch den Kopf ging, sie landete immer wieder beim selben Thema: Tim Carlsen.

Schließlich hielt sie es nicht mehr aus. Rasch zog sie sich ihren Bademantel an und ging hinunter in den Buchladen. Dort schaltete sie die Alarmanlage aus und machte das Licht an, während sie in ihr Büro ging, wo sie den Zettel mit den Telefonnummern hatte liegen lassen, die Tim ihr gegeben hatte.

Mit zusammengebissenen Zähnen wählte sie seine Nummer.

Am anderen Ende klingelte es vier Mal. Sie rechnete schon damit, dass der Anrufbeantworter sich einschalten und sie eine Aufforderung hören würde, eine Nachricht zu hinterlassen.

Das geschah jedoch nicht. Stattdessen meldete sich ein schlaftrunkener Tim. »Ich hoffe, es gibt einen guten Grund für diesen Anruf«, sagte er heiser.

»Tim?«

Einen Moment blieb es still in der Leitung. »Anne Marie?«

»Ja«, gab sie knapp zurück.

»Wie spät ist es?«

Sie hatte nicht einmal nachgesehen. »Mitternacht«, sagte sie nach einem Blick auf die Ladenuhr. Sich für den späten Anruf zu entschuldigen kam gar nicht infrage. Schließlich hatte *er* sie wach gehalten.

»Alles in Ordnung mit Ellen?«

»Ja.«

»Und Sie rufen an, weil …?«

»Weil ich beschlossen habe, dass Sie einen DNA-Test von Ellen machen lassen dürfen, aber nur unter einer Bedingung.«

Er zögerte keine Sekunde. »Welcher?«

»Sie darf nichts davon wissen.« Das war Anne Maries Bedingung, und wenn Tim damit nicht einverstanden war, war die Sache für sie endgültig erledigt.

»In Ordnung.«

Dass er so schnell zustimmen würde, damit hatte sie nicht gerechnet.

»Wann?«, fragte er.

»Ich …« Darüber hatte Anne Marie noch gar nicht nachgedacht.

»Können wir uns an diesem Wochenende treffen?«

»Am Wochenende ist Unabhängigkeitstag. Wir haben schon andere Pläne.« Das entsprach der Wahrheit. Sie und Ellen waren zum Grillen bei Melissa und ihrer Familie eingeladen.

»In Ordnung. Hören Sie, wann immer es Ihnen passt, soll es mir recht sein. Sie sagen, wann und wo, und ich werde da sein.«

Ohne lange zu überlegen, nannte Anne Marie einen nahegelegenen Park und schlug den späten Mittwochnachmittag für ein Treffen vor.

»Ich werde da sein«, wiederholte er.

»Was soll ich Ellen sagen?«, fragte sie, unsicher, als wen sie ihn vorstellen sollte.

»Sagen Sie ihr, ich bin Ihre Verabredung«, schlug er nach einem Moment vor.

»Meine Verabredung?« Er wusste also, dass sie verwitwet war. Das hatte er schon angedeutet, als er sie nach Ellens Adoptivvater fragte und sie ihm keine Antwort geben wollte.

»Haben Sie eine bessere Idee?«

»Nein, ich glaube nicht.«

»Also abgemacht?«

»Ja.« Sie wünschte, sie wäre weniger nervös wegen dieser Sache, aber jetzt hatte sie sich nun einmal entschieden, was immer auch dabei herauskommen mochte. »Kein Wort darüber, dass Sie beide möglicherweise verwandt sind«, warnte sie.

»Nicht ein Wort – versprochen!«

Schon bald würde sich zeigen, ob Tim Carlsen seine Versprechen hielt.

15. Kapitel

Lydia Goetz

Mein Wollgeschäft blieb montags geschlossen. Diesen Tag hielt ich mir für Verabredungen, Besprechungen und Hausarbeit frei. Margaret besuchte normalerweise montags unsere Mom, und ich versuchte, mittwochs bei ihr vorbeizuschauen. Außerdem bezogen wir sie so oft wie möglich in unsere Wochenendaktivitäten mit ein.

Dieser Montagmorgen begann damit, dass wir zu dritt am Frühstückstisch saßen: Cody, Casey und ich. Mir fiel auf, dass die beiden mittlerweile anscheinend besser miteinander auskamen und gelegentlich Bemerkungen austauschten, häufig über Chase. Tiere hatten eine besondere Art, zu Menschen durchzudringen und eine Beziehung aufzubauen. Das hatte ich auch schon bei Whiskers beobachtet.

Cody war fürs Ferienprogramm angezogen, und Casey hatte ihre Bücher für den Mathematik-Nachhilfeunterricht bereitgelegt. Bis jetzt hatte sie nie um Hilfe bei den Hausaufgaben gebeten, obwohl Brad ihr das genauso angeboten hatte wie ich. Ihr Unabhängigkeitsbestreben war überwältigend. An den meisten Tagen vermittelte sie mir das Gefühl, uns einfach nur zu tolerieren. Dennoch gab ich mir größte Mühe, einen gemeinsamen Nenner mit ihr zu finden.

Aber mit ihren Stimmungsschwankungen und ihrer negativen Grundhaltung machte sie es mir sehr schwer. Meine Hoffnung ruhte daher darauf, dass der heutige Besuch bei ihrem Bruder – davon wusste sie noch nichts – irgendwie einen Durchbruch bringen würde.

»Ich hole dich nach dem Unterricht ab«, sagte ich beiläufig zu ihr.

Casey blickte von ihrer Müslischale auf. »Warum?«

»Ich dachte, wir gehen gemeinsam essen.« Ich wollte sie mit dem Besuch überraschen, sie aber zugleich nicht enttäuschen, wenn daraus nichts wurde.

Casey runzelte die Stirn, als hielte sie nichts von der Idee, mit mir gemeinsam essen zu gehen.

Ich hatte herausgefunden, dass ihr Bruder Lee Marshall hieß und vor Kurzem achtzehn geworden war.

Einen Moment lang glaubte ich, Casey wolle etwas sagen. Ich erwartete beinahe, dass sie darauf beharrte, keine Gefälligkeiten zu brauchen, aber das tat sie nicht. Was für eine Erleichterung. Mir war nicht danach, mich mit ihr zu streiten.

»Casey hat meinen Rucksack repariert«, meldete sich Cody zu Wort. »Der Reißverschluss hatte sich verklemmt, und sie hat das in Ordnung gebracht.«

Das Mädchen zuckte die Achseln, als bedeutete seine Wertschätzung ihr nichts. »Kleinigkeit, nicht der Rede wert.«

»Na ja, Cody ist dir dankbar, und ich bin es auch.«

»Du hättest das genauso gut hingekriegt.«

Cody hatte dieses Problem schon mal gehabt, und ich hatte große Probleme gehabt, den Reißverschluss wieder gängig zu machen. »Vielleicht, vielleicht aber auch nicht. Aber so musste ich mir keine Gedanken darüber machen, weil du es schon in Ordnung gebracht hast. Danke, Casey.«

»Mom ist nicht besonders stark«, beeilte sich Cody zu erklären. »Sie hatte Krebs, weißt du, und manche Sachen fallen ihr schwer.«

Ich biss mir auf die Zunge, um Cody nicht zu widersprechen. Meine Krebserkrankung hatte nichts mit meiner Fähigkeit zu tun, einen Reißverschluss auf- und zuzuziehen.

»Du hattest Krebs?« Mit gerunzelter Stirn musterte mich Casey.

»Zwei Mal«, sagte Cody nachdrücklich. »In ihrem Kopf.«

Ich wehrte schwach mit der Hand ab, um möglichst das Thema zu wechseln. Mein Leben hatte sich so lange um meine Krankheit gedreht, dass ich heutzutage nicht gerade oft darüber redete. Aber da Casey offenbar interessiert war, war ich der Meinung, ihr eine Erklärung zu schulden. »Die erste Diagnose bekam ich als Teenager. Dann später noch einmal als junge Erwachsene.«

»Wirst du sterben?«

Das war eine Frage, die die meisten Leute nicht auszusprechen wagten, auch wenn sie sie sich stellten. Wer es unbedingt wissen wollte, griff zu subtileren Umschreibungen und fragte nach meiner Prognose oder Remission.

»Letzten Endes stirbt jeder irgendwann, Casey. Das gehört zum menschlichen Dasein.« Irgendwie kam mir das aber zu philosophisch vor, also lächelte ich. »Ich hoffe aber, ein gutes und langes Leben zu haben und zum Problem für meine Kinder zu werden.« Die Mehrzahl benutzte ich, weil wir noch immer auf eine Adoption hofften. Caseys Anteilnahme berührte mich. Von ihr hatte ich das nicht erwartet.

Sie nickte und wandte sich wieder ihrem Müsli zu.

Eine Weile später gingen Casey und Cody zusammen aus dem Haus, und ich machte mich an meine allwöchentliche Putz- und Waschaktion. Der einzige Termin, den ich heute hatte, war der in der Jugendstrafanstalt in Süd-Seattle am frühen Nachmittag.

Der Morgen flog dahin, und schon bald war es fast Mittag und damit an der Zeit, Casey abzuholen. Mürrisch ließ sie sich auf den Beifahrersitz fallen und knallte die Tür zu. Minutenlang saß sie wortlos da.

Dann fragte sie wie aus heiterem Himmel: »Soll ich erst meine Sachen holen?«

»Was für Sachen?« Ich warf ihr einen kurzen Blick zu.

»Meine Kleidung und so.«

Die Frage verwirrte mich. »Fürs Mittagessen?«

Jetzt sah sie mich direkt an, die Augen voller Argwohn. »Und *nach* dem Essen? Bringst du mich dann nicht zu Ms. Boyle zurück?«

»Nein.« Ich schüttelte den Kopf und wartete an der Ampel auf Grün.

Ein angedeutetes Lächeln huschte über ihr Gesicht, so rasch, dass ich schon glaubte, mich geirrt zu haben.

»Hast du geglaubt, *das* hätte ich vor?«, fragte ich, schockiert von ihrer Annahme. Vermutlich hätte ich ihr doch früher von meinem Vorhaben erzählen sollen. Jetzt bedauerte ich, es nicht getan zu haben.

Sie antwortete nicht.

»Eigentlich sollte es eine Überraschung werden, aber ich kann es dir ebenso gut auch jetzt schon erzählen.«

Ich sah, wie sie sich verspannte, als wären Überraschungen grundsätzlich schlecht und nach Möglichkeit zu vermeiden.

»Wir sind auf dem Weg zur Jugendstrafanstalt von Kent, damit du deinen Bruder besuchen kannst.«

»Lee?« Sie drehte so hastig den Kopf, dass sich mir die Frage aufdrängte, ob sie sich dabei nicht die Halswirbelsäule verrenkt hatte. »Ich werde *Lee* sehen?«

»Das hoffe ich doch sehr. Ich habe mit Evelyn Boyle telefoniert, und sie hat alles für uns arrangiert.« Vermutlich hatte sie dabei ihre Beziehungen spielen lassen müssen.

Von diesem Moment an konnte Casey keine Sekunde mehr still sitzen. Kaum hatte ich den Wagen im Parkhaus vor dem Jugendgefängnis abgestellt, sprang sie aus dem Auto.

Glücklicherweise gestaltete sich alles ganz problemlos, als ich Casey und mich vorstellte. Während die Empfangsdame sie nach hinten geleitete, damit sie ihren Bruder besuchen konnte, ließ ich mich im Warteraum nieder und holte mein Strickzeug hervor. Da mein kleiner Laden in der Blossom Street so gut lief, fand ich immer weniger Zeit für meine eigenen Projekte. Jetzt, so wusste ich, hatte ich eine ganze Stunde, um an dem Pullover zu arbeiten, den ich für Cody strickte. Die Farben hatte er sich selbst ausgesucht – Dunkelgrün und Braun –, die miteinander verstrickt fast wie ein Camouflage-Muster aussahen. Bevor das nächste Schuljahr begann, würde ich den Pullover fertig haben.

Ich hatte auch angeboten, Casey einen Poncho zu stricken, aber sie hatte abgelehnt. Damit hatte sie meine Gefühle verletzt, aber ich zeigte ihr das nicht. Ich kannte ein Muster, das bei Teenagern sehr gut ankam, und ich war mir so sicher gewesen, dass sie gern einen solchen Poncho gehabt hätte.

Die Stunde verging schnell. Ich strickte – dabei kam ich richtig gut voran – und schmiedete nebenher Pläne für meinen Laden und verlor mich in Tagträumen über ein Baby. Als Casey zurückkam, leuchteten ihre Augen, und sie eilte auf mich zu.

Ich verstaute mein Strickzeug in der Tasche und stand auf. »Na, wie war's?«, fragte ich.

»Toll! Einfach toll.«

»Bereit, Mittag zu essen?«

»Ja.« Sie wirkte erfreut, dass ich das nicht vergessen hatte. »Ich bin am Verhungern.«

Da sie so gute Laune hatte, nahm ich die Gelegenheit wahr und legte ihr leicht den Arm um die Schultern. Ich zeigte es ihr zwar nicht, aber es erfüllte mich mit tiefer Zufriedenheit, dass sie den Arm nicht abschüttelte.

Wir wählten ein kleines mexikanisches Restaurant mitten im Stadtteil Kent und setzten uns nach draußen auf die Terrasse. Als Tagesgericht gab es Käse-Enchiladas mit Reis und Bohnen, und wir entschieden uns beide dafür.

»Lee macht sich richtig gut«, erzählte Casey von sich aus, während sie sich auf die vorab gereichten Chips und die Salsa stürzte.

»Wird er bald entlassen?« Natürlich interessierte mich, wofür er im Gefängnis gelandet war, aber Evelyn hatte es mir nicht gesagt. Zwischen den Zeilen hatte ich aber herausgelesen, dass es wohl Vandalismus gewesen war – und vermutlich nicht seine erste Haftstrafe.

Casey nahm sich noch Salsa. »Er wird im Herbst entlassen. Es gibt ein neues staatliches Programm, das Pflegekinder bei den Kosten fürs College unterstützt. Lee hat im Gefängnis seine Hochschulreife nachgeholt und sich für September um einen Platz am *Highline Community College* beworben. Oh, und er hat mir echt Stress gemacht, damit ich die Schule nicht hinschmeiße. Ich habe versprochen, das nicht zu tun – und das werde ich auch nicht.«

»Toll.« Ich nickte heftig, damit sie auch begriff, wie gut ich das fand. »Hat Lee einen Platz, an dem er wohnen kann, und einen Job, wenn er aus der Haft entlassen wird?«

»Das ist das Beste. Er zieht in eine Wohngemeinschaft, und man wird ihm helfen, einen Job zu finden. Lee will es wirklich schaffen, weißt du? Und das wünsche ich mir für ihn, denn wenn er eine richtige Anschrift hat und alles, dann kann ich zu ihm ziehen.«

»Das freut mich sehr.«

»Nur ... nur kann das noch eine Weile dauern.« Sie ließ den Kopf hängen. »Ich glaube, er möchte nicht zu schnell seine kleine Schwester an der Backe haben.« Ihr Blick trübte sich leicht. »Aber hoffen, dass es klappt, darf ich doch, oder?«

»Na klar«, erwiderte ich und betete im Stillen dafür, dass Lee es schaffte, auf der rechten Bahn zu bleiben, damit Casey zu ihm ziehen konnte.

»Vielleicht geht er auch zum Militär. Ich weiß nicht, ob das eine gute Idee ist, aber er sagt, er denkt darüber nach.«

In dem Fall würde sie nicht bei ihm wohnen können.

»Wann hast du deinen Bruder zum letzten Mal gesehen?«

Casey hielt inne, einen Chip halb in die Salsa getunkt. »Ich weiß nicht genau. Vor zwei Jahren, glaube ich. Er hätte mich fast nicht erkannt.«

»Vor zwei *Jahren*?«

»Wir telefonieren und so, aber es ist schwer ...«

»Der Staat konnte euch nicht gemeinsam unterbringen?«

Spöttisch verzog sie den Mund. »Der Staat? Der hat doch schon genug Probleme, Pflegestellen für nur *ein* Kind zu finden.«

Offensichtlich wusste ich so gut wie nichts über Pflegekinder und Pflegefamilien – nur, dass dringender Bedarf an Familien bestand, die Pflegekinder aufnahmen.

Unser Essen wurde serviert, und wir machten uns mit Begeisterung darüber her. Zu meiner Überraschung redete Casey nahezu ohne Punkt und Komma. Alix hatte recht gehabt. Sie mit ihrem Bruder zusammenzubringen hatte die Mauer zwischen uns niedergerissen. Anscheinend war ich auf einmal vertrauenswürdig für sie. Zum ersten Mal, seit sie bei uns lebte, erzählte sie mir von ihren Eltern.

»Meine Eltern haben sich scheiden lassen, als ich noch ganz klein war. Ich erinnere mich nicht an meinen Dad«, sagte sie.

»Was wurde aus deiner Mutter?«, fragte ich, als sie nicht weiterredete. Ich wusste, dass ich alles tun würde, um Cody bei mir zu behalten. Für mich war Cody mein Sohn – so als hätte ich ihn selbst auf die Welt gebracht. Seine Mutter, Brads Exfrau, tauchte gelegentlich in seinem Leben auf, wenn ihr gerade danach war. Anscheinend packten Janice ab und zu Schuldgefühle, und dann wollte sie jede Woche mit Cody zusammen sein. Dann wieder verging ein ganzer Monat, manchmal auch zwei, ohne dass wir von ihr hörten. Cody akzeptierte den Umstand, dass Janice ihm nur sehr unregelmäßig Zeit widmete, und fragte nie, wann er seine Mutter wiedersehen würde.

»Ist sie gestorben, Casey?«, fragte ich, da Casey immer noch nichts gesagt hatte. »Verzeih mir, dass ich das Thema anspreche, wenn es dich zu sehr belastet.«

»Nein«, gab sie leise zurück. »Ist schon in Ordnung. Sie ist gestorben, aber das war … später.«

Kopfschüttelnd legte sie die Gabel aus der Hand. »Mom lernte diesen Typen kennen, der sie geschlagen hat. Lee versuchte sie zu schützen, aber er verprügelte auch Lee.« Beim Reden hielt sie den Blick auf den Teller gesenkt. »Dann fing Martin an, auch mich zu schlagen. Meine Lehrerin bemerkte die blauen Flecken und schaltete das Jugendamt ein.«

»Und sie haben dich und deinen Bruder von zu Hause weggeholt?«

Casey nickte. »Der Staat erklärte, wenn Mom ihre Kinder behalten wollte, müsste Martin gehen. Aber Mom liebte Martin – und die Dinge, die er ihr kaufte.«

Ich konnte kaum glauben, was ich da hörte. »Du meinst, deine Mutter hat sich für einen Mann entschieden, der sie und ihre Kinder misshandelte?« Ich fand es entsetzlich – schlimmer als entsetzlich –, dass eine Mutter ihre eigenen Kinder einfach im Stich ließ.

»Mom sagte, wir sollten bei unserem Dad leben, aber niemand wusste, wo er steckte. Als der Staat ihn nicht finden konnte, wurden Lee und ich in Pflegefamilien gesteckt.«

»Oh, Casey, das tut mir so leid.« Ich langte über den Tisch und legte meine Hand auf ihren Arm.

»Hey, ist halb so wild.«

Sie aß weiter, aber ich konnte erkennen, dass sie das vor allem tat, damit ich meine Hand wegnahm, und nicht, weil sie Appetit hatte.

»Was ist mit deiner Mutter passiert, nachdem du und Lee fort wart?«

Sie erstarrte, die Gabel noch in der Hand. »Weiß ich nicht. Sie starb vor etwa drei Jahren. Ich glaube, an Drogen. Martin war ihr Dealer.«

»Oh, Casey.«

Sie zuckte die Achseln, als wäre ihr das völlig egal, aber kein Kind konnte einen solchen Verrat spurlos überwinden.

Nach dem Essen fuhren wir nach Hause. Zu meiner Freude und Überraschung wollte Casey Cookies backen. Nachdem ich ihr die Zutaten herausgesucht hatte, ließ ich sie allein in der Küche werkeln, während ich die Wäsche zusammenlegte. Von einem kleinen Missgeschick abgesehen, bei dem sie ein Küchentuch in Brand setzte, als sie das Backblech aus dem Ofen holte, leistete sie gute Arbeit. Und während sie den Abwasch erledigte, ging ich ins Nebenzimmer, um mit Evelyn Boyle zu telefonieren.

Ich sagte ihr, dass Brad, Cody und ich miteinander gesprochen und den gemeinsamen Beschluss gefasst hätten, dass Casey bei uns bleiben könne, bis sie ihren Feriennachhilfekurs abgeschlossen hatte. Die Erleichterung in Evelyns Stimme war unüberhörbar.

»Oh, danke«, sagte sie sichtlich gerührt. »Casey macht sich so gut bei dir und Brad.« Evelyn telefonierte mindestens einmal wöchentlich mit Casey. Ich hatte keine Ahnung, was dabei geredet wurde, und vermutete, dass die Sozialarbeiterin besser wusste als ich, wie gut sich Casey in unsere Familie einlebte.

Das erste echte Anzeichen für einen Fortschritt hatte ich an diesem Nachmittag gesehen. Offenbar hatten wir Einfluss auf das Leben des Mädchens gewonnen, und darüber war ich sehr froh.

Jetzt, da ich Evelyn schon am Telefon hatte, fragte ich sie nach Caseys Eltern. Nicht, dass ich dem Mädchen nicht glaubte, aber ich hegte den Verdacht, dass sie teilweise übertrieb. Zu meinem Entsetzen erfuhr ich, dass Casey die reine Wahrheit gesagt hatte.

»Wie ist das Treffen zwischen Casey und ihrem Bruder verlaufen?«, wollte Evelyn anschließend wissen.

»Sehr gut. Sie schien hinterher wie ausgewechselt.«

»Das ist großartig.« Evelyn klang hochzufrieden. »Du hast mir den Tag gerettet. Ach was, die ganze Woche.«

Ich vermutete, dass es für sie jede Menge Wochen gab, in denen nichts so lief, wie es sollte. Deshalb freute es mich besonders, dass ich zu einem ihrer besseren Tage beigetragen hatte.

»Weiß Casey, dass sie bei euch bleibt, bis der Nachhilfekurs zu Ende ist?«

»Noch nicht.« Brad und ich wollten ihr das noch heute beim Abendessen sagen, wenn wir alle zusammen am Tisch saßen.

»Ich kann euch gar nicht genug danken«, erklärte Evelyn nachdrücklich.

Ich wusste, dass sie unter enormem Druck gestanden hatte und dass durch unsere Entscheidung eine mächtige Last von ihren Schultern gefallen war. Der Umstand, dass Casey und Cody sich inzwischen vertrugen, hatte uns die Entscheidung leicht gemacht.

An diesem Abend, als wir alle beim Abendessen saßen, warf ich Brad einen bedeutsamen Blick zu. Er antwortete mit einem Augenzwinkern. Mein Signal, dass er Casey die Nachricht überbringen sollte, war angekommen.

»Also, Casey«, begann er und reichte den Makkaronisalat an Cody weiter. »Ich habe gehört, du hattest einen aufregenden Nachmittag.«

Sie nickte. »Ich habe meinen Bruder besucht.«

Cody grinste übers ganze Gesicht. »Sag's ihr, Dad.«

Casey ließ den Blick zwischen uns hin und her wandern. »Was soll er mir sagen?«

»Ms. Boyle hat gefragt, ob du bis zum Ende deines Nachhilfekurses bei uns bleiben kannst. Deine neue Pflegefamilie wohnt im Norden von Seattle. Wir hielten es für das Beste, dich hierzubehalten, statt dich in einen Stadtteil umziehen zu lassen, der so weit von deiner Schule entfernt ist.«

Gespannt warteten wir auf Caseys Reaktion.

»In Ordnung«, sagte sie.

In Ordnung. Das war alles?

»Wäre dir das recht?«, fragte Brad. Genau wie ich hatte er

irgendeine Reaktion erwartet – eine andere als die nichtssagende Antwort, die sie uns gegeben hatte.

»Ich denke schon.« In meinen Ohren klang sie beinahe gleichgültig, und das tat ein wenig weh.

Irgendwie gelang es Brad und mir, unsere Enttäuschung zu verbergen, bis wir schließlich schlafen gingen. Wir blieben beide noch eine Weile im Bett sitzen, an die Kissen gelehnt, jeder ein Buch in den Händen.

»Ich dachte, sie würde sich ein bisschen mehr freuen«, meinte Brad.

Er musste nicht erläutern, wovon – beziehungsweise von wem – er sprach.

»Ich weiß, aber ich glaube, wir machen Fortschritte.« Es wurde besser, in kleinen Schritten. Vor ein paar Tagen war mir aufgefallen, dass Casey das Toilettenpapier in den Vorratsschrank zurückgestellt hatte. Ob sie noch die Salzkräcker und die anderen Lebensmittel in ihrem Zimmer hortete, wusste ich nicht genau, aber eins stand fest: Sie begann uns zu vertrauen.

»Wie meinst du das?«

Natürlich war Brad nicht so häufig mit ihr zusammen wie ich. »Na ja, zum einen hat sie heute Nachmittag Cookies gebacken.« Dass sie Dinge in ihrem Zimmer hortete, hatte ich ihm nie erzählt.

»Und dabei beinahe das Haus in Brand gesetzt.«

»Brad, bleib fair. Das hätte jedem passieren können.«

Er grinste. »Damit hast du wahrscheinlich recht.«

»Sie ist kein schlechtes Kind, weißt du.«

»Das glaube ich auch. Ab und zu sehe ich etwas davon durchschimmern, was für ein Kind sie sein könnte.«

Ich legte das Buch weg, griff nach der Lampe neben meinem

Bett und schaltete das Licht aus. »Du hast wirklich große Geduld bewiesen«, flüsterte ich.

»Genug Geduld, um dafür belohnt zu werden?«, flüsterte er zurück.

»Ja, ich denke schon«, erwiderte ich und wackelte bedeutsam mit den Brauen.

Brad legte ebenfalls sein Buch weg und schaltete die Nachttischlampe aus. Einen Augenblick später lag ich in seinen Armen und fühlte mich geliebt und geschätzt.

Oh ja, heute war wirklich ein guter Tag.

16. Kapitel

Phoebe Rylander

»Schon wieder Blumen für dich«, verkündete Claudia, als Phoebe von ihrem Mittagsspaziergang zurückkam. Diese kurzen Ausflüge an der frischen Luft machte sie inzwischen jeden Tag, da sie eine belebende und erfrischende Wirkung auf sie hatten.

Claudia deutete auf ein riesiges Blumenarrangement in einer Kristallvase, das fast nur aus Rosen bestand, umwerfenden edelsten Rosen in Rot und Weiß, eingebettet in Farn und anderes zartes Grün. Eins musste Phoebe ihrem Exverlobten lassen: Er gab anscheinend niemals auf.

»Nimm sie entweder mit nach Hause, oder verschenk sie.« Phoebe war nicht gewillt, Clark Snowden wieder in ihr Leben zu lassen. Selbst wenn er ihr noch fünfzig Jahre lang jeden Tag Rosen schickte, änderte das nichts an ihrer Entschlossenheit, schon gar nicht nach der herrlichen Zeit, die sie am Wochenende mit Hutch erlebt hatte.

Lächelnd dachte sie an ihr Fahrradabenteuer im Skagit Valley zurück. Die Tulpenfelder waren längst verblüht, aber die Landschaft war dennoch wunderschön. Phoebe konnte sich nicht entsinnen, jemals mit irgendwem so viel Spaß gehabt zu haben. Sie hatte über seine albernen Bemerkungen gelacht – es machte ihm nichts aus, sich zum Narren zu machen –, und beide hatten sich über alles Mögliche unterhalten, von Politik bis Haushaltsökologie. Hutch war sehr bescheiden und kein bisschen anmaßend. Und durch und durch ehrlich.

»Bevor du die Rosen wegwirfst«, sagte Claudia, »solltest du lieber die Karte lesen.«

Phoebe schüttelte den Kopf. »Nichts, was Clark zu sagen hat, wird meine Meinung ändern.«

Spielerisch drohte Claudia ihr mit dem Zeigefinger. »Vielleicht kommen sie ja gar nicht von Clark.«

Phoebe starrte sie an. »Tun sie nicht?«

Grinsend hielt Claudia ihr die Karte hin und seufzte vernehmlich. »Ich weiß nicht, wie du das geschafft hast, zwei gut aussehende Männer dazu zu bringen, dir Blumen zu schicken, während ich noch nicht mal einen gefunden habe.«

»Gib schon her!« Phoebe gab sich verärgert. »Hat Hutch mir die Blumen geschickt?«

Lächelnd reichte Claudia ihr die Karte. Anders als Clark, der jedes Mal Liebesromane schrieb, hatte Hutch einfach nur DANKE. HUTCH auf die Karte gesetzt. Geradeheraus und bescheiden.

Im Gegensatz zu Clark hatte Hutch nicht versucht, Eindruck bei ihr zu schinden. Er hatte sie nicht in ein nobles Restaurant mit berühmtem Spitzenkoch ausgeführt. Stattdessen hatte er einen gepackten Picknickkorb dabeigehabt, dazu eine Flasche Landwein. Und zu ihrer Überraschung hatte er nicht versucht, sie zu küssen, obwohl Phoebe nichts dagegen gehabt hätte.

Sie wartete bis drei am Nachmittag und nutzte ihre Pause, um Hutch in seinem Büro anzurufen. Seine Assistentin stellte sie unverzüglich zu ihm durch.

»Bryan Hutchinson am Apparat«, meldete er sich.

»Sicher, dass da nicht Lance Armstrong spricht?«, fragte sie neckend.

»Oh, tut mir leid. Natürlich. Lance am Apparat.«

Phoebe lachte. »Danke für die Rosen.«

»Ich wollte sie dir schon Montag schicken, aber Susannah meinte, ich sollte lieber auf eine frische Lieferung warten.«

»Susannah von *Susannah's Garden*?« Der Laden lag gleich neben dem Wollgeschäft, und seine Auslagen an Blumenarrangements und Gebinden waren umwerfend schön. Jeden Mittwoch blieb Phoebe wie hypnotisiert davor stehen und bewunderte sie, wenn sie vor dem Strickunterricht am Schaufenster des Blumenladens vorbeikam.

»Ich habe das erste Mal von *Susannah's Garden* gehört, als ich mich für den Strickkurs angemeldet habe«, erzählte Hutch. »Ihre Blumen sind etwas ganz Besonderes.«

»Das sehe ich auch so. Noch mal danke.«

Hutch zögerte. »Ich wollte dich wissen lassen, wie sehr ich letztes Wochenende mit dir genossen habe.«

»Ich hatte eine traumhaft schöne Zeit.«

Kurzes Schweigen folgte. Hutch war kein Meister der leichten Unterhaltung, und er schien jedes Mal ein bisschen Zeit zu brauchen, bis er mit ihr warm wurde. Das störte Phoebe aber nicht. Tatsächlich gefiel ihr dieser Kontrast zu ihrem Exverlobten. Hutch war nicht aalglatt wie Clark, der mühelos in jedes Thema einsteigen oder es nach Belieben wechseln konnte.

»Morgen Abend haben wir wieder Strickunterricht«, sagte sie, erfüllt von angenehmer Vorfreude, ihn wiederzusehen.

»Ach ja, der Kurs. Hast du schon deine Hausaufgaben erledigt?« Ihre wöchentliche Aufgabe bestand darin, den gerade in Arbeit befindlichen Musterabschnitt des Schals zu Ende zu stricken, damit sie sich in der Kursstunde der nächsten Lektion und damit dem nächsten Muster widmen konnten.

»Ja. Und wie steht's mit dir?«

»Ich stricke wie verrückt, während wir miteinander reden.«

Phoebe lachte. Irgendwie tat sie das ziemlich oft in Hutchs Gesellschaft.

»Wie fändest du es ... Ich meine, es wäre wahrscheinlich ein bisschen früh dafür. Wenn du also lieber warten würdest bis hinterher ... Oder wäre dir das zu spät?« Er hielt inne, als erwartete er eine Antwort.

»Willst du mich fragen, ob ich mit dir essen gehen möchte?«, rätselte sie. »Wenn ja, dann lautet die Antwort Ja.«

Wieder folgte eine kurze Pause. »Tatsächlich? Toll!«

Die offensichtliche Begeisterung in seiner Stimme entlockte ihr ein Lächeln.

»Warum klingst du so schockiert, weil ich Ja sage?«

»Klang das etwa so? Also, hör mal, welche Frau mit klarem Verstand würde eine Einladung von Lance Armstrong ausschlagen?«

»Ich jedenfalls nicht, so viel steht fest, zumal er mir Rosen geschickt hat.«

»Das dachte ich mir. Wir sehen uns also morgen?«

»Um welche Uhrzeit?«

»Ich schätze, das hängt von dir ab. Würdest du lieber früh essen oder spät?«

»Früh.«

»Auf die Antwort habe ich gehofft.«

»Gibt es einen besonderen Grund, warum *du* lieber früh essen möchtest?«

»Dann muss ich nicht so lange warten, bis ich dich wiedersehe.«

Von jedem anderen hätte das unecht geklungen. Aber bei Hutch wusste sie, dass er es genauso meinte, wie er es sagte.

»Das klingt sehr romantisch«, murmelte sie und konnte förmlich sehen, wie er rot wurde.

»Wie wäre es …« Er kam ins Stocken. »Hast du schon etwas vor … ähm … heute Abend meine ich?«

Phoebe fragte sich, warum ihr dieser Gedanke nicht selbst gekommen war. »Nein, habe ich nicht.«

»Würdest du dich stattdessen lieber heute Abend mit mir treffen? Nein, halt, nicht stattdessen, denn ich wäre enttäuscht, wenn du morgen Abend nicht zum Kurs kommen würdest, aber …«

»Ich gehe zum Kurs.«

»Gut. Und auch heute Abend mit mir essen?«

»Natürlich.«

»Wirklich? Ich meine, das ist fantastisch.« Er klang aufgedreht wie ein Kind, dem gerade unerwartet ein Geschenk in die Hand gedrückt worden war.

»Nein, ich habe das nur so gesagt«, meinte sie neckend. »Hutch, ich würde mich sehr gern heute Abend mit dir treffen. Der Gedanke daran, das Essen schnell hinter uns zu bringen und dann zum Kurs zu eilen, hat mir nicht sonderlich gefallen. Und hinterher essen gehen … na ja, wir müssen beide am nächsten Morgen zur Arbeit, nicht wahr?«

»Richtig. So ist es viel besser.« Sie machten eine Zeit aus, dann beendete Phoebe das Gespräch, weil um drei Uhr fünfzehn der nächste Patient auf sie wartete. »Bye, Hutch«, sagte sie rasch. »Bis um sechs.«

»Bye, Phoebe. Und danke schön.«

Wofür er ihr dankte, war ihr nicht ganz klar. Sie hatte eher das Gefühl, ihm Dank zu schulden – für das Wochenende, die Rosen, den heutigen Abend. Und dafür, dass er sie zum Lachen brachte.

Als sie auflegte, wurde ihr zum ersten Mal bewusst, dass sie gar keine Ahnung hatte, in welcher Branche Hutch eigentlich arbeitete. Ihre Unterhaltungen waren interessant gewesen, hatten sich aber nicht um Persönliches gedreht. Auch sie selbst hatte nicht über ihren Job gesprochen. Oder über ihren Exverlobten. Den Verlobten, von dem Hutch glaubte, er sei tot …

Vermutlich spielte es keine Rolle, was Hutchs Familienunternehmen produzierte oder welche Dienstleistung es anbot, solange die Sache weder unmoralisch noch unethisch war. Und das konnte kaum der Fall sein, so wie sie Hutch einschätzte. Sie amüsierte sich damit, indem sie riet: vielleicht Schuhbänder? Traktorenteile? Toiletten? Sie hatten nicht über das Thema gesprochen, aber er hatte es auch nicht bewusst umschifft oder irgendetwas vor ihr verheimlicht. Die Telefonnummer, die er ihr genannt hatte, war eine Durchwahlnummer, und seine Assistentin hatte sich mit »Büro Bryan Hutchinson« gemeldet. Und dennoch hatte das Ganze etwas leicht Mysteriöses. Sie beschloss, ihn beim Essen danach zu fragen.

Phoebe wählte am Abend ihre Kleidung besonders sorgfältig, weil sie attraktiv aussehen wollte. Nicht weil sie Hutch mit ihrer Garderobe oder ihrem Stilgefühl beeindrucken wollte. Er war ein sehr einfühlsamer Mensch, dem die Bedürfnisse anderer Leute auffielen. Während ihrer Radtour hatte er angehalten, um einem Paar zu helfen, das sich verfahren hatte und eine Wegbeschreibung brauchte. Später hatte er ein Sandwich und einen Kaffee für einen Obdachlosen gekauft. Das tat er nicht, um Eindruck zu schinden, sondern weil er aufmerksam und warmherzig war.

Hutch kam ein paar Minuten zu früh, als sie sich noch die Haare bürstete. Phoebe war so, als hätte sie etwas vor ihrer

Wohnungstür gehört, und als sie durch den Spion schaute, sah sie ihn im Flur auf und ab wandern und dabei auf die Uhr sehen.

Lächelnd öffnete sie die Tür. »Hutch, warum hast du denn nicht geklopft?«

Er zuckte die Achseln, sichtlich peinlich berührt, und trat ein. »Im Buch steht, man soll nicht zu ungeduldig erscheinen.«

»In welchem Buch?«

Er betrat ihr Wohnzimmer, setzte sich aufs Sofa und ließ geräuschvoll seinen Atem entweichen. Sofort sprang ihm ihre Katze Princess auf den Schoß.

Erstaunt beobachtete Phoebe die Szenerie. Princess verabscheute Clark. Sie hatte ihn angefaucht, als er das erste Mal ihre Wohnung betreten hatte, und war ihm danach immer aus dem Weg gegangen. Offensichtlich hatte ihre Katze mehr Menschenkenntnis als sie selbst.

Hutch streichelte Princess sanft, und diese schnurrte zufrieden. »Falls du es noch nicht gemerkt haben solltest, ich bin schon lange nicht mehr mit Frauen ausgegangen.« Ein schiefes Lächeln huschte über sein Gesicht. »Ich habe mir ein Buch zum Thema besorgt. Darin steht, man dürfe nicht zu früh kommen, weil man sonst zu ungeduldig erscheint, und das wirkt – jedenfalls nach Meinung des Buches – abschreckend auf Frauen.«

»Allen Ernstes?« Beinahe hätte Phoebe gelacht. »*Deshalb* hast du vor meiner Tür gewartet?«

Er runzelte die Stirn. »Das hätte ich dir vermutlich nicht erzählen sollen.«

»Vermutlich nicht«, meinte sie lächelnd, »aber es gefällt mir, dass du es getan hast.«

Ihre Bemerkung schien ihn zu überraschen.

Sie setzte sich neben Hutch, und Princess hüpfte mühelos von seinem Schoß auf ihren. »Was für Tipps hat das Buch sonst noch in petto?«

»Eine Menge. Ich habe es in den letzten sechs Tagen dreimal gelesen.«

Sie musste lachen. »Ach Hutch, du bist so süß und echt witzig.«

Er runzelte die Stirn. »Freut mich, dass du mich amüsant findest.«

»Und erfrischend. Und einfach nur wunderbar.«

Das provozierte eine Frage. »Wenn du sagst, ich bin süß, meinst du süß im Sinne von entzückend und charmant? Oder eher so, wie die jungen Leute das Wort benutzen – im Sinne von cool, faszinierend und *sehr* zufriedenstellend?« Seine Imitation von Humphrey Bogart war durchaus gelungen.

Phoebe riss die Augen auf. »Bogart ist mein Held. *African Queen* ist mein absoluter Lieblingsfilm.«

Einen Moment wurde Hutch ganz still. »Meiner auch.«

Phoebe wusste, dass er das nicht eben schnell erfunden hatte, um ihr zu schmeicheln. So etwas tat er einfach nicht. Sie stand auf, um Princess zu füttern. Dann holte sie ihre Handtasche. Hutch hatte für sie beide um halb sieben einen Tisch in einem thailändischen Restaurant reserviert. Phoebe war von dem Vorschlag sofort angetan gewesen. Seit Jahren schon hatte sie nicht mehr thailändisch gegessen, denn Clark war der Meinung, asiatische Restaurants zögen nicht das gehobene Publikum an, in dessen Gesellschaft er gesehen werden wollte. Niemals hätte er sich für ein Restaurant wie das *Basil* entschieden, das Hutch für ihr Abendessen ausgewählt hatte.

Offensichtlich kannte er die Inhaber gut, die darauf bestanden, die Speisen für sie auszuwählen. Phoebe konnte sich nur mit Mühe zurückhalten, Hutch sofort nach seinem Hintergrund auszufragen, aber sie wartete, bis ihnen ihr eiskaltes Bier serviert worden war.

»Nach unserem Telefonat heute Nachmittag wurde mir bewusst, dass ich nicht viel über dich weiß«, begann sie.

»Du meinst, außer dass ich hervorragend Rad fahre?«

»Ja«, gab sie lächelnd zurück. »Außer dem und deinen Lieblingsfilmen und politischen Ansichten und …«

»Was möchtest du denn wissen?«

»Na ja … Du leitest ein Familienunternehmen, aber worum genau geht es dabei?«

Er zögerte. »Hast du schon mal von *Mount Rainier Chocolates* gehört?«

Phoebe verschluckte sich fast an ihrem Bier. »Du machst Witze! Ich *liebe* diese Schokolade.«

»Danke. Mein Großvater hat das Unternehmen kurz nach dem Zweiten Weltkrieg gegründet. Angefangen hat er mit einem Rezept, das ihm von seiner Mutter überliefert worden war.«

»Karamell mag ich am liebsten.«

»Das geht fast allen so.«

»Warum erwähnst du das erst jetzt?«

»Wir haben über andere Dinge gesprochen«, meinte er achselzuckend. »Ich habe unsere Unterhaltungen genossen und keinen Grund gesehen, dich mit Einzelheiten über meine Arbeit zu langweilen.«

Nicht eine Sekunde zweifelte sie an der Aufrichtigkeit seiner Antwort. »Bist du nicht noch ein bisschen jung, um an der Spitze eines solchen Unternehmens zu stehen?«

Kurz zeigte sich Schmerz in seiner Miene. »Mein Vater starb an einem Herzinfarkt. Er war erst achtundfünfzig.«

»Das tut mir leid.«

»Ja, so ging es uns allen. Die Firma hat Dad alles bedeutet. Ich hatte das Gefühl, in seine Fußstapfen treten zu müssen. Leider war ich noch nicht bereit dafür, die Firma zu leiten, und musste innerhalb kürzester Zeit eine Menge lernen.« Er erzählte ihr von dem neuen Schokoriegel, der kurz vor der Markteinführung stand und für Phoebe sehr verlockend klang. »Ich bringe demnächst ein paar Riegel mit zum Strickkurs«, versprach er.

Ihr Essen umfasste mehrere Gänge und hätte köstlicher nicht sein können. Um neun, nachdem ihnen Kaffee, frisches Obst und Kokosnusseis zum Dessert serviert worden waren und sie sich überschwänglich bei den Inhabern des Restaurants und den Angestellten bedankt hatten, verließen sie das Restaurant.

Sie waren zu Fuß gegangen und stellten jetzt fest, dass es deutlich kühler geworden war. Phoebe hatte sich einen Pullover mitgebracht, und Hutch half ihr höflich hinein.

»Das Essen war einfach göttlich.«

»Das ist es jedes Mal«, meinte Hutch. »Deshalb habe ich dieses Restaurant ausgesucht.«

Schweigend gingen sie nebeneinander her, und dann griff Hutch nach ihrer Hand. »Das Buch behauptet, Händchen zu halten sei nach dem zweiten Date akzeptabel«, erklärte er ihr.

»Verstehe.« Sie nickte.

»Es gibt da eine ganze Reihe von Regeln, weißt du.«

»Nein, das wusste ich nicht. Was für Regeln denn noch?«

»Zum Beispiel …« Er verstummte. »Hey, ich werde doch nicht *alle* meine Geheimnisse verraten.«

Phoebe lachte.

»Warum willst du das wissen?«, fragte er.

»Ich bin einfach nur neugierig.«

Hand in Hand schlenderten sie die hell erleuchtete Straße entlang.

»Weckt irgendwas davon deine Neugier ganz besonders?«

»Wenn du mich schon fragst – ja.«

Hutch blieb stehen und schaute auf sie hinab. Inzwischen befanden sie sich in einer kaum befahrenen Seitenstraße.

»Ich wüsste gern, was das Buch zum Thema Küssen zu sagen hat.«

»Küssen«, wiederholte er. »Nach den Regeln wäre es noch anständiges Verhalten, wenn ich …«

»Wenn du was?«

»Wenn ich dich beim dritten Date küsse.«

»Beim *dritten* Date? Wann ist dieses Buch zum ersten Mal erschienen?«

»1952. Ich habe es in einem Antiquariat gefunden, nachdem ich *Dating für Dummies* gelesen hatte. Zufällig liebe ich alte Bücher, und die Ratschläge in dem älteren Werk gefielen mir besser.«

Sie hatten so viele gemeinsame Vorlieben und Abneigungen, und immer noch entdeckte sie neue Ähnlichkeiten zwischen ihnen. »Ich liebe ebenfalls alte Bücher und sammle sie schon seit Jahren.«

Er schüttelte den Kopf, als könnte ihn nichts, was sie sagte, noch überraschen. »Ich auch. Vor allem alte Science-Fiction-Romane.«

»Bei mir sind es alte Biografien.«

Sie gingen weiter, und Hutch begleitete Phoebe bis an ihre Wohnungstür. »Für mich war es ein wunderschöner Abend«, sagte sie und lächelte zu ihm hoch.

»Für mich auch.«

Er zögerte, also ergriff Phoebe die Initiative. Sie stellte sich auf die Zehenspitzen, schlang die Arme um seinen Nacken und küsste ihn. Sofort legte Hutch die Arme um ihre Taille und zog sie fester an sich.

Der Kuss war voller Magie. Romantisch. Aufregend. Clark musste immer die Kontrolle behalten; Hutch hingegen ließ allem einfach seinen Lauf. Dieser Kuss fühlte sich wie etwas an, das sie miteinander teilten. Wie etwas, das ihr genauso gehörte wie ihm.

Als er schließlich den Kopf hob, ließ er die Augen noch ein paar Sekunden geschlossen. Dann räusperte er sich. »Das war sehr … schön.«

»Ja.« Phoebe legte die Hand auf seine Brust, direkt über seinem Herzen, und spürte es heftig klopfen. »Ja, das war es.«

Noch einmal küsste er sie, und was sie nicht für möglich gehalten hätte, geschah: Der zweite Kuss war noch besser als der erste.

»Gute Nacht, Phoebe.«

»Gute Nacht, Hutch.« Schwach vor Verlangen hantierte sie ungeschickt mit dem Schlüssel und öffnete ihre Wohnungstür.

Drinnen legte sie lächelnd ihre Handtasche ab, und sofort fiel ihr das blinkende Licht ihres Anrufbeantworters ins Auge. Ein Blick auf die Anruferkennung bestätigte, was sie insgeheim schon wusste: Clark hatte sich erneut gemeldet.

17. Kapitel

Anne Marie Roche

»Wohin gehen wir?«, fragte Ellen, die mit Baxter an der Leine neben Anne Marie herhüpfte.

»In den Park.« Anne Marie hatte ihr nicht viel über das Treffen mit Tim Carlsen erzählt. Da sie sich immer noch nicht sicher war, was sie sagen oder wie viel sie erklären sollte, hatte sie nur erwähnt, dass sie mit einem »Freund« verabredet waren.

»Bekomme ich ein Eis?«, wollte Ellen wissen.

»Ich schätze, das lässt sich machen«, meinte Anne Marie lächelnd.

»Prima.«

Ellen war so leicht zufriedenzustellen, und ihr Vertrauen war grenzenlos. Anne Marie konnte nur hoffen, dass sie das Richtige tat, wenn sie ihre Tochter und Tim miteinander bekannt machte. Seit ihrem mitternächtlichen Anruf bei ihm war sie permanent hin und her gerissen. Unzählige Male hatte sie zum Telefon gegriffen, um das Treffen abzusagen, nur um dann doch nicht seine Nummer zu wählen und den Dingen ihren Lauf zu lassen. Noch vor einer Stunde war sie überzeugt gewesen, einen schrecklichen Fehler gemacht zu haben, aber jetzt hatte sie sich endlich zu einer Entscheidung durchgerungen. Sie war bereit, Tim die Gelegenheit zu geben, Ellen kennenzulernen.

Tim hatte vorgeschlagen, sich am Springbrunnen mitten im Park zu treffen, und tatsächlich: Dort saß er auf der steinernen

Einfassung des Springbrunnens. Kinder rannten und tollten mit einer derartigen Lebensfreude und Begeisterung um ihn herum, dass es ansteckend war.

Als sie beide sich näherten, stand er auf, und Anne Marie schnürte es vor Beklemmung die Kehle zu.

»Hallo«, grüßte Tim, den Blick auf Ellen gerichtet.

Verunsichert schaute das Mädchen zu Anne Marie hoch.

»Hallo, Tim«, brachte diese mühsam hervor.

Da sie nichts weiter sagte und auch keine Anstalten machte, ihn vorzustellen, beugte Tim sich zu Ellen hinunter und streckte ihr die Hand entgegen. »Du musst Ellen sein. Ich heiße Tim.«

Ellen drängte sich näher an Anne Marie heran. »Das ist Baxter«, gab sie zurück und deutete auf den Yorkie, der Tim neugierig musterte.

Anne Marie ärgerte sich oft darüber, dass Baxter so ziemlich jeden, dem er zum ersten Mal begegnete, ausdauernd ankläffte. Bei Tim war das jedoch anders. Der kleine Hund akzeptierte ihn still und vorbehaltlos als Freund.

»Mom hat gesagt, sie kauft mir ein Eis«, erklärte Ellen.

Tim lächelte freundlich. »Was für eine tolle Idee. Ich hole Eis für uns alle. Setzt euch doch einfach so lange hier hin. Ich bin gleich zurück.«

»In Ordnung.«

Er ging zu dem Eisverkäufer hinüber, der mit seinem Wagen in der Nähe stand, und schaute noch einmal aufmunternd lächelnd zurück.

Anne Marie ließ sich auf der Steinbank nieder und lauschte mit einem Ohr dem melodischen Geplätscher des Wassers hinter ihr. Ihr Mund war trocken, und sie hatte das Gefühl, ihre Zunge klebte am Gaumen. So konnte sie sich nicht unterhalten. Sie wusste nicht, wie sie diese Tortur überstehen sollte, ohne dass Ellen spürte, dass irgendetwas ganz und gar nicht stimmte.

»Wer ist Tim?«, fragte Ellen, setzte sich neben sie, nahm Baxter auf den Schoß und wartete auf Anne Maries Antwort. Wenn es doch nur eine einfache Erklärung gäbe!

»Ein Freund«, wiederholte Anne Marie, überrascht, überhaupt etwas über die Lippen zu bringen.

Einen Moment schwieg Ellen. »Ist er dein … richtiger Freund?«

Da ihr nichts Besseres einfiel, nickte Anne Marie. »So was in der Art.«

Das schien Ellen zu reichen. »Ich mag ihn.«

»Du magst wahrscheinlich jeden, der dir Eis kauft«, stichelte Anne Marie, in der Hoffnung, damit ein wenig die Tatsache herunterzuspielen, wie spontan das Mädchen Tim akzeptiert hatte.

Ellen kicherte. »Gar nicht wahr.« Sie streichelte den Yorkie, der sich auf ihrem Schoß zusammengerollt hatte. »Baxter mag ihn auch.«

Der kleine Verräter, dachte Anne Marie. »Das habe ich gesehen.«

Wie versprochen war Tim nach wenigen Minuten wieder da, drei Eis am Stiel in der Hand. Ellen setzte Baxter auf den Boden, als Tim das Eis verteilte. »Danke«, sagte sie, höflich wie immer.

Sie wickelte ihr Eis aus und schaute Tim an, den Kopf leicht zur Seite geneigt. »Mom sagt, du bist ihr *richtiger* Freund.«

Tims Blick begegnete ihrem.

»So etwas in der Art«, stellte Anne Marie richtig.

»Würde dir das gefallen?«, fragte Tim das Mädchen und biss von seinem Eis ab.

Ellen nickte. »Du bist in Ordnung.«

»Nur *in Ordnung*?«, fragte er scheinbar beleidigt und grinste Anne Marie an, die steif sein Lächeln erwiderte.

Ellen lachte. »Baxter denkt auch so.«

»Ein äußerst kluger Hund.« Tim aß weiter sein Eis und hatte es schon halb verzehrt, bevor Anne Marie ihres auch nur ausgepackt hatte.

»Gibt es etwas, das du mich fragen möchtest?«, wandte Tim sich wieder an Ellen. »Weil ich ja vielleicht deiner Mutter den Hof mache«, fügte er hinzu.

Sie nickte. »Hast du einen Job?«

»Ja, habe ich. Ich arbeite in einer Versicherungsagentur – mit meinem Vater zusammen. Er geht nächstes Jahr in Rente, und dann übernehme ich die Agentur.«

Fragend schaute Ellen Anne Marie an. »Er hat einen guten Job«, erläuterte diese schlicht. »Er arbeitet in einem Büro.«

Ellen wandte ihre Aufmerksamkeit wieder Tim zu. »Trinkst du?«

Die Frage schockierte Anne Marie. Es war doch wohl kaum möglich, dass Ellen sich daran erinnerte, dass ihre Mutter getrunken hatte. Oder etwa doch? Schließlich hatte sie nie irgendetwas in der Art angedeutet.

»Früher, vor sehr langer Zeit, habe ich das getan. Heute nicht mehr«, antwortete Tim feierlich.

Ellen leckte an ihrem Eis, während sie über seine Antwort nachdachte. »Das ist gut.«

»Für mich auf alle Fälle«, stimmte er zu.

»Liebst du Jesus?«

»Ellen«, flüsterte Anne Marie, weil ihr die Fragen zu persönlich vorkamen.

»Das tue ich«, antwortete Tim, »aber ich gehe nicht immer zur Kirche, wie ich das sollte.«

Ellen akzeptierte das. »Magst du Tiere?«, fragte sie sofort weiter.

Tim nickte. »Als Kind hatte ich einen Hund.«

»Wie Baxter?«

»Nicht ganz. Einen großen schwarzen Labrador. Er hieß Caesar.«

»Hast du jetzt Tiere?«

Tim kam gut mit ihrem Feuerwerk an Fragen zurecht. »Eine Katze namens Bozo.«

Ellen kicherte fröhlich. »Was für ein witziger Name für eine Katze.«

»Bozo ist eine witzige Katze.« Tim schlug die Beine übereinander. Er wirkte entspannt, locker und schien sich trotz der Fragen des Mädchens wohlzufühlen.

Glücklicherweise lenkte Ellens Wissbegier sowohl ihn als auch Ellen selbst davon ab, dass Anne Marie bisher kaum ein Wort gesagt hatte. Sie konnte nicht reden. Wenn einer von beiden sie auch nur ansehen würde, so fürchtete Anne Marie, dann würde sie womöglich ihre Tochter packen und mit ihr davonrennen.

»Magst du Kinder?«, fragte Ellen weiter und musterte Tim dabei sehr intensiv.

»Ja, sehr sogar.«

»Auch kleine Mädchen?«

»Auch kleine Mädchen, vor allem so hübsche wie dich.«

Diese Antwort entlockte ihr ein Lächeln, bei dem sich zeigte, dass ihre Schneidezähne immer noch ein bisschen zu groß für ihren Mund waren. Anne Marie kam nicht umhin, zu bemerken, dass Ellens dunkle Haare und Augen denen von Tim glichen wie ein Spiegelbild.

»Hast du je über einen Vater nachgedacht, Ellen?«, fragte er.

Warnend runzelte Anne Marie die Stirn.

»Das steht auf meiner Liste.« Sorgfältig legte sie den Holzstiel von ihrem Eis auf die steinerne Brunneneinfassung. »Mom und ich haben eine Liste mit zwanzig Wünschen. Weißt du davon?«

Tim schüttelte den Kopf. »Möchtest du mir davon erzählen?«

»In Ordnung.« Ellen war stets mit Feuereifer dabei, von ihren Wünschen zu berichten, als wollte sie jeden, dem sie begegnete, davon überzeugen, es auch mit einer Liste zu versuchen. »Mom und ihre Freundinnen haben diese Listen mit zwanzig Wünschen gemacht. Ich habe meine eigene Liste, und ein Haufen von meinen Wünschen ist schon in Erfüllung gegangen. Ich wollte stricken lernen, und das habe ich getan. Mom hat es mir gezeigt, und ich habe einen Schal für meine Grandma Dolores gestrickt. Sie ist gestorben.«

»Ich weiß, und das tut mir leid.«

»Sie ist jetzt bei Jesus im Himmel. Sie hat ihn geliebt. Genau wie wir.«

»Ich wette, sie passt von da oben auf dich auf«, meinte Tim mitfühlend.

»Genau das sagt Mom auch.«

»Was steht sonst noch auf deiner Liste?«

»Viel! Wir waren in Paris. Eigentlich wollten wir schon letztes Jahr zu Weihnachten fliegen, aber dann gab es Probleme mit unserer Fluggesellschaft, weißt du noch? Es kam im Fernsehen und überall. Also mussten wir bis zum Sommer warten, aber das war sogar noch schöner. Jetzt habe ich einen neuen Wunsch.«

Anne Marie konnte sich nicht entsinnen, dass ihre Tochter jemals so offen mit jemandem gesprochen hatte, der im Grunde ein Fremder für sie war.

»Und was ist dein neuer Wunsch?«, erkundigte sich Tim.

»Ich will Französisch lernen. Jeden Tag lerne ich ein neues Wort. Baxter weiß, dass ›viens ici‹ bedeutet ›komm‹.« Der Hund hob den Kopf, und sie lachte. »Siehst du? Der ›chien‹ versteht.«

»Schön für dich. Für euch beide.«

»Ich habe sie bei einer Französischlehrerin angemeldet«, warf Anne Marie ein. Theresa, die anscheinend jeden Lehrer im Schulbezirk kannte, hatte ihr den Kontakt vermittelt. »Ich werde auch Unterricht nehmen.«

Tims Blick wurde weich, als er Anne Marie anschaute. »Du bist eine fantastische Mutter«, sagte er leise.

»Ich gebe mir Mühe.«

»Hast *du* eine Wunschliste?«, wollte Ellen wissen.

»Noch nicht, aber ich weiß schon, was ich mir wünschen werde.«

Anne Marie musterte ihn misstrauisch, während Ellen munter weiterplauderte. »Barbie und Lillie und Elise haben auch Wunschlisten«, erzählte sie.

»Freundinnen von dir?«, fragte Tim an Anne Marie gewandt.

Sie nickte.

»Barbie hat Mark kennengelernt«, plapperte Ellen weiter. »Er sitzt im Rollstuhl, und sie lieben sich. Und Lillie hat Hector kennengelernt.«

»Liebt sie ihn auch?«

»Ja!«, rief Ellen. »Sie halten in aller Öffentlichkeit Händchen.«

Tim bemühte sich, sein Lächeln zu verbergen. »Erzähl mir mehr von deinen Wünschen.«

»Gut.« Ellen setzte eine feierliche Miene auf. »Ich habe mich für einen Karatekurs angemeldet. Das war einer meiner Wünsche.«

»Und wie ist es gelaufen?«

Sie zog die Nase kraus. »Zu viele Jungs. Die können echt gemein sein, weißt du.«

Tim nickte ernst. »Davon habe ich gehört.«

»Hast du Kinder?«, fragte sie.

Schnell sah er zu Anne Marie hinüber. »Noch nicht, aber ich wäre sehr gern eines Tages Vater.«

»Ein Mann braucht Kinder«, erklärte Ellen mit der geballten Weisheit ihrer neun Jahre.

»Ach? Warum das?«

»Kinder sind wichtig.«

Erneut sah Tim Anne Marie an. »Da bin ich ganz deiner Meinung.«

»Ach ja, und dann steht noch was auf meiner Liste. Das hätte ich fast vergessen. Nur … nur dieser Wunsch hat sich noch nicht erfüllt.«

»Und was wünschst du dir?«

»Ich möchte meinen Dad kennenlernen.«

Beschützend legte Anne Marie die Hand auf Ellens Schulter.

»Deinen Dad?«, fragte er vorsichtig nach.

Ellen bückte sich, hob den Hund auf und drückte ihn an sich. »Jeder hat einen, weißt du.«

»Ich weiß«, gab Tim leise zurück. »Hat dir mal jemand von ihm erzählt?«

Traurig schüttelte Ellen den Kopf. »Ich habe nicht mal ein Bild von ihm.«

Das war ein Segen, soweit es Anne Marie anging.

»Ich bin sicher, er wüsste auch gern mehr über dich«, meinte

Tim. »Ich wette, wenn er wüsste, dass er so ein liebes kleines Mädchen hat, wäre er sehr glücklich.«

»Glaubst du wirklich?«

»Ganz bestimmt.«

Bevor sich das Ganze noch weiter entwickeln konnte, unterbrach Anne Marie das Gespräch. »Ellen, warum spielst du nicht eine Weile auf der Schaukel, während Tim und ich uns unterhalten?«

»Ist gut. Darf Baxter mitkommen?«

»Er sollte jetzt besser hierbleiben. Du kannst ihn später mit aufs Karussell nehmen, einverstanden?«

»Einverstanden«, stimmte sie rasch zu und rannte davon, um mit den anderen Kindern zu spielen.

»Schluss jetzt mit dem Gerede über ihren Vater«, sagte Anne Marie mit kaum verhohlenem Zorn.

Entschuldigend hob Tim beide Hände. »Ich habe das Thema nicht angesprochen. Sie hat es getan.«

»Du hast nachgeholfen.«

»Ich möchte mich nicht streiten, Anne Marie. Für mich ist klar, dass Ellen neugierig auf ihren Vater ist. Deshalb hast du mich mitten in der Nacht angerufen, nicht wahr? Ellen hat dir Fragen gestellt, die du nicht beantworten konntest.«

Anne Marie ignorierte ihn.

»Sie ist ein reizendes Kind«, sagte Tim und ließ den Blick zärtlich auf Ellen ruhen.

Das musste man Anne Marie nicht sagen. Zögernd reichte sie ihm das Tütchen mit Haaren aus Ellens Haarbürste. Mehr brauchte er nicht, hatte Tim gesagt, um die Vaterschaft feststellen zu lassen.

Er steckte es in seine Tasche. »Du hast großartige Arbeit geleistet mit ihr.«

»Das ist hauptsächlich das Verdienst ihrer Großmutter. Ellen lebt erst seit etwa einem Jahr bei mir.«

»Trotzdem, sie wirkt glücklich und sehr ausgeglichen.«

Wenn er glaubte, sich so bei ihr einschmeicheln zu können, war er auf dem falschen Dampfer. »Danke«, sagte sie kühl.

»Ich schätze es sehr, dass du mir erlaubt hast, Ellen zu treffen.« Er zögerte. »Und ich würde sie gern wiedersehen.«

»Wann?«, fragte sie steif.

»Wann immer es dir am besten passt.«

Misstrauisch musterte sie ihn. »Sei nicht so freundlich. Das bringt mich durcheinander.«

Er grinste, und sein Lächeln betonte die Lachfältchen um seinen Mund und in seinen Augenwinkeln. Unter anderen Umständen hätte sie ihn charmant und attraktiv gefunden. Aber sie musste ihm gegenüber auf der Hut bleiben. Wer wusste schon, ob das jemals anders werden würde.

»Anne Marie«, sagte er mit ernster Miene. »Ich hoffe, du erlaubst mir, euch beide wiederzutreffen.«

»Ich werde darüber nachdenken.« Sie konnte sich nicht dazu durchringen, mehr zu versprechen.

»Ich bin doch dein *richtiger* Freund, weißt du noch? Jedenfalls so etwas in der Art.«

Zornig funkelte sie ihn an.

Ellen hatte darauf gewartet, dass die Schaukel für sie frei wurde, und jetzt ließ sie sich wie die anderen schwungvoll durch die Lüfte schwingen. Kindergelächter scholl durch den Park, und Anne Marie hörte das unverkennbare hohe Kichern ihrer Tochter deutlich heraus. Etliche Minuten später kam Ellen zurück zum Brunnen gerannt. Baxter bellte freudig, als er sie kommen sah, und wedelte wie wild mit dem Schwanz.

Tim stand auf, als sie näher kam. »Es war sehr nett, dich kennenzulernen, Ellen. Und ich hoffe, alle deine Wünsche gehen in Erfüllung.«

»Ich auch. Besonders der mit meinem Vater.« Sie runzelte die Stirn.

»Was ist los? Willst du ihn jetzt doch nicht mehr kennenlernen?«, fragte Tim offensichtlich verwundert.

»Doch, will ich. Aber ich habe Mom gefragt, was sie glaubt, wie er aussieht. Und sie hat gesagt, er hat bestimmt große Warzen im Gesicht.« Sie kicherte.

Tim warf Anne Marie einen Seitenblick zu. »Das hat sie gesagt? Was denn sonst noch?«

»Es war ein Scherz«, warf Anne Marie hastig ein.

»Dass er gaaaanz große Füße hat.« Ellen hob ein Bein. »Füße so groß wie die von einem Clown.«

»Also, ich bezweifle, dass das stimmt«, meinte Tim und ging vor ihr in die Hocke, um mit ihr auf Augenhöhe reden zu können. »Ich würde vermuten, dass dein Vater ein gut aussehender Prinz ist, der nichts lieber täte, als dich und deine Mom auf schnellstem Weg in ein magisches Königreich zu entführen.«

Ellens dunkle Augen wurden groß vor Freude. »Denkst du das wirklich?«

»Ja, das tue ich.«

»Das wäre so cool!«

»Ja, das wäre es«, stimmte Tim zu, richtete sich wieder auf und wandte sich an Anne Marie. »Meinst du nicht auch?«, fragte er – und zwinkerte ihr zu.

18. Kapitel

Lydia Goetz

Seit Caseys Besuch bei ihrem Bruder am letzten Montag fielen mir subtile Veränderungen in ihrem Verhalten auf. Eine Woche war inzwischen vergangen, und sie hatte begonnen, mehr Zeit mit der Familie zu verbringen, statt sich in ihrem Zimmer zu verkriechen und die Tür geschlossen zu halten.

Ohne darum gebeten worden zu sein, deckte sie eines Abends den Tisch fürs Abendessen. Das freute – und überraschte – mich so sehr, dass ich es nicht wagte, etwas darauf zu sagen. Außerdem ging sie dazu über, ihre Hausaufgaben am Küchentisch zu erledigen. All das war geschehen, nachdem sie ihren Bruder besucht hatte. Er hatte ihr Mut gemacht, ihr davon erzählt, dass er aufs College gehen und sich einen Job suchen wollte, um sie zu sich holen zu können. Das hatte Hoffnung in ihr geweckt. Ich konnte nur beten, dass sich für Lee und damit auch für Casey alles wie erwünscht entwickeln würde.

Am Montagabend servierte ich meinen besonderen Hackbraten nach einem Rezept, das ich von Margaret bekommen hatte. Auch sie war nicht auf dem heutzutage üblichen Wege – Kochbuch, Zeitschrift, Kochsendung im Fernsehen – an dieses Rezept gelangt, sondern hatte es beim Friseur aufgeschnappt. Genau wie Margaret hatte ich bereits die Erfahrung gemacht, dass man nicht selten per Mundpropaganda auf die besten Rezepte stieß. Für dieses hatte sich das auf jeden Fall bewahrheitet. Margarets Hackbraten war zu einem der Lieblingsgerichte meiner Familie geworden.

Der Nachmittag war kühl und regnerisch, und weil ich den ganzen Tag mit Hausarbeiten beschäftigt war, machte es mir nichts aus, den Backofen vorzuheizen, obwohl wir Mitte Juli hatten.

Am Vormittag hatte ich meine Mutter besucht. Normalerweise tat Margaret das montags, aber wir hatten getauscht. Casey hing nach Schulschluss die meiste Zeit bei mir herum, statt am Ferienprogramm teilzunehmen. Ich dachte, sie würde vielleicht wieder Cookies backen wollen, aber sie lehnte ab und fragte, ob sie sich stattdessen an einem Kuchen versuchen dürfte. Das war mir recht, und gemeinsam suchten wir in meinem heiß geliebten alten Kochbuch ein Rezept für einen gestürzten Apfelkuchen heraus. Das Ergebnis ihrer Bemühungen konnte sich sehen lassen.

Auch heute deckte sie ungefragt den Tisch fürs Abendessen und rief Brad und Cody, als alles fertig war.

»Janice hat mich heute Nachmittag angerufen«, sagte Brad, während er seinen Teller mit Erbsen, Kartoffelbrei und einer dicken Scheibe Hackbraten füllte.

Codys Mutter hatte sich seit Beginn der Sommerferien nicht mehr gemeldet. Aber mir war schon klar gewesen, dass wir früher oder später von ihr hören würden.

»Sie möchte Cody morgen Nachmittag sehen«, wandte Brad sich an mich und dann an unseren Sohn.

»Das ist schön«, sagte ich und konnte nur hoffen, dass es aufmunternd klang.

»Was hältst du davon, deine Mutter zu besuchen, Kumpel?«, fragte Brad und gab reichlich Soße auf sein Essen.

Cody zuckte die Achseln. »Muss ich über Nacht bleiben?«

»Nur wenn du möchtest.«

Cody wirkte hin und her gerissen. »Sie hat keine Computerspiele, und Chase mag sie auch nicht. Kann ich sie besuchen, sie umarmen und gleich wieder mit nach Hause kommen?«

Mühsam verkniff ich mir ein Lächeln. Cody war es wichtiger, seine Xbox und seinen Hund um sich zu haben, als Zeit mit seiner Mutter zu verbringen, und das konnte ich ihm nicht einmal verübeln. Obwohl er erst neun war, wusste er doch, wie Janice war. Er brachte ihr genauso viel Interesse entgegen wie sie ihm.

Casey runzelte die Stirn. »Ich dachte, Lydia wäre deine Mutter.«

»Ist sie auch«, erwiderte Cody, zerdrückte die Erbsen mit seiner Gabel und vermischte sie mit dem Kartoffelbrei. »Ich habe zwei Moms.«

»Ich habe Brad geheiratet, als Cody acht war«, erläuterte ich für Casey.

»Warum habt ihr nicht noch mehr Kinder?«, fragte sie.

Ich legte meine Gabel beiseite. »Wegen der Chemotherapie und der Bestrahlungen, mit denen mein Krebs behandelt wurde, kann ich keine Kinder bekommen.«

»Deshalb wollt ihr adoptieren?«

Ich nickte. Über meine Unfruchtbarkeit zu reden tat mir längst nicht mehr so weh wie früher. Jahrelang war ich überzeugt gewesen: Selbst wenn ich einen Mann fand, der bereit war, mit einer Frau zu leben, die gleich zweimal an Krebs erkrankt war und das überlebt hatte, dann würde meine Unfähigkeit, ein Kind zu empfangen, dennoch jede Hoffnung auf eine Ehe zunichtemachen. Und dann hatte ich Brad Goetz kennengelernt … Jeden Tag war ich dankbar für das, was ich hatte.

Seine vorbehaltlose Liebe und sein Rückhalt hatten dafür gesorgt, dass ich mich längst nicht mehr so unzulänglich fühlte. Und seit wir uns zur Adoption entschlossen und die Hebel dafür in Bewegung gesetzt hatten, war ich beinahe ausgeglichen und abgeklärt.

Casey schwieg, als würde die Unterhaltung sie bekümmern.

»Cody wird morgen Nachmittag seine Mutter besuchen. Hast du Lust, nach dem Unterricht ins Wollgeschäft zu kommen?«, fragte ich sie, als wir unser Mahl beendeten.

Zuerst begriff sie gar nicht, dass ich mit ihr sprach. »Meinst du mich?«, fragte sie und schaute sich zweifelnd um.

»Ja, dich«, erwiderte ich lachend. »Wenn du magst, bringe ich dir Stricken bei«, bot ich ihr noch einmal an.

Sie zuckte wie üblich die Achseln. »Warum nicht.«

»Es ist nicht schwer«, mischte Cody sich ein, nachdem er seinen Teller zur Spüle gebracht hatte. »Letzten Winter hat Mom meiner ganzen Klasse Stricken beigebracht. Alle haben Quadrate gestrickt für *Warm Up America*, auch die Jungs. Anschließend hat Tante Margaret sie zusammengehäkelt, und wir haben die fertige Decke einem Veteranenheim in West-Seattle gespendet.«

Zum ersten Mal, seit ich Stricken erwähnt hatte, schien Casey tatsächlich interessiert zu sein.

»Stricken hilft auch bei Mathe«, fügte Cody hinzu, als wäre er ein Experte.

»Wo wir gerade von Mathe sprechen«, warf Brad ein und sah Casey an. »Wie läuft denn dein Unterricht?«

Casey reagierte genauso gleichgültig wie immer. »Ganz gut, schätze ich. Mathe ist doof.«

»Leider aber im Alltag nötig.«

»Ich weiß.« Das klang ein wenig abwehrend.

»Wenn du möchtest, schaue ich mir deine Hausaufgaben an«, schlug Brad vor. Er hatte ihr das schon öfter angeboten, aber Casey hatte immer sofort abgelehnt.

»Okay«, sagte sie jetzt nach kurzem Schweigen.

Verstohlen lächelten Brad und ich uns an.

Während Cody den Tisch abräumte, setzten Brad und Casey sich ins Wohnzimmer, wo er sich ihre Hausaufgaben anschaute. Ich konnte nicht alles verstehen, was er sagte, aber es gab eine ziemlich lebhafte Diskussion.

Hinterher kam Casey an den Küchentisch und stieß laut die Luft aus, während sie sich auf einen Stuhl fallen ließ. »Ich muss die Aufgaben noch mal machen«, grummelte sie.

Ich klopfte ihr aufmunternd auf die Schulter und räumte das Geschirr in die Spülmaschine.

Am Dienstagnachmittag kurz vor eins tauchte Casey im Wollgeschäft auf, den Rucksack über die Schulter geworfen. Sie hatte den Bus genommen. Mich machte es nervös, dass sie allein mit verschiedenen Fahrplänen zurechtkommen musste, aber Casey versicherte mir, dass sie damit kein Problem hatte. Offenbar fand sie sich besser zurecht, als ich angenommen hatte, und dafür war ich dankbar.

»Hi«, begrüßte ich sie, nachdem Mrs. Sinclair, eine meiner Stammkundinnen, ihren Einkauf bezahlt hatte. »Ich habe uns etwas zu essen von gegenüber kommen lassen.«

»Oh, danke.« Casey ging in den hinteren Teil des Ladens, in dem ich meine Strickkurse abhielt, und setzte sich an den Tisch.

Meine Schwester hatte ungewöhnlich wenig zum Thema Casey gesagt. Sie waren sich ein paarmal begegnet, aber immer nur flüchtig. Erst vor Kurzem hatte ich ihr erzählt, dass Casey bis zum Ende des Ferienkurses bei uns bleiben würde. Margaret hatte nur die Augen verdreht.

»Ich habe uns ein Reuben-Sandwich bestellt«, sagte ich zu Casey und setzte mich zu ihr. »Wie du siehst, ist es riesig. Ich dachte deshalb, wir können uns eins teilen.«

Außerdem hatte ich ein Strickbuch für Anfänger, ein Paar Nadeln Nr. 6 und eine farbenfrohe Docke Kammgarn für sie bereitgelegt. Nach meiner Erfahrung war es einfacher, sich die Grundkenntnisse anzueignen, wenn man beim Stricken dickere Nadeln und dickeres Garn verwendete.

»Was ist da drauf?«, fragte Casey und beäugte misstrauisch das Sandwich.

Ich legte ihre Hälfte auf einen Pappteller und schob ihn ihr hin.

»Corned Beef und Senf, Schweizer Käse und Sauerkraut.«

Mit leicht gerümpfter Nase musterte Casey das Sandwich, als sei sie nicht sicher, ob sie das mochte. »Corned Beef? Wie kriegen sie die Körner da rein?«

»Darin sind keine Körner, soweit ich weiß.« Lustig, ich hatte mich noch nie gefragt, wie das Pökelfleisch zu seinem Namen gekommen war.

»Und wer ist dieser Reuben, nach dem es benannt ist?«

»Das weiß ich auch nicht. Aber wer immer er ist, er hat ein fantastisches Sandwich erfunden.« Ich griff nach meiner Hälfte und nahm einen ersten Bissen. Es war genauso lecker, wie ich es in Erinnerung hatte. Dann öffnete ich die Tüte Kartoffelchips, gab sie auf einen Extrateller und goss uns zwei Gläser Eistee ein.

»Nur zu, versuch es mal«, drängte ich Casey, die ihr Sandwich immer noch nur anstarrte.

Endlich nahm sie es in die Hand und biss vorsichtig ein kleines Stück davon ab. Ihre Augen begannen zu leuchten. »Hey, das ist gut.«

»Sagte ich doch.«

Inzwischen hatte ich meinen Anteil zur Hälfte gegessen, und trotzdem wurde Casey schneller fertig als ich.

»Das war *wirklich* gut.«

»Freut mich, dass es dir geschmeckt hat.«

Ich räumte die Pappteller ab und steckte sie in den Mülleimer. »Bereit für deine erste Strickstunde?«

Casey nickte.

Also schob ich Garn und Nadeln zu ihr hinüber und setze mich auf einen Stuhl neben sie. »Wie war es heute im Unterricht?«, fragte ich, während ich mit dem Finger in der Mitte der Docke nach dem Fadenanfang suchte.

»Ich habe eine Eins für meine Hausaufgaben bekommen.«

»Das ist ja großartig, Casey«, freute ich mich. Dann bekam ich das Garnende zu fassen und zog es heraus.

Wie zu erwarten, tat sie das Kompliment mit einem Achselzucken ab, aber ich wusste trotzdem, dass sie stolz auf sich war. Und wenn Brad davon erfuhr, würde er sich auch freuen. Ich war stolz auf sie beide. Stolz auf Brad, weil er ihr Hilfe angeboten und es immer wieder versucht hatte, obwohl sie ihn wiederholt zurückgewiesen hatte. Und auch stolz auf Casey, weil sie bereit gewesen war, zuzugeben, dass sie Hilfe brauchte.

Zwei- oder dreimal musste ich ihr vorführen, wie man Maschen anschlug. Sie schien die Technik trotzdem nicht zu verstehen. Am Ende schlug ich einfach die Maschen für sie an.

Leider lief es auch nicht besser, als es darum ging, einfache rechte Maschen zu lernen. Ich musste ihr zugutehalten, dass sie es versuchte, konnte aber sehen, dass sie immer frustrierter wurde. Also erzählte ich von anderen Leuten, denen ich Stricken beigebracht hatte.

»Hat jeder solche Probleme wie ich?«, wollte sie wissen und

biss sich auf die Unterlippe, während sie die beiden Nadeln umklammerte. Dann klemmte sie sich die eine Stricknadel unter den Arm und wickelte das Garn um die Spitze der anderen.

»Manche schon.«

Margaret kam kurz nach hinten und warf mir einen Blick zu, den ich noch aus Kinderzeiten kannte. Lass dich auf deinen Geisteszustand untersuchen, besagte er. Vielleicht hatte sie ja recht, aber so schnell gab ich die Hoffnung nicht auf.

Doch schon bald war ich mit den Nerven fast am Ende.

Leider ging es Casey genauso. Als ihr eine Nadel wegrutschte und zu Boden fiel, sprang sie auf und pfefferte alles andere hinterher.

»Ich kann das nicht!«, schrie sie.

»Casey.«

»Ich *hasse* stricken. Ich will es nicht.«

Zu gern hätte ich sie getröstet, hätte sie daran erinnert, dass es manchen leichter fiel als anderen. Ich wollte nicht, dass sie so schnell aufgab, aber offenbar hatte ich das nicht effektiv genug vermittelt.

»Du musst nicht stricken lernen, wenn du nicht möchtest«, sagte ich schließlich.

»Will ich nicht. Es ist doof.«

Ich öffnete den Mund, um zu widersprechen, begriff aber gerade noch rechtzeitig, dass es sinnlos war. Also hob ich Garn und Stricknadeln auf und legte alles auf den Tisch zurück. Enttäuscht, wie ich war, gab ich mir dennoch Mühe, sie das nicht spüren zu lassen.

»Möchtest du etwas lesen?«, fragte ich. Vielleicht konnte ich sie ja zum Buchladen schicken und sich ein Buch aussuchen lassen. Ansonsten wusste ich nicht, womit ich sie den ganzen Nachmittag beschäftigen sollte.

Ein kategorisches Nein war die Antwort.

»Was *möchtest* du denn tun?«

Casey wirkte gelangweilt. »Habt ihr hier einen Fernseher?«

»Tut mir leid, nein.«

Die Glocke über der Tür bimmelte, und Jacqueline Donovan, eine gute Freundin, trat ein. Jacqueline und ihr Mann Reese hatten eine Kreuzfahrt nach Hawaii gemacht und waren gerade erst zurückgekommen. Ich freute mich, sie wiederzusehen, und überließ deshalb Casey für ein paar Minuten sich selbst.

»Jacqueline! Du bist zurück.« Mit ausgestreckten Händen eilte ich ihr entgegen. »Hattet ihr eine schöne Reise?«

»Unglaublich schön. Du und Brad, ihr solltet auch mal eine Kreuzfahrt machen.«

So gern ich das auch getan hätte, in naher Zukunft schien das unmöglich, zumal wir ein Baby in die Familie aufnehmen wollten.

Jacqueline eilte zu den Garnauslagen und sprudelte dabei nur so über vor Geschichten. Auf dem Rückflug hatte sie in einer Strickzeitschrift geblättert und sich kurzerhand entschlossen, diese wundervoll komplizierte Weste für Reese stricken zu müssen. Sie untersuchte eine teure handgefärbte Alpakawolle und suchte sich einen schönen Braunton aus. Ich tippte ihren Kauf in die Kasse ein.

Nachdem wir uns verabschiedet und uns gleichzeitig versprochen hatten, uns bald mal zu treffen, ging ich zurück nach hinten an den Tisch. Zu meiner Verwunderung saß Margaret bei Casey.

Die beiden häkelten.

Sie strickten nicht, sie *häkelten*.

Casey schaute zu mir hoch, und ein strahlendes Lächeln zeigte sich auf ihrem Gesicht. »Das macht Spaß«, erklärte sie.

»Spaß«, wiederholte ich, vor Staunen beinahe sprachlos.

»Das *kann* ich.«

»Sie häkelt einen Waschlappen.« Die Selbstgerechtigkeit in der Stimme meiner Schwester war unüberhörbar. »Schau dir an, wie sie das macht, Lydia. Das Mädchen ist ein Naturtalent.«

Am liebsten hätte ich Margaret das Grinsen aus dem Gesicht gewischt. Nett war das nicht von mir, denn immerhin hatte sie Erfolg gehabt, wo ich gescheitert war. Casey war entspannt, zuversichtlich und hatte eindeutig Spaß an der Sache.

»So schnell, wie sie vorankommt«, sagte Margaret, »hat sie den fertig, bevor wir den Laden schließen.«

»Ich bin beeindruckt.« Das galt beiden und war durch und durch ernst gemeint.

Wieder klingelte die Glocke über der Tür, und ich ging nach vorn, um mich um den Kunden zu kümmern. Als ich mich abwandte, durchfuhr mich ein unerwartetes Glücksgefühl. Wer hätte gedacht, dass nicht ich, sondern meine Schwester als Erste zu Casey durchdringen würde?

Im ersten Moment verspürte ich einen Stich der Eifersucht, aber der war schnell überwunden. Margaret, die Casey gegenüber so voreingenommen gewesen war, hatte die Geduld aufgebracht, dem Mädchen Häkeln beizubringen. Ich war ihr dankbar für ihre Freundlichkeit.

Vielleicht gab es ja Hoffnung für uns alle – für Casey, Margaret und mich.

19. Kapitel

Bryan »Hutch« Hutchinson

Hutch saß schon mit Alix, Margaret und Lydia am Tisch, als Phoebe dazustieß. Er war zehn Minuten zu früh da gewesen, und dass er sein Büro vorzeitig verlassen hatte, lag nicht daran, dass er es kaum erwarten konnte, ein neues Muster in Angriff zu nehmen – sondern vielmehr daran, dass er dabei war, sich in Phoebe Rylander zu verlieben.

Um Viertel nach sechs wurde Hutch bewusst, dass er schon zehnmal auf die Uhr geschaut hatte. Da endlich platzte auch Phoebe herein, außer Atem und hochrot.

»Tut mir leid, dass ich zu spät komme«, sagte sie, als sie zu ihnen nach hinten eilte.

Der Platz neben ihm war frei. Dafür hatte Hutch gesorgt, indem er seine Aktentasche auf den Stuhl gestellt hatte. Erst als sie kam, nahm er sie weg und machte den Stuhl frei.

Schnell rückte Phoebe sich den Stuhl zurecht und grinste ihn flüchtig an, als sie sich setzte. Ihr Atem ging stoßweise. Er fragte sich, ob etwas passiert war, und hoffte, sie würde es ihm sagen. Nach der Kursstunde wollten sie noch gemeinsam Kaffee trinken.

»Keine Sorge, du hast nichts verpasst«, beruhigte Lydia sie. »Wir haben gerade erst angefangen.«

»Oh, gut.« Phoebe holte ihr Strickzeug aus der Tasche. Immer noch war sie leicht außer Atem.

Wahrscheinlich war sie den ganzen Weg von der Klinik bis zur Blossom Street gelaufen, und das waren etliche Blocks. Hutch wusste das inzwischen, denn nach den letzten beiden Kursstunden hatte er sie bis zu der Garage begleitet, in der ihr Wagen stand.

»Also, wie schlagt ihr euch?«, erkundigte sich Lydia.

Hutch hielt seinen Schal hoch. Seiner Meinung nach hatte er außerordentliche Fortschritte gemacht, wenn man bedachte, von wo er gestartet war.

»Ach, entschuldige«, sagte Lydia, »ich meinte eure Motivation für den Kurs – wie kommt ihr mit dem Loskommen voran? Wie es mit dem Stricken läuft, kann ich sehen, und ihr schlagt euch allesamt hervorragend.«

»Na ja … ich stricke keine Rüstung mehr«, berichtete Hutch. Er war längst nicht mehr so angespannt. Außerdem hatte er sich gut an den Umgang mit den Stricknadeln gewöhnt, und das hielt er Lydia zugute. Für etliche andere Veränderungen in seinem Leben war allerdings Phoebe verantwortlich.

Da sonst niemand etwas sagte, fühlte Hutch sich genötigt, das Schweigen zu brechen. »Stricken hat mir definitiv geholfen, mich zu entspannen, und es scheint auch meinen Blutdruck gesenkt zu haben.«

»Sehr gut.« Lydia lächelte ihm zu.

Auch seine mentale Verfassung hatte sich verbessert. Er zerbrach sich nicht mehr ständig den Kopf über den Rechtsstreit. Stattdessen überließ er die Sache seinem Anwalt. Ohnehin konnte nichts, was er jetzt tat, den Ausgang irgendwie beeinflussen.

Stricken hatte sein Leben verändert. Bei dem Gedanken musste er grinsen. Durch den Kurs hatte er Phoebe kennengelernt, und plötzlich schien alles anders. Wegen ihres kürzlichen Verlustes wollte er sie zu nichts drängen. Deshalb achtete er darauf, sie nur jeden zweiten Tag anzurufen, aber er zählte jede Stunde zwischen den Anrufen und ihren Verabredungen.

In ihrer Gesellschaft fühlte er sich geistreich, klug und ausgesprochen faszinierend. Er freute sich immer darauf, sie zu treffen.

Außerdem hatten sie eine Menge gemeinsame Interessen. Ihre Vorliebe für alte Bücher war dafür nur ein Beispiel. Am Wochenende hatte sie ihm ihre Sammlung gezeigt, darunter eine Erstausgabe von Mark Twains *The Innocents Abroad* von 1869, die sie erstaunlicherweise für fünf Dollar auf einem Flohmarkt erworben hatte.

Als er sie am Samstagnachmittag besucht hatte, hatte er den Stapel DVDs durchgeschaut, der Zeugnis davon ablegte, dass sie tatsächlich dieselben Filme mochten, angefangen bei Bogey über den Film noir bis hin zu Indiana Jones. Anschließend gingen sie gemeinsam ins Kino, teilten sich einen Becher Popcorn und sahen sich in Gesellschaft von mindestens hundert Kindern einen brandneuen Animationsfilm an.

Hutch glaubte, noch nie einen Nachmittag so sehr genossen zu haben. Auf dem Weg nach Hause ging er aus reiner Gewohnheit noch einmal ins Büro. Seitdem er die Leitung der Firma übernommen hatte, hatte er jeden Samstag dort verbracht. Diesmal aber blieb er nicht einmal eine Stunde, und in Gedanken war er bei allem Möglichen, nur nicht bei der Arbeit.

»Was macht dein Daumen?«, riss Lydia ihn aus seinen Gedanken.

»Dem geht es nicht schlecht, danke.« Er beugte ihn, um zu zeigen, wie beweglich er wieder geworden war.

Lydia nickte. »Und du, Phoebe?«, fragte sie als Nächstes. »Wie läuft's bei dir?«

Phoebe warf Hutch einen Blick zu. »Besser. Viel besser.«

»Ich weiß, dass du eine schmerzliche Zeit durchmachst …«

Phoebe senkte den Blick, und als sie sprach, tat sie das so leise, dass sie kaum zu verstehen war. »Ich bin zu spät gekommen, weil ich auf … einen alten Freund meines Verlobten getroffen bin. Ich … ich habe ihm gesagt, dass ich jemand anderen kennengelernt habe, und er hat sich schrecklich aufgeregt.«

Unter dem Tisch fasste Hutch nach ihrer Hand. »Es geht niemanden etwas an, mit wem du zusammen bist«, erklärte er.

»Ja, aber davon wollte er nichts wissen.«

»Solche Situationen sind schwierig, vor allem wenn andere noch trauern und sich an die Vergangenheit klammern«, sagte Lydia. »Ich hoffe, du lässt dir von dieser Begegnung nicht den Abend verderben.«

»Nein, das werde ich nicht«, versicherte Phoebe und drückte Hutchs Finger, dankte ihm so schweigend für seinen Rückhalt. Langsam atmete sie aus. »Wenn es euch nichts ausmacht, würde ich jetzt lieber nicht darüber reden. Ich bin immer noch ziemlich durcheinander, aber ich versuche, es zu vergessen.«

Alix schaute sie beide an, als sähe sie sie plötzlich mit anderen Augen. Einen Moment trafen sich ihre Blicke – und dann zwinkerte sie Hutch zu.

Hutch ging davon aus, dass sie ihm auf diese Weise zu verstehen gab, dass sie ihre Beziehung guthieß. Also zwinkerte er zurück.

»Ich möchte euch alle wissen lassen«, sagte Alix, »dass ich jetzt vierundzwanzig Stunden nicht geraucht habe.«

Lydia klatschte, und alle anderen stimmten ein. »Gut gemacht, Alix!«

»Herzlichen Glückwunsch«, fügte Hutch hinzu.

Margaret drückte mit würdevollem Nicken ihre Anerkennung aus.

»Es war nicht leicht«, fuhr Alix fort. »Ich hatte so miese Laune, dass ich gegen Abend weder Mensch noch Tier Gesellschaft leisten konnte. Also ging ich nach draußen und arbeitete im Vorgarten. Ich habe es geschafft, das ganze Unkraut zu entfernen. Mein Körper hat nach einer Zigarette geschrien.«

»Aber du hast dem Verlangen nicht nachgegeben.« Lydias Tonfall ließ erkennen, welch großes Lob in dieser Aussage steckte.

Alix zuckte die Achseln. »Nein, aber ich glaube, zu dem Zeitpunkt stand Jordan kurz davor, mich anzuflehen, wieder zu rauchen.«

»Nein, das tat er nicht.« Margaret schüttelte den Kopf. »Er möchte genauso sehr, dass du aufhörst, wie du. Vielleicht sogar mehr.«

»Hast du's mal mit Nikotinersatzprodukten versucht?«, fragte Lydia.

»Mit dem Kaugummi, ja. Es macht es ein bisschen leichter.«

»Wie wäre es mit Schokolade?«, warf Hutch ein.

Alix stöhnte auf.

»Würde ich ja versuchen, aber bei meiner Suchtneigung würde ich nach drei Wochen dreihundert Pfund wiegen.«

Grinsend griff Hutch in seine Aktentasche und holte ein Dutzend der neuen Mount-Saint-Helens-Schokoriegel seiner Firma hervor. Er war zu dem Schluss gekommen, dass Phoebe recht hatte und er den anderen von seinem Familienunternehmen erzählen sollte.

»Hey, was ist das?« Margaret ergriff als Erste das Wort und nahm sich ganz automatisch einen der Riegel. »Die habe ich noch nie gesehen.«

»Das ist unser neuestes Produkt«, erläuterte Hutch.

Phoebe lächelte. »Falls es niemand bemerkt haben sollte, Hutch und seiner Familie gehört *Mount Rainier Chocolates*.«

»Das glaub ich nicht!«, rief Alix und riss erstaunt die Augen auf.

»Wirklich?« Das kam von Margaret.

»Wie süß«, sagte Lydia. »Im doppelten Sinn des Wortes.«

»Die Firma ist seit drei Generationen im Besitz der Familie. Das ist ein neues Produkt, das wir landesweit auf den Markt bringen wollen. Bitte, greift zu. Mich interessiert eure Meinung.«

»Du meinst, du schenkst sie uns?« Schnell schnappte Margaret sich einen zweiten Riegel.

»Du machst doch Witze, oder?« Alix klang schockiert.

Hutch fand ihre Reaktionen lustig. Er wusste, dass seine Schokolade beliebt war, aber die Kursteilnehmer sahen ihn an, als teilte er Hundertdollarscheine aus. »Nehmt euch, so viel ihr wollt. Ihr tut mir einen Gefallen damit.«

»Wie kommt es, dass wir erst in der fünften Kursstunde erfahren, wer du bist?«, fragte Margaret.

»Ist das denn wichtig?«, gab Hutch zurück.

»Nicht im Geringsten«, erwiderte Lydia und starrte ihre Schwester vorwurfsvoll an.

Margaret wickelte einen Riegel aus. »Ich sage es nur äußerst ungern«, erklärte sie nach dem ersten Bissen, »aber das ist der beste Schokoriegel, den ich je probiert habe.«

Hutch zog die Brauen hoch. »Warum sagst du das nur ungern?«

»Weil ich Schokolade liebe und den Rest meines Lebens jeden Tag einen – ach was, zwei oder drei – davon essen könnte. Ich habe so schon mit meinem Gewicht zu kämpfen.« Sie klopfte auf ihre Oberschenkel. »Das reinste Schokoladengrab.«

Margaret machte selten Witze, und Hutch lachte anerkennend über ihre unerwartete Bemerkung.

Frauen waren seine Zielgruppe, auch wenn er das nicht an die große Glocke hängte. Intensive Marktforschung hatte ergeben, dass Frauen viel mehr Schokolade aßen als Männer und dass außerdem sie hauptsächlich für die Einkäufe in der Familie verantwortlich waren.

Nachdem jeder einen Schokoriegel verzehrt und seinen Dank gemurmelt oder zufrieden geseufzt hatte, machten sich alle wieder an ihre Strickarbeit und das neue Muster des Tages.

Die Zeit verging wie im Flug. Viel zu schnell war es acht, und alle packten zusammen. Hutch und Phoebe überquerten die Straße und betraten das *French Café*.

In der Gruppe hatte Phoebe sehr wenig gesagt. Hutch wartete, bis sie auf ihren Plätzen saßen und den ersten Schluck Kaffee getrunken hatten.

»Möchtest du darüber reden, was am frühen Abend passiert ist?«, fragte er. Er wollte nicht neugierig sein oder sie zum Reden drängen, wenn sie sich dabei nicht wohlfühlte. Aber manchmal konnte es hilfreich sein, sich jemandem anzuvertrauen, und er war ein guter Zuhörer.

Frustriert ließ sie die Schultern hängen. »Ach Hutch, es war grässlich.«

»Das tut mir leid.« Er beugte sich über den Tisch und ergriff tröstend ihre Hand.

»Er heißt ... der Freund von meinem Verlobten ... Ach, ist egal. Weißt du, ich dachte, wenn ich ihm zeige, dass ich nach vorn schaue und mein Leben weiterlebe, dass er ... dass er dann auch dazu bereit wäre.«

Hutch wartete einen Augenblick. »Offenbar wollte er das nicht hören.«

Kopfschüttelnd runzelte sie die Stirn. »Er ist an die Decke gegangen.«

Hutch fand diese Reaktion grenzenlos übertrieben. Der Freund von diesem Typen war tot. Irgendwie musste Phoebe doch weiterleben.

»Stand er deinem Verlobten besonders nahe?«

Sie wich seinem Blick aus und nickte nur. »Ich bin immer noch so verstört, dass ich nicht wirklich darüber reden möchte.«

Hutch respektierte das. »Dann lassen wir's und widmen uns stattdessen einem fröhlicheren Thema.«

Sie lächelte schwach. »Hast du eine Idee?«

Darüber hatte er sich schon früher Gedanken gemacht. »Wie wär's mit einem Ausflug an den Strand an diesem Wochenende?«, fragte er. »Meiner Familie gehört eine Wohnung in Westport.«

Seit Jahren war Hutch nicht mehr dort gewesen. Nur seine Schwester und ihre Familie nutzten die Wohnung wirklich, und seine Mutter fuhr einmal jährlich mit Freundinnen für ein paar Tage dorthin. Hutch schätzte, dass er jetzt auch einmal an der Reihe war.

Phoebes Stimmung hob sich sofort. »Sehr gern.«

Doch eine Sache wollte er vorsichtshalber klarstellen. »Keine Sorge – die Wohnung hat drei Schlafzimmer. Du brauchst dich nicht unter Druck gesetzt zu fühlen.«

»Ich habe mir keine Sorgen gemacht.«

»Hey, das ist aber alles andere als schmeichelhaft für meine Männlichkeit. Ich hatte gehofft, dass meine wilde Sexualität dich so in Versuchung führt, dass du die Hände gar nicht von mir lassen kannst.«

Phoebe lachte.

»Das war kein Scherz.«

»Oh doch, das war einer.«

Jetzt lachte er auch. »Na schön, vielleicht, aber nur halb.« Hutch wollte viel mehr als nur Freundschaft, aber dennoch würde er sie nie zu einer sexuellen Beziehung drängen, obwohl er ständig daran denken musste, mit Phoebe zu schlafen.

»Ein Wochenende am Strand – das ist genau das, was ich jetzt brauche.« Dankbar lächelte sie ihn an. »Ich fände es wundervoll, mal ein paar Tage rauszukommen.«

»Dann arrangiere ich das. Ich hole dich Samstagmorgen um acht ab, es sei denn, das ist dir zu früh, und wir fahren am Sonntagnachmittag wieder zurück.«

»Bestens. Ich werde kochen.«

»Nicht nötig. Es gibt sehr gute Restaurants in der Stadt.«

»Bitte, ich bestehe darauf. Meine Linguine mit Meeresfrüchten wirst du lieben.«

»Wenn du kochen willst, fein, aber nötig ist das wirklich nicht.«

»Doch, ist es. Und am Sonntag mache ich einen Brunch. Mein Käse-Omelett wird dir auf der Zunge zergehen.«

Hutch konnte den Blick nicht von ihr abwenden. »Vielleicht sollten wir morgen schon fahren, statt bis zum Wochenende zu warten.«

Zum ersten Mal an diesem Abend wirkte Phoebe entspannt und unbeschwert. »Das würde ich sehr gern«, erwiderte sie, »aber ich habe Patienten, die einen Termin bei mir haben.«

»Und ich Besprechungen in der Firma.«

»Also bleibt es bei Samstag.«

»Es bleibt bei Samstag. Und ich kann es kaum noch erwarten.«

20. Kapitel

Anne Marie Roche

Ellen packte ihr Köfferchen, als wollte sie einen ganzen Monat bei ihrer neuen Großmutter verbringen und nicht bloß einmal dort übernachten. »Was meinst du? Soll ich Thierry mitnehmen?«, fragte sie, den Plüschteddy im Arm, den sie sich in Frankreich gekauft hatte.

»Ich glaube kaum, dass er in deinen Koffer passt«, meinte Anne Marie, die in der Zimmertür ihrer Tochter stand. »Meinst du nicht, dass du eine Nacht ohne ihn auskommst?«

»Okay«, sagte Ellen und versuchte den Reißverschluss des kleinen Koffers zuzuziehen, der sich kaum noch schließen ließ. Baxter verdöste zusammengerollt auf ihrem Bett den Freitagnachmittag.

Anne Marie betrat das Zimmer. »Vielleicht sollte ich dir helfen, den Koffer zu schließen.«

»Das kann ich allein«, wehrte Ellen ab, und tatsächlich gelang es ihr, den Reißverschluss ganz zuzuziehen, auch wenn sie sehr viel Mühe damit hatte. Anschließend drehte sie sich um und lächelte Anne Marie triumphierend an. »Siehst du?«

Anne Maries Mutter hatte sich bereit erklärt, Ellen bei sich übernachten zu lassen. Das war nicht das erste Mal, dass Ellen bei Grandma Laura übernachtete. Es bedeutete Anne Marie viel, dass ihre Mutter die Adoption rückhaltlos unterstützt hatte, zumal ihr Verhältnis etliche Jahre lang schwierig gewesen war.

»Wir werden uns Filme ansehen und Popcorn essen, und morgen fährt Grandma Laura mit mir zum *Pacific Science Center*, und sie hat gesagt, ich darf mit der Schwebebahn fahren.«

»Du wirst am Samstag sehr viel Spaß haben.«

»Und was machst du?«, fragte Ellen, der offensichtlich gerade erst eingefallen war, dass Anne Marie allein zu Hause blieb.

»Na ja …« Auch Anne Marie hatte eine Menge vor. »Zunächst mal werde ich mich wieder mit Tim treffen.« Dass sie diese Aussage so formulierte, als handele es sich um eine Verabredung, war Absicht. Zwar wollten sie sich in einem Restaurant treffen, aber mit Romantik hatte das nichts zu tun. Tim hatte die Testergebnisse erhalten und sie um ein vertrauliches Gespräch gebeten. »Und dann …«

»Ich mag ihn«, fiel Ellen ihr ins Wort. »Er ist lustig.«

Anne Marie reagierte mit einem schwachen Lächeln. »Ja, er ist sehr nett«, stimmte sie zögernd zu. »Am Samstagnachmittag, wenn ich im Buchladen fertig bin, schaue ich mir mit einem Makler ein paar Häuser an«, fuhr sie fort, um schnellstmöglich das Thema zu wechseln.

Ellens Miene verdüsterte sich. »Ich will nicht umziehen. Mir gefällt's hier.«

Anne Marie wusste nur zu gut, wie ihre Tochter empfand. Genau deshalb hatte sie den Umzug so lange hinausgezögert. Ellen liebte ihre winzige Wohnung und die Freunde, die sie in der Blossom Street gefunden hatte. Die meiste Zeit ihres Lebens war sie von einer Pflegefamilie zur anderen geschoben worden, bevor sie ein Zuhause bei Grandma Dolores gefunden hatte.

Verständlicherweise sehnte sie sich nach Dauerhaftigkeit und Stabilität, und genau das wollte Anne Marie ihr auch bieten. Wann immer sie über einen Auszug aus der Wohnung sprachen, reagierte Ellen verängstigt. Deshalb hatte Anne Marie gewartet. Sie versuchte, das Ganze so umsichtig wie möglich anzugehen, um Ellens immer noch sehr zerbrechliches Sicherheitsgefühl nicht zu untergraben. Eigentlich hatte sie gehofft, noch diesen Sommer ein Haus zu finden und dort einzuziehen, bevor das nächste Schuljahr begann, aber das war inzwischen eindeutig nicht mehr realisierbar.

»Wenn wir erst mal in unserem neuen Haus sind, werden wir nie wieder umziehen«, versprach Anne Marie.

Ihr entging nicht, dass Ellen nicht weiter darüber reden wollte.

»Was tust du sonst noch?«, fragte das Mädchen.

»Am Samstagnachmittag hole ich dich ab, und wir besuchen Melissa, Michael und das Baby. Brandon kommt auch.«

Ellen strahlte und klatschte in die Hände. »Oh, wie schön!«

Im Laufe des letzten Jahres hatte sich Anne Maries Beziehung zu ihrer Stieftochter Melissa grundlegend gewandelt. Aus Feindseligkeit seitens Melissa hatten sich gegenseitige Zuneigung und Vertrauen entwickelt. Robert hätte sich sicher gefreut, hätte er gewusst, dass die beiden Frauen, die er am meisten geliebt hatte, zu engen Freundinnen geworden waren. Sein Sohn Brandon hatte immer auf Anne Maries Seite gestanden, und daran hatte sich nichts geändert.

»Bist du so weit, dass wir loskönnen?«

Ellen nickte und zerrte ihren schweren Koffer vom Bett.

Auf der Fahrt zum Haus ihrer Mutter erinnerte Anne Marie ihre Tochter daran, sich anständig zu benehmen. Notwendig war das nicht, denn Ellen war ein wohlerzogenes Kind. Anne Marie blieb noch, bis die Kleine ihren Koffer im Gästezimmer von Grandma Laura verstaut hatte. Dann umarmten sie sich zum Abschied, und Anne Marie fuhr weiter, während Ellen am Fenster stand, Grandma Laura hinter ihr, und eifrig winkte.

Vor Nervosität drehte sich Anne Marie fast der Magen um, als sie ihrem Ziel näher kam. Sie und Tim Carlsen hatten sich in einem Restaurant in der Nähe seiner Versicherungsagentur verabredet – so weit wie möglich von der Blossom Street entfernt.

Vierzig Minuten später stellte sie ihren Wagen in der Straße ab, die Tim ihr genannt hatte. Sie konnte sehen, dass er vor dem altmodischen Diner auf und ab lief, während er auf sie wartete. Ein Blick auf die Uhr verriet ihr, dass sie auf die Minute pünktlich war.

Tims Blick traf ihren, als sie die Straße überquerte.

»Lass uns reingehen«, sagte er knapp.

»Gut.« Sie wusste nicht, ob die Untersuchungsergebnisse gut ausgefallen waren. Ja, nicht einmal, was in dieser Situation als gut bezeichnet werden konnte. Für sie war nur offensichtlich, dass Tim nervös war. Das konnte bedeuten, dass er erfahren hatte, dass er Ellens leiblicher Vater war. Oder auch, dass er es nicht war.

Sie fanden einen freien Tisch in der Ecke und setzten sich einander gegenüber. Die Kellnerin kam mit der Kaffeekanne und begrüßte Tim herzlich. Offenbar war er ein häufiger und gern gesehener Gast, was Anne Marie nicht überraschte.

»Also«, fragte sie, »was hat du herausgefunden?«

Bevor er ihr antworten konnte, brachte die Kellnerin die Speisekarten. »Das Angebot heute ist paniertes Beefsteak. Der Koch bereitet es nach einem Rezept seiner Großmutter aus Texas zu«, verkündete sie stolz. »Außerdem gibt es Schälerbsensuppe.«

Als die Kellnerin wieder fort war, erkundigte sich Tim: »Hast du Hunger?«

Anne Marie schüttelte den Kopf, und prompt strafte ihr Magen sie Lügen. Er knurrte so laut, dass Tim es hören konnte.

»Die Suppe ist hausgemacht«, meinte er grinsend. »Das weiß ich, weil ich sie heute Mittag gegessen habe.«

Sein Lächeln faszinierte Anne Marie. »Na schön, ich nehme einen Teller Suppe, aber nur, wenn du auch etwas isst.«

Er stimmte zu, und als die Serviererin zurückkam, gaben sie beide ihre Bestellung auf. Einen Augenblick später wiederholte Anne Marie die Frage, die ihr seit seinem Anruf unter den Nägeln brannte. »Also, hast du die Ergebnisse?«

Tim nickte, holte einen Umschlag aus seiner Tasche und reichte ihn ihr. »Ellen ist meine Tochter«, erklärte er ohne Umschweife.

Wie betäubt starrte Anne Marie ihn an. Sie wusste nicht, was sie jetzt empfinden und wie sie reagieren sollte. Das erste Gefühl, das sie bewusst wahrnahm, war Angst.

»Ich möchte dich daran erinnern, dass Ellen jetzt meine Tochter ist«, brachte sie schließlich hervor. »Vor dem Gesetz hast du keinerlei Rechte an ihr. Du …«

Tim hob die Hand, um sie zu unterbrechen. »Keine Sorge. Ich habe nicht die Absicht, zu versuchen, sie dir wegzunehmen oder irgendwelche rechtlichen Schritte einzuleiten.«

Anne Marie stieß einen Seufzer der Erleichterung aus. »Danke.«

Den Blick auf den Tisch gesenkt, wickelte er sein Besteck aus und legte es samt der Serviette zur Seite. »Ich gebe zu, dass das Ergebnis mich erschüttert hat«, fuhr er leise fort.

»Ich dachte, du hättest es bereits gewusst.«

Jetzt sah er auf und ihr direkt in die Augen. »Ich habe es vermutet, aber als mein Verdacht bestätigt wurde, war ich doch geschockt.«

»Wie meinst du das?«

Er spielte mit seiner Gabel herum, betastete die Zinken. »Na ja, zum Beispiel hatte ich überwältigende Schuldgefühle, dass ich Candy sitzen gelassen hatte.«

»Wenn ich mich recht entsinne, wusstest du nicht einmal, dass sie schwanger war.«

Deshalb hatte er auch keinen Grund, sich schuldig zu fühlen. So sah sie das jedenfalls.

»Das stimmt, aber Candy hat versucht, mich zu informieren, und das macht mir zu schaffen.«

Fragend sah Anne Marie ihn an, aber er redete zunächst nicht weiter.

»Ich hatte ein langes Gespräch mit meinem Sponsor.«

»Deinem Sponsor?«

»Oh, entschuldige. Bei den Anonymen Alkoholikern kann man sich einen Sponsor suchen, eine Person, die erfolgreich trocken geworden und geblieben ist. Dieser Sponsor hört zu und macht Mut, wenn's nötig wird.«

»Verstehe.« Sie hätte wissen müssen, was er meinte.

Tim legte seine Gabel weg und griff nach seinem Löffel. »Zu wissen, dass ich ein Kind habe, hat mich stärker verunsichert als alles andere seit meiner Entwöhnungskur.«

»Ich kann mir vorstellen, dass es ganz natürlich ist, Reue und Schuldgefühle zu empfinden.«

»Ich möchte an Ellen etwas wiedergutmachen, und doch weiß ich, dass ich das nicht kann«, fuhr Tim fort. »Ich habe ein hübsches, intelligentes, entzückendes Kind, dem ich nicht einmal sagen darf, dass ich sein Vater bin, und das bringt mich um.« Aufgewühlt raufte er sich die Haare – eine Geste, die verriet, wie sehr er sich quälte.

Erneut suchte er ihren Blick. »Versteh mich bitte nicht

falsch. Ich mache dir keine Vorwürfe. Nicht im Geringsten. Wenn du nicht in Ellens Leben getreten wärst, dann wäre sie sicher nicht so gesund und glücklich, wie sie ist. Nachdem Dolores gestorben war, hätte Ellen wer weiß wo landen können. Ich kann mir nicht einmal sicher sein, ob ich meine Tochter gefunden hätte, wenn du nicht wärst. Oder gar die Chance gehabt hätte, mit Sicherheit festzustellen, dass Ellen meine Tochter ist.«

Trotz allem begann er Anne Marie leidzutun. »Hat dein Sponsor dir bei dieser Sache helfen können?«

Tim nickte. »Er meinte, ich müsste mir meine Gefühle eingestehen und sie akzeptieren. Das scheint mir sinnvoll. Andererseits habe ich noch gar nicht ganz verarbeitet, dass Ellen mein Fleisch und Blut ist.«

»Ja, nun …«

»Ich habe sie nur einmal getroffen, und trotzdem liebe ich sie. Ich meine, ich *liebe* dieses kleine Mädchen. Es gibt Jahre in meinem Leben, an die ich nur eine mehr oder weniger verschwommene Erinnerung habe. Jahre, die ich mit Dummheit und Selbstzerstörung verschwendet habe. Und doch ist Ellen aus diesem totalen Chaos hervorgegangen – etwas Kostbares, Unschuldiges, Vollkommenes, eben Ellen.«

»Ich schätze, deshalb sagt man, Gottes Wege seien unergründlich.«

Tim lachte. »Das stimmt auf jeden Fall.«

In diesem Moment kam die Kellnerin wieder und servierte: Suppe für Anne Marie und paniertes Beefsteak für Tim. Sie unterbrachen ihr Gespräch lange genug, um ihr Essen zu probieren.

Nach wenigen Bissen legte Tim seine Gabel wieder weg. »Würdest du mir erlauben, sie wiederzusehen?«

Anne Marie zögerte, hin- und hergerissen zwischen widerstreitenden Gefühlen: Mitleid mit Tim einerseits, Angst um ihrer selbst willen andererseits.

»Natürlich nicht allein. Du wärst immer dabei.«

Anne Marie wusste, wenn sie diese Tür erst einmal öffnete, konnte sie sie nicht wieder schließen. »Ich schätze, das geht in Ordnung«, sagte sie schließlich nach kurzem Zögern, weil sie das Gefühl hatte, Tim – und auch Ellen – dieses Eingeständnis schuldig zu sein.

Einen Moment sah sie, wie Tränen in seinen Augen schimmerten. »Danke«, flüsterte er. »Du bist freundlich und großzügig, obwohl ich beides nicht verdient habe.«

»Wir gehen das aber sehr langsam an«, warnte sie.

»Ganz so, wie du wünschst.«

»Ellen hält dich für meinen Freund, und ich denke, wir sollten sie in diesem Glauben lassen.«

»Einverstanden. Wann kann ich mich erneut mit euch beiden verabreden?«

»Wann würdest du denn gern?«

»Würde dir nächsten Sonntag passen?«

Anne Marie lächelte. »Ja, sehr gut sogar.«

»Ich habe ein Segelboot«, fuhr Tim erwartungsvoll fort. »Würdet ihr beide gern mit mir rausfahren?«

Anne Marie maßte sich nicht an, für ihre Tochter sprechen zu können, aber dass sie selbst gern segeln würde, wusste sie. »Klingt großartig!«

»Es liegt am Lake Washington. Ich könnte euch vom Buchgeschäft abholen. Sagen wir, um halb zwei?«

»Wir werden dich erwarten.«

Jetzt machte Tim sich mit großem Appetit über sein Abendessen her. Als er fast fertig war, hielt er inne und sah Anne Marie direkt ins Gesicht. »Danke«, wiederholte er noch einmal. »Für alles.«

»Du solltest Ellen danken. Sie ist diejenige mit der Liste.«

»Ihre zwanzig Wünsche.«

»Ja. Sie hat aufgeschrieben, dass sie ihren Vater kennenlernen möchte.«

»Und das ist geschehen.« Tim griff nach seinem Kaffee. »Das alles kann für dich nicht leicht sein. Ich verspreche dir, dass ich dein Vertrauen niemals missbrauchen und deine Regeln niemals missachten werde.«

»Ich vertraue dir. Außerdem warst du derjenige, der mich daran erinnert hat, dass Kinder einen Vater brauchen.«

Er lächelte wissend.

Während Anne Marie ihre Suppe aß, beantwortete sie seine Frage, wie sie und Ellen zueinandergefunden hatten. Sie wusste nicht so recht, warum, aber sie erzählte ihm von Robert und wie sie die schüchterne, wortkarge und in sich gekehrte Ellen kennengelernt hatte. Anne Maries Beziehung zu ihrer Tochter hatte ebenfalls mit einer Liste von zwanzig Wünschen begonnen.

»Ellen und still?«, fragte Tim. »Du machst Witze.«

»Sie ist erst ganz allmählich aus ihrem Schneckengehäuse rausgekommen.«

»Erzähl mir mehr von ihr. Erzähl mir alles, was dir einfällt.«

Gern kam Anne Marie Tims Bitte nach, und ohne dass sie es merkte, waren zwei Stunden vergangen. »Du meine Güte, ich habe geredet wie ein Wasserfall«, meinte sie lachend.

»Und ich habe jedes Wort genossen«, gab er zufrieden zurück. Sein Interesse war echt, und seine Liebe für die Tochter, die er nie gekannt hatte, rührte ihr Herz an.

»Hast du noch Lust auf einen Spaziergang?«, fragte er.

Genau wie sie hatte er es offenbar nicht eilig, wieder auseinanderzugehen.

»Gern.«

»Ich zeige dir die Versicherungsagentur, in der Dad und ich arbeiten.«

Sie nickte, interessiert an allem, was den Vater ihrer Tochter betraf.

Tim bezahlte für sie beide, und sie schlenderten die Straße hinunter. An der Versicherungsagentur angekommen, deutete er auf die Namen auf der Tür. »Ich hoffe, Ellen und meine Eltern bekommen die Gelegenheit, sich eines Tages kennenzulernen«, meinte er beiläufig. »Natürlich nur, wenn du einverstanden bist.« Anscheinend fürchtete er, etwas gesagt zu haben, das er nicht hätte sagen sollen.

»Irgendwann«, erwiderte sie, bereit, das in Erwägung zu ziehen.

»Sie haben nie den Glauben an mich verloren«, fuhr er fort. »Als ich noch Drogen nahm, waren sie hart. Sie hielten gar nichts von den Entscheidungen, die ich traf. Aber als ich dann am Boden war, war mein Vater für mich da. Meine Mom ebenso. Sie haben dafür gesorgt, dass ich eine Entziehungskur machen konnte.« Er hatte ihr nicht viel über die Zeit erzählt, die er als seine »vergeudeten Jahre« bezeichnete.

»Damals war ich völlig unfähig, irgendetwas für mich selbst zu tun. Ich brauchte Hilfe, und wie schon gesagt: Meine Eltern waren da.«

»Das klingt, als wären sie wunderbare Menschen.«

»Ja, das sind sie. Ich kann mich sehr glücklich schätzen. Viele Süchtige und Alkoholiker haben nicht den Rückhalt in der Familie, den ich habe. Das hat für mich die entscheidende Rolle gespielt.«

»Du bist jetzt seit acht Jahren clean und trocken?«

»Gott sei Dank, ja. Und mittlerweile sind es schon fast neun Jahre. Für mich gilt: Ich nehme immer nur einen Tag auf einmal in Angriff. Und so wird es immer bleiben. Jeden Donnerstagabend nehme ich an den AA-Treffen in der Suchtklinik teil. Es ermutigt die Leute, die einen Entzug durchmachen, andere zu sehen, die das Programm erfolgreich durchlaufen haben und so viele Jahre clean geblieben sind.«

Langsam schlenderten sie zurück und dorthin, wo Anne Marie ihren Wagen abgestellt hatte. »Danke für einen schönen Abend«, sagte sie. Es war tatsächlich ein schöner Abend gewesen – und das in vielerlei Hinsicht, was ihm vermutlich gar nicht klar war.

Tim hielt ihr die Autotür auf. »Gern geschehen. Und … ich danke *dir*.«

Er blieb am Bordstein stehen und winkte ihr kurz nach, als sie davonfuhr.

Auf dem Weg nach Hause fühlte Anne Marie sich ruhig und befreit von den quälenden Sorgen und der Angst, die sie noch vor ein paar Stunden beherrscht hatten. Sie war nicht darauf vorbereitet gewesen, Tim Carlsen sympathisch zu finden, aber sie mochte ihn.

Sie mochte ihn sogar sehr.

21. Kapitel

Lydia Goetz

Da hatte ich mir nun schon einmal einen Samstag freigenommen, was selten genug vorkam, und natürlich war es trübe und bedeckt. Brad und ich hatten den Kindern versprochen, bei schönem Wetter Fahrräder auszuleihen und damit den Green Lake zu umrunden. Casey bekam ganz große Augen, als ich das verkündete, und ich erfuhr, dass sie so etwas noch nie getan hatte. Normalerweise gingen Brad und ich zu Fuß um den See. Die drei Meilen verschafften uns Bewegung, und wir genossen die Landschaft, die Frieden und Heiterkeit ausstrahlte.

Als wir beim Aufwachen feststellen mussten, dass der Himmel bedeckt war, waren alle enttäuscht, besonders Cody. Casey sagte nicht viel, aber ich wusste, dass auch sie sich auf das Abenteuer gefreut hatte.

»Vielleicht regnet es ja gar nicht«, murmelte Cody, die Nase an die Scheibe des Wohnzimmerfensters gedrückt.

Kaum hatte er diese optimistische Aussage gemacht, öffnete der Himmel auch schon seine Schleusen. Normalerweise herrschte hier im Nordwesten an der Pazifikküste Nieselregen vor, aber an diesem Tag goss es wie aus Kübeln, und das Wasser prasselte so heftig auf den Gehweg, dass es nach allen Seiten spritzte.

»Leg einen Film ein«, schlug ich vor.

Brad hatte beschlossen, in der Garage zu arbeiten, und ich

wollte die Gelegenheit nutzen, meiner Tante Betty einen Brief zu schreiben. Sie war die Schwester meines Vaters und meine Patentante. Schon von jeher hatten wir eine ganz besondere Beziehung. Betty hatte keinen Computer, deshalb konnte ich ihr keine E-Mail schicken. Aber ich schrieb auch gern richtige Briefe auf dem Briefpapier, das sie mir zu Weihnachten geschenkt hatte.

»Welchen Film?«, fragte Cody lustlos, während er die DVDs, die neben dem Fernseher im Regal standen, durchstöberte.

Ich konnte hören, wie er und Casey darüber diskutierten, was sie sich anschauen wollten, und mir fiel auf, dass er Casey die Entscheidung überließ. Sie wählte *School of Rock* mit Jack Black. Diesen Film hatte Cody schon oft gesehen, und mir war klar, dass er sich bestimmt lieber etwas anderes angeschaut hätte. Er machte mich stolz damit, dass er die Wünsche eines anderen über seine eigenen stellte. Unser Sohn wurde langsam erwachsen!

Während der Film lief, schaute ich ab und zu nach den beiden. Irgendwann stellte ich fest, dass Cody ein Puzzle hervorgeholt hatte, das Brad im letzten Winter zusammengesetzt und dann wieder auseinandergenommen hatte. Es war ein tausendteiliges Puzzle mit einer Szene aus dem Bürgerkrieg und überstieg die Fähigkeiten unseres Sohnes bei Weitem. Da ich ihn aber nicht entmutigen wollte, sagte ich nichts.

Cody hatte den Esszimmertisch frei geräumt und die Puzzleteile darauf ausgeschüttet, genauso wie Brad es vor Monaten getan hatte. Dann stellte er den Karton mit dem Gemälde von *Picket's Charge* bei Gettysburg so auf, dass er ihn im Blick hatte, und begann alle Puzzleteile mit der Bildseite nach oben zu drehen, wie er es seinem Vater abgeschaut hatte.

Casey lümmelte sich auf dem Sofa und starrte auf den Fernseher. Chase lag auf dem Fußboden davor, und Casey ließ einen ihrer nackten Füße auf seinem pelzigen Rücken ruhen. Insgeheim fragte ich mich, warum sie nicht häkelte. Seitdem Margaret es ihr beigebracht hatte, verbrachte sie jede freie Minute mit einer Häkelnadel in der Hand. Inzwischen hatte sie schon fünf Waschlappen gehäkelt, und ich hatte ihr einige Garnreste gegeben, damit sie daraus Patchworkquadrate häkeln konnte. Das schien ihr Spaß zu machen.

Dann wurde mir bewusst, warum sie so lustlos vorm Fernseher abhing. Sie war enttäuscht, dass unser Ausflug buchstäblich ins Wasser gefallen war. Gerade wollte ich ihr versichern, dass wir ihn an einem anderen Tag nachholen würden, da fiel mir siedend heiß ein: Ja, das würden wir, aber es war durchaus möglich, dass wir das erst tun würden, wenn sie bereits in einer anderen Pflegefamilie untergebracht war. Und daran wollte ich weder sie noch sonst jemanden erinnern.

Nachdem ich meinen Brief geschrieben hatte, verschloss ich den Umschlag und machte mich auf die Suche nach einer Briefmarke. Ich dachte, es könnte vielleicht noch eine in der Esszimmeranrichte liegen. Als ich das Zimmer betrat, um nachzusehen, stellte ich fest, dass Casey sich nicht länger den Film anschaute, sondern neben Cody am Tisch saß.

»Du musst erst alle Randstücke finden«, sagte sie. »Pass auf, ich helfe dir.«

»Okay.«

Ehrlich, ich hätte nie geglaubt, die beiden irgendwann einmal so zusammenarbeiten zu sehen, ohne sich zu streiten oder herumzuzicken.

Kurze Zeit später hielt Cody triumphierend ein Eckstück hoch. »Sieh mal!

»Hey, das ist toll«, sagte Casey. »Wir fangen damit an und arbeiten uns von da aus vor.« Sie legte das Stück an der oberen Tischecke ab.

Ich fand die gesuchte Briefmarke und schaute noch einmal zu den beiden hinüber. Inzwischen hatte Cody offenbar etliche Puzzleteile anlegen können.

»*Ich* will das machen«, protestierte er im nächsten Moment laut dagegen, dass Casey ebenfalls einen kleinen Abschnitt hinzufügte, an dem sie gearbeitet hatte.

»Schon gut, schon gut«, murmelte Casey.

Na schön, vielleicht war ich doch etwas zu optimistisch gewesen, aber schon wenige Minuten später hatten sich beide wieder beruhigt und arbeiteten zusammen. Ich hörte sie nur noch ab und zu leise miteinander reden und hin und wieder zufrieden juchzen.

Gegen Mittag kam Brad zum Essen herein. Ich hatte Tomatensuppe erhitzt und dazu Käsesandwiches vorbereitet. »Was geht denn da drinnen vor?«, fragte er und deutete zum Esszimmer hinüber.

»Cody und Casey setzen gemeinsam ein Puzzle zusammen, dasselbe, das du letzten Winter gemacht hast.«

Er zog die Brauen hoch, sagte aber nichts dazu.

»Das Essen ist fertig, Kinder«, rief ich und steckte den Kopf zur Tür hinein. Sie hatten schon den gesamten Rand zusammengesetzt. Ich war beeindruckt. »Wie habt ihr es fertiggebracht, so viel in so kurzer Zeit zu schaffen?«

Ein Puzzleteil in der Hand, schaute Cody auf. »Casey kann das richtig gut.«

»He, du aber auch«, erwiderte sie.

Cody grinste übers ganze Gesicht, so sehr freute er sich. »Kann ich später essen?«, fragte er.

»Keinen Hunger?«

»Ich möchte lieber hier weitermachen.«

Ich wandte mich an Casey.

»Ich esse auch später. Wir können die Suppe ja wieder heiß machen.«

»Kein Problem.« Der Film war längst zu Ende und der Bildschirm schwarz geworden. Ich ging zum Fernseher, schaltete ihn aus und kehrte in die Küche zurück.

Brad und ich aßen allein, ein seltenes Ereignis in letzter Zeit.

»Das ist kein leichtes Puzzle, weißt du«, meinte er.

Ich stimmte zu. »Es scheint ihnen trotzdem Spaß zu machen.«

Brad verzehrte den Rest seines Sandwichs und stellte seine leere Suppenschale in die Spüle. Dann ging er ins Wohnzimmer zu den beiden Kindern und setzte sich auf einen Stuhl zwischen ihnen.

Nachdem ich das Geschirr in die Spülmaschine geräumt hatte, gesellte ich mich auch zur Familie. Gemeinsam arbeiteten wir an dem Puzzle, nur unterbrochen von einer kurzen Mittagspause für die Kinder, und erst etwa zwei Stunden später bemerkte ich, dass die Sonne ins Wohnzimmerfenster schien.

»Hat jemand Lust, mit dem Fahrrad um den Green Lake zu fahren?«, fragte ich.

Einen Moment schauten die drei mich verständnislos an, bevor sie begriffen, was ich gerade gesagt hatte.

»Hey!«, rief Cody und zeigte aufs Fenster. »Die Sonne ist rausgekommen.«

Casey begann vor Freude zu strahlen.

»Hat jemand Lust, die Tour um den See zu machen?«, wollte nun auch Brad wissen.

Er brauchte kein zweites Mal zu fragen. Cody und Casey gaben ihrer Begeisterung lautstark Ausdruck.

Nach einigem Hin und Her beschlossen wir, Chase zu Hause zu lassen. Cody protestierte zwar, aber ich hatte Angst, der

Hund könnte uns davonlaufen. Chase war im Allgemeinen gut erzogen, aber er hatte die schlechte Angewohnheit, weit vorauszulaufen, sodass wir ihm nachjagen mussten.

Am Green Lake angekommen, stellte ich erfreut fest, dass längst nicht so viel los war wie sonst. Genau wie wir hatten offenbar viele Familien ihre Wochenendpläne wegen des schlechten Wetters geändert.

Jetzt, nur wenige Stunden nach dem Regenguss, hing nicht eine Wolke mehr am Himmel. Wir erreichten den Fahrradverleih, und während Brad die Gebühren entrichtete und den Papierkram erledigte, half ich Cody und Casey, sich Räder auszusuchen und die Fahrradhelme anzulegen. Brad und ich beschlossen, diesmal auch mit dem Rad zu fahren, statt zu Fuß zu gehen.

Der Pfad rings um den See war gut angelegt, und Cody startete zuerst. Casey folgte ihm unmittelbar. Zweimal umrundeten wir den See, bevor wir uns ein Eis gönnten. Auf einer Bank am Weg sitzend, leckten wir alle vier an unseren Schokoeishörnchen, bemüht, das Eis zu essen, bevor es in der heißen Julisonne schmolz.

»Habt ihr von dem Patienten gehört, der während seiner Operation aus der Narkose erwachte, noch bevor der Doktor fertig war?«, fragte Brad die Kinder. Er stellte diese Frage völlig ernst, als hätte er in den Abendnachrichten davon gehört.

Cody schüttelte den Kopf. »Ich nicht.«

»Ich auch nicht«, sagte Casey.

»Anscheinend wollte der Mann seine Operation selbst zu Ende bringen. Der Chirurg erklärte, es fehlten nur noch die Nähte. Der Mann meinte, die könne er selbst erledigen. Also sagte der Chirurg: ›Nur zu!‹«

Cody stöhnte.

»Guter Witz«, meinte Casey grinsend. »Nur zu – was auch sonst.« Damit brach sie in Gelächter aus.

Cody stimmte mit ein, während ich die Augen verdrehte und an meinem Eis leckte. Brad war offensichtlich sehr mit sich zufrieden.

Casey sah mich an, und ihre Augen leuchteten vor Freude. Angesichts dieses Anblicks fiel es mir schwer, mich daran zu erinnern, dass dieses Mädchen dasselbe zornige, ablehnende Kind war, das vor ein paar Wochen vor unserer Tür gestanden hatte.

»Wann müssen wir die Räder zurückbringen?«, fragte Cody.

Brad warf einen Blick auf die Uhr. »In fünfzehn Minuten.«

Cody sprang auf. »Das reicht, um noch einmal um den See zu fahren.« Er griff sich seinen Helm und setzte ihn sich auf. »Wer zuletzt ankommt, ist ein toter Frosch.«

Als toter Frosch wollte ich jedenfalls nicht tituliert werden, also beeilte ich mich mit meinem Eis und sprang aufs Rad. Cody und Casey waren schon weit voraus. Brad ließ sich Zeit, rauschte aber schon kurz darauf an mir vorbei.

Natürlich kam ich als Letzte beim Fahrradverleih an – und das überraschte niemanden. Cody lehnte an der Wand des Gebäudes, die Beine lässig übereinandergeschlagen, als wartete er schon seit Stunden. Brad, der neben ihm stand, tippte auf die Uhr.

»Hier kommt Lydia, der tote Frosch«, verkündete mein Mann.

Casey krümmte sich vor Lachen, als wäre das die witzigste Bemerkung, die sie je gehört hatte. Glücklicherweise war ich ein guter Verlierer.

»Ihr drei solltet euch lieber vorsehen. Wer weiß, was heute Abend auf euren Teller kommt.« Ich hatte vor, Brad zu bitten, uns Hamburger zu grillen, aber das verriet ich Cody und Casey nicht. »Möchte jemand Frösche?«

Cody rückte an Casey heran und flüsterte laut: »Beim letzten Halloween hat Mom Monsteraugäpfel gemacht.«

»Igitt.« Casey tat so, als wäre sie entsetzt.

»In Wirklichkeit waren es Hackbällchen, aus denen eine grüne Olive rausschaute«, erläuterte Cody.

»Vergiss die Fledermausflügel nicht«, erinnerte ich ihn.

»Für mich sahen sie wie Hähnchenflügel aus, aber wer weiß?«, meinte Brad.

»Geister auch«, fügte Cody hinzu. »Die waren in Wirklichkeit aus Kartoffelbrei.«

Casey warf mir einen Blick zu. »Du hast sehr viel Fantasie.«

»Ich gebe mir Mühe«, erwiderte ich und legte ihr den Arm um den Nacken, während wir zurück zum Auto gingen.

Auf dem Weg nach Hause hielten wir bei einem Lebensmittelgeschäft und kauften Hamburgerbrötchen und frische Tomaten, obwohl Brad und Cody Letztere verabscheuten.

Aber Casey und ich mochten Tomaten und Käse auf unseren Hamburgern, und diese kleine Belohnung wollte ich uns auf jeden Fall gönnen. Während ich mir die schönsten Tomaten aussuchte, holten Brad und Cody an der Frischetheke Kartoffelsalat und gebackene Bohnen. Das würde ein perfektes Sommerfestmahl werden.

Zu Hause angekommen, heizte Brad den Grill an, und Casey und ich füllten alles in Servierschüsseln und deckten den Picknicktisch im Garten.

Chase und Cody rannten auf dem Rasen herum. Cody warf eine Frisbeescheibe, und der Hund fing sie jedes Mal.

»Möchtest du auch mal werfen?«, fragte Cody, als ich Caseys Hilfe nicht mehr brauchte.

Sie zuckte die Achseln. »Warum nicht?«

Ich konnte sehen, dass sie sich freute, und erneut hätte ich Cody am liebsten für seine Aufmerksamkeit geknuddelt. Unser Sohn konnte ungeheuer feinfühlig sein, und ich war sicher, dass das zumindest teilweise dem schwierigen Verhältnis zu seiner Mutter geschuldet war. Er hatte nicht viel erzählt von seinem Besuch bei Janice vor einer Woche, und ich hatte auch nicht gefragt. Brad war im Auto sitzen geblieben und hatte Radio gehört, während Cody in ihrer Wohnung war.

Wie jeder kleine Junge liebte er seine Mutter. Er liebte auch mich, und ich wollte nicht, dass er sich wegen der Gefühle für Janice schuldig fühlte. Es tat mir in der Seele leid für ihn, dass Janice so wenig Interesse an seinem Leben zeigte.

Während des Abendessens riss Brad noch ein paar seiner dummen Witze. Mir fielen ein paar alte Jokes ein, die mein Vater mir erzählt hatte, als ich noch klein war. Wir lachten laut und ausgelassen, als wären wir ungeheuer schlau und witzig, auch wenn wir das vermutlich gar nicht waren. Wir hatten einfach nur Spaß miteinander.

Nachdem wir gegessen und den Tisch wieder abgeräumt hatten, beschlossen wir, weiter an dem Puzzle zu arbeiten. Zu viert kamen wir sehr schnell voran.

Schließlich hatten wir keine Lust mehr und setzten uns gemeinsam vor den Fernseher, um uns einen Film anzuschauen, den Brad ausgeliehen hatte, als wir im Lebensmittelgeschäft gewesen waren. Beim Abspann begann Cody zu gähnen. Ein langer, ausgefüllter Tag lag hinter uns.

»Morgen früh geht's in die Kirche«, erinnerte Brad die beiden Kinder.

»Muss das sein?«, jammerte Cody.

Während der Sommerferien gab es keinen Kindergottesdienst. Das hieß, Cody musste mit Brad und mir im Hauptgottesdienst sitzen. Das tat er überhaupt nicht gern, aber sein Vater und ich hielten es für wichtig.

Casey war jede Woche mitgekommen, ohne etwas dazu zu sagen.

»Wir gehen alle«, bestimmte Brad.

»Du wirst froh sein, es getan zu haben«, sagte ich zu Cody.

»Nein, werde ich nicht.« Cody schmollte.

Ich musste lachen. Das war so typisch für ein Kind.

»Komm mit, Chase«, murmelte er und ging den Flur hinunter zu seinem Zimmer. Auf halbem Wege blieb er stehen – und kam zurück.

Ich dachte, er wollte versuchen, uns doch noch wegen der Kirche umzustimmen. Stattdessen aber umarmte er seinen Vater. Dann kam er zu mir und schlang mir beide Arme um die Taille.

»Ich hatte heute eine Menge Spaß.«

»Ich auch«, sagte ich und nahm ihn in die Arme.

Als Cody sich wieder seinem Zimmer zuwandte, sah ich den Schmerz in Caseys Augen.

»Hey, Casey«, sagte ich. »Willst du mich nicht auch umarmen?«

Sie wirkte unsicher.

Aber ich wartete nicht, ob sie zu mir kommen würde, sondern ging zu ihr und schloss sie fest in die Arme. »Ich bin froh, dass du heute dabei warst.«

Einen Augenblick lang dachte ich, sie würde nicht reagieren und mit hängenden Armen stehen bleiben, aber dann erwiderte sie die Umarmung doch. »Ich hatte auch viel Spaß.«

»Das freut mich.«

»Ehrlich gesagt«, flüsterte sie, »war das vermutlich der schönste Tag in meinem ganzen Leben.«

22. Kapitel

Phoebe Rylander

Das Wochenende in Westport mit Hutch war unglaublich, wunderschön und aufregend. Und das waren nur einige der Wörter, die Phoebe einfielen, um ihre gemeinsam verbrachte Zeit zu beschreiben.

Von der Wohnung konnte man auf der einen Seite auf den Pazifik hinausschauen und auf der anderen Seite auf Gray's Harbor. Der Ort bot viele malerische kleine Läden, hervorragende Fischrestaurants und Antiquitätenläden und wirkte völlig unverdorben.

Hand in Hand schlenderten sie barfuß am Strand entlang, und am Samstagnachmittag baute Hutch für sie beide riesige komplizierte Drachen zusammen, um sie gemeinsam steigen zu lassen. Phoebe stand am Ufer und krümmte sich vor Lachen über Hutchs Versuche, die Drachenleinen daran zu hindern, dass sie sich verhedderten. Später am selben Abend, nachdem sie Phoebes Linguine mit Meeresfrüchten gegessen hatten, saßen sie an einem Lagerfeuer am Strand. Es knisterte anheimelnd, immer wieder stoben Funken empor. Hutch legte ihr seinen Arm um die Schultern und zog sie an sich. Geredet wurde nicht, eine Unterhaltung schien ihnen beiden nicht nötig. Stattdessen schauten sie in die hypnotisierenden Flammen, während das Treibholz niederbrannte, und genossen es einfach, zusammen zu sein.

Am Sonntagmorgen bestand Phoebe darauf, ein Käseomelett zuzubereiten, das Hutch genauso überschwänglich lobte wie ihre Pasta am Abend zuvor. Am Nachmittag sank bei beiden ein wenig die Stimmung, als sie sich darauf vorbereiteten, in ihren Alltag zurückzukehren. Phoebe bedauerte, diesen idyllischen Ort verlassen zu müssen.

Hutch hatte sie etliche Male geküsst, und Phoebe genoss es, in seinen Armen zu liegen. Er drängte sie nicht, mit ihm zu schlafen, und hob sich damit angenehm von anderen Männern ab, mit denen sie ausgegangen war. Ganz besonders von Clark.

Während sie am Lagerfeuer gesessen und in die Flammen gestarrt hatte, war ihr aufgegangen, was der entscheidende Unterschied zwischen den beiden Männern war und warum sie immer wieder Ausreden gefunden hatte, die Hochzeit mit Clark aufzuschieben.

Hutch war aufrichtig, ungekünstelt, einfühlsam und warmherzig – alles Eigenschaften, die Clark praktisch nicht aufwies. Clarks ganze Welt drehte sich nur um ihn – um seine Karriere, seine ehrgeizigen Ziele, seine Bedürfnisse. Je länger ihre Trennung nun andauerte, desto mehr erkannte Phoebe, wie blind sie doch gewesen war. Im Grunde hatte sich seine Untreue als Segen erwiesen, trotz des Kummers und des Gefühls, verraten worden zu sein. Mittlerweile war sie mehr als dankbar, dass sie ihn nicht geheiratet hatte.

Als sie am Feuer über Clark nachgedacht hatte, waren ihr Tränen in die Augen geschossen. Sie empfand nichts als große Dankbarkeit darüber, die Wahrheit erkannt zu haben, bevor es zu spät war.

Hutch jedoch schien zu glauben, ihre Tränen hätten mit dem Tod ihres Verlobten zu tun. Zu gern hätte Phoebe ihm die

Wahrheit gesagt, und sie wusste, sie würde das bald tun müssen. Sie bereute zutiefst, ihn angelogen zu haben. Als sie sich den Kursteilnehmern vorgestellt hatte, war es ihr nur einfacher vorgekommen, zu lügen, als den komplizierten Sachverhalt zu erklären. An diesem Wochenende hatte sie vorgehabt, Hutch die Wahrheit über Clark zu erzählen, aber aus Angst war sie immer wieder davor zurückgescheut. Sie hatte ihre gemeinsame Zeit nicht ruinieren wollen und ihr Geständnis auf die lange Bank geschoben.

Gegen acht am Sonntagabend setzte Hutch sie an ihrer Wohnung ab. Sie ließ Princess ausgiebige Streicheleinheiten zukommen und gab ihr frisches Futter und Wasser. Dann schaute sie nach dem wild blinkenden Anrufbeantworter. Ein Blick auf die Anruferkennung zeigte ihr, dass die meisten Anrufe von Clark stammten.

Ohne sich auch nur einen einzigen seiner Versuche, sie zu erreichen, anzuhören, löschte Phoebe einen nach dem anderen, bis sie auf eine Nachricht ihrer Mutter stieß.

»Phoebe, wo steckst du? Warum gehst du nicht ans Telefon?« Die Stimme ihrer Mutter ließ erkennen, dass es ihr dringlich war. »Clarks Vater hatte einen schweren Herzanfall. Er liegt im Krankenhaus. Keiner weiß, wie es mit ihm weitergeht. Bitte, ruf Clark an, sowie du meine Nachricht abgehört hast. Ich kann nur beten, dass es dann noch nicht zu spät ist.«

Erschrocken schnappte Phoebe nach Luft. Sie hatte Clarks Vater immer gemocht, und die Vorstellung, Max könnte sterben, erschütterte sie zutiefst. Ohne nachzudenken, wählte sie Clarks Mobilnummer.

»Phoebe!«, meldete er sich. »Gott sei Dank, dass du anrufst.«

»Wie geht es deinem Vater?«

»Er hatte am Samstagmorgen eine Not-OP, und ihm wurden mehrere Bypässe gelegt. Wo warst du? Niemand schien zu wissen, wo du steckst.«

»Das ist unwichtig«, gab sie zurück. Sie schuldete ihm keine Erklärungen und dachte gar nicht daran, ihm zu sagen, dass sie das Wochenende mit Hutch in Westport verbracht hatte.

Ihre Worte schienen ihn zu ernüchtern. »Du hast natürlich recht. Hör mal, Phoebe, Dad wünscht sich, dass du ihn im Krankenhaus besuchst. Tust du das? Du weißt, wie sehr mein Vater an dir hängt.«

»Natürlich werde ich ihn besuchen.«

»Könntest du das jetzt sofort tun?«, fragte Clark leise.

»Jetzt?«

»Bitte. Es würde Dad unendlich viel bedeuten.«

»Ähm, ja … ich denke schon.«

Clark nannte die Zimmernummer seines Vaters im *Swedish Hospital*, und sie notierte sie sich auf dem Block neben dem Telefon. »Unter einer Bedingung«, sagte sie.

»Was immer du willst.«

Clark schien viel zu liebenswürdig. Vielleicht war sie ja zynisch, aber ihre Erfahrung sagte ihr, dass sie ihm nicht trauen konnte.

»Wenn ich deinen Vater jetzt besuche, will ich dich dort nicht sehen.«

»Aber …« Er zögerte.

»Abgemacht?«

»Phoebe, ich …«

»Das ist meine Bedingung, und entweder du akzeptierst sie, oder ich fahre zu einem anderen Zeitpunkt ins Krankenhaus.« Sie würde Max während der Arbeitszeit besuchen, denn wenn es etwas gab, worauf sie sich verlassen konnte, dann darauf, dass Clark nicht auftauchen würde, wenn er dafür seine Arbeit in der Anwaltskanzlei vernachlässigen müsste.

Wieder zögerte er. »Du hast dich verändert, Phoebe.«

Das wollte sie gar nicht leugnen. »Dank dir bin ich nicht mehr die leichtgläubige Frau, die ich mal war. Ich weigere mich, deine Spielchen länger mitzumachen.«

»Mein Vater droht zu sterben, Phoebe. Das ist kein Spiel.« Sein Ton klang ernüchtert.

»Ich werde kommen, Clark, aber wenn du irgendwo in der Nähe bist, dann garantiere ich dir: Ich mache auf dem Absatz kehrt und gehe.«

Clark lachte.

»Hältst du das für amüsant?«, fragte sie zornig. Sie war nicht bereit, sich von Clark manipulieren zu lassen, wie er das schon so oft getan hatte.

»Mir gefällt dein neues Ich«, meinte er schmeichelnd. »Ich bin dieser störrischen Ader schon hier und da begegnet, aber du wirkst jetzt viel entschlossener, und das fasziniert mich. Wenn du es so willst, Phoebe, dann soll es so sein.«

»Ich meine es ernst, Clark.«

»Daran zweifle ich keine Sekunde. Ich werde nicht in der Nähe des Krankenhauses sein. Versprochen.«

Unsicher, ob sie ihm trauen konnte, sagte sie nichts dazu. Wenn er doch »ganz zufällig« auftauchen sollte, würde sie ihre Drohung wahr machen und einfach gehen.

Nachdem Phoebe aufgelegt hatte, schloss sie einen Moment die Augen. Warum Max sie auf der Stelle sehen wollte, war ihr schleierhaft. War sein Zustand wirklich so kritisch, dass sie auf der Stelle zum Krankenhaus fahren musste?

Sie griff nach Pullover und Handtasche und eilte in die Parkgarage. Auf dem ganzen Weg zum Krankenhaus unterdrückte sie den Drang, Hutch anzurufen und ihm von der unerwarteten Wendung der Ereignisse zu berichten.

Aber sie konnte nicht mit Hutch über Clark reden, weil er glaubte, ihr Verlobter sei tot. Das war das Problem mit Lügen: Sie zogen unweigerlich weitere Lügen nach sich, und im Nu war man in einer Endlosspirale von Unwahrheiten gefangen. Und Hutch die Wahrheit zu gestehen war alles andere als einfach. Sie hatte es ihm sagen wollen. Hutch verdiente es, die Wahrheit über Clark zu wissen. Und doch hatte sie es nicht getan – aus Angst, ihr Betrug könnte ihre Beziehung vergiften. Aber je länger sie ihr Geständnis aufschob, desto peinlicher und unangenehmer wurde es, mit der Wahrheit herauszurücken.

Phoebe fand einen Parkplatz in einer Straße, die auch nach Sonnenuntergang gut beleuchtet sein würde, und ging das kurze Stück von dort bis zum Krankenhaus zu Fuß. Es lag nicht allzu weit von der Blossom Street entfernt.

Wenn sie so darüber nachdachte, hatte sie Clark im Grunde eine Menge zu verdanken. Ohne ihn hätte sie Alix, Lydia und Margaret nie kennengelernt, von Hutch ganz zu schweigen. Sie brauchte nur an ihn zu denken, und schon erfüllte sie freudige Erwartung.

Da sie wusste, in welchem Zimmer Max Snowden lag, nahm Phoebe direkt den Fahrstuhl zur entsprechenden Etage und betrat die chirurgische Station.

Im Krankenzimmer fand sie Marlene Snowden am Bett ihres Mannes vor. Sie hielt seine Hand. Glücklicherweise war Clark nirgends zu sehen.

Als Clarks Mutter Phoebe erblickte, ließ sie Max' Hand los und stand auf. »Phoebe! Ich bin ja so froh, dass du hier bist.«

Max schlug die Augen auf, lächelte und streckte ihr die Hand entgegen. »Meine Liebe.«

»Oh, Max.« Er wirkte bleich und schwach, so anders als der kräftige Mann, den sie kannte. »Es tut mir so leid, was passiert ist.«

»Es wird ihm schon bald wieder gut gehen. Es ist nur eine Frage der Zeit, wann er wieder auf dem Golfplatz steht und wir wieder im Countryclub tanzen werden. Nicht wahr, Max?« Sie schaute auf ihren Mann hinunter. »Natürlich müssen wir unseren Lebensstil ein wenig ändern, aber …«

»Ja, Marlene«, schnitt ihr Mann ihr das Wort ab.

Marlene Snowden seufzte. »Ich weiß, dass Max unter vier Augen mit dir reden möchte«, sagte sie und tätschelte ihm die Hand. »Ich lasse euch also eine Weile allein und gönne mir einen Kaffee.« Damit beugte sie sich vor und küsste Max auf die Stirn.

Phoebe sah ihr nach, bevor sie sich an Max wandte. »Was kann ich für dich tun?«, fragte sie ihn ganz offen.

»Du weißt, dass ich dich immer sehr gernhatte«, brachte Max heiser hervor.

Phoebe nickte. Diese Zuneigung beruhte auf Gegenseitigkeit.

»Ich war derjenige, der dich überredet hat, Clark beim ersten Mal noch eine Chance zu geben.«

»Ja.« Sie war von allen Seiten bedrängt worden, auch von ihrer eigenen Mutter, aber überzeugt hatte sie schließlich Max. »Du warst dir so sicher, dass es nie wieder vorkommen würde, aber es ist trotzdem geschehen, Max, und offen gesagt: Ich glaube nicht, dass Clark das jemals lassen wird.«

Angewidert schüttelte Max den Kopf. »Mein Sohn kann so ein Trottel sein.«

Sie drückte ihm die Hand, um ihm zu zeigen, dass sie seiner Meinung war.

»Ich hätte mich gefreut, dich zur Schwiegertochter zu haben – du wärst mir die Tochter gewesen, die ich nie hatte.«

Unnötig zu sagen, dass auch sie gern Teil der Familie Snowden geworden wäre.

Zu ihrem Entsetzen füllten sich Max' Augen mit Tränen. »Gibt es eine Chance, dass du bereit wärst, Clark zu verzeihen und ihn zu heiraten?«

Phoebe wusste kaum, wie sie reagieren sollte. »Ich …«

»Du brauchst mir nicht zu sagen, dass es Clark recht geschieht, wenn er dich verliert. Wenn er das nicht schon einmal getan hätte …« Er brachte den Satz nicht zu Ende und wandte den Kopf ab, um aus dem Fenster zu starren. »In meinem Herzen weiß ich, dass Clark dich liebt. Du bist gut für ihn, Phoebe. Wenn er mit dir zusammen ist, ist er ein besserer Mann.«

»Ich bin mir nicht sicher, dass das stimmt. Ich …«

Wieder fiel Max ihr ins Wort. »Auch wenn Marlene behauptet, ich würde mich komplett erholen, bin ich nicht davon überzeugt. Soweit ich das beurteilen kann, ist meine Uhr abgelaufen.«

»Oh, Max.« Phoebe biss sich auf die Unterlippe. Sie hatte nur vage Erinnerungen an ihren eigenen Vater, der in ihrem Leben kaum eine Rolle gespielt hatte. Von Anfang an hatte sie sich Max verbunden gefühlt. Er war wie ein zweiter Vater für sie.

»Ich möchte noch erleben, dass mein Sohn heiratet und solide wird. Außerdem würde ich eines Tages zu gern ein Enkelkind in den Armen halten. Aber jetzt weiß ich nicht, ob dieser Wunsch je in Erfüllung gehen wird.«

»Die ganze Sache hat dir einen ordentlichen Schrecken eingejagt«, sagte sie.

»Nein, es ist mehr als das, Phoebe.«

Sie schluckte schwer. »Weißt du irgendwas, das die Ärzte deiner Familie verschwiegen haben?«

Er antwortete nicht, wandte aber den Blick ab, und sie begriff, dass ihre Vermutung stimmte. Sie drückte seine Hand ein wenig fester.

»Ich liebe meinen Sohn«, murmelte Max. »Ich kenne seine Stärken und seine Schwächen. Und ich weiß, dass ihm der Schlamassel leidtut und dass er dich schrecklich vermisst. Er würde alles tun, um dich zurückzugewinnen.«

»Ich glaube nicht, dass das noch möglich ist«, flüsterte Phoebe.

»Wenn du bereit bist, es dir noch mal zu überlegen, könnte ich eine Klausel in mein Testament setzen.« Flehend schaute Max sie an. »Wenn Clark jemals wieder untreu wird, würde ich ihn enterben.«

»Max, ich …«

»Hör mich erst an«, flehte er. »Du wärst die alleinige Erbin – nicht Clark. Du und die Kinder, die ihr beide vielleicht einmal haben werdet.«

Da ihr klar war, wie weh es ihm tun musste, einen solchen Vorschlag zu machen, drückte Phoebe seinen Handrücken gegen ihre Wange. »Max, es tut mir leid, aber ich glaube wirklich nicht, dass das eine Lösung ist.«

»Denk darüber nach. Mehr verlange ich nicht.« Max lächelte zu ihr hoch, obwohl ihn das schier übermenschliche Anstrengung zu kosten schien.

»Du musst dich jetzt ausruhen.«

»Das werde ich«, sagte er, »aber ich würde viel besser schlafen, wenn ich wüsste, dass du noch einmal darüber nachdenkst, Clark zu heiraten.« Er schwieg einen Moment, als müsste er erst Kraft sammeln, um weiterzureden. »Clark gibt es vielleicht nicht zu, aber er braucht dich, Phoebe.«

Sie stimmte weder zu, noch stritt sie es ab. Inzwischen kannte sie Clark gut genug, um zu glauben, dass er weniger *sie* brauchte als vielmehr den Beweis dafür, sie manipulieren zu können. Was Clark vor allem wollte, war Macht – über jeden und alles um ihn herum.

»Du bist eine gute Frau.«

»Danke, aber …«

Max schloss die Augen, sichtlich geschwächt. »Clark hat seine Lektion gelernt.«

»Weiß er, warum du mich sehen wolltest?« Sie musste in Erfahrung bringen, ob Clark hier seine Finger im Spiel hatte, bevor sie Max versprach, es sich noch einmal zu überlegen.

»Ja«, flüsterte Max. »Er will dich unbedingt zurückhaben, Phoebe, unter jeder Bedingung, und er hat mich gebeten, ihm dabei zu helfen, dich zu überreden.«

Wie clever von ihm, dachte sie skeptisch. Da er Anwalt war, noch dazu ein sehr gerissener, konnten ihm die testamentarischen Verfügungen seines Vaters nicht ernstlich in die Quere kommen. Clark würde schon ein Schlupfloch finden und ganz gewiss nicht zulassen, dass sie ihm sein Erbe nahm. Das spielte aber auch alles keine Rolle.

Phoebe schüttelte den Kopf. »Max, ich will keinen Mann, der aufgrund einer Testamentsklausel an mich gefesselt ist«, sagte sie sanft. »Wenn Liebe und Hingabe nicht reichen, dann bleibt nichts mehr dazu zu sagen.«

»Das sehe ich auch so …«

»Dann sag mir, warum …«

»Die Tatsache, dass ich dich um so etwas bitte, zeigt nur, wie sehr ich mir wünsche, meinen Sohn in festen Händen zu sehen. Du bist ihm in jeder Hinsicht gewachsen. Clark ist nicht leicht zu lieben – das hat er bereits bewiesen.«

Gegen ihren Willen musste Phoebe grinsen.

»Ich hätte das nicht vorgeschlagen, wenn ich nicht glauben

würde, dass es ihm ehrlich leidtut. Er hat mir geschworen, dass so was nie wieder vorkommen wird.«

»Das hat er mir auch geschworen«, erinnerte Phoebe ihn. »Beim ersten Mal.«

Max runzelte die Stirn. »Wie schon gesagt, er verdient weder deine Vergebung noch deine Liebe.«

Phoebe rang mit sich selbst. Wie viel durfte sie Max erzählen? Dann entschied sie, dass sie ihn nicht täuschen durfte. »Ich habe jemand anderen kennengelernt, Max.«

Sein Blick trübte sich, und er schwieg minutenlang. »Das weiß Clark nicht, oder?«

Phoebe schaute weg. »Ich habe es ihm gesagt, aber er hat es nicht gut aufgenommen. Das ist einer der Gründe, warum ich darauf bestanden habe, dass er nicht hier ist. Sonst hätte ich dich nicht besuchen können.«

Max seufzte. »Verzeih einem alten Mann, dass er versucht hat, die Dinge in Ordnung zu bringen.«

»Es gibt nichts, was ich dir verzeihen müsste. Du liebst deinen Sohn.«

»Ich liebe auch dich, Phoebe. Ich wünschte, es wäre anders gekommen.«

»Ich auch.«

Max drückte ihre Hand. »Danke, dass du so ehrlich zu mir bist.«

»Ich würde mich freuen, wenn du Clark nichts von unserem Gespräch erzählst.«

»Das werde ich nicht«, versprach er.

»Phoebe«, erklang in diesem Moment Marlene Snowdens Stimme hinter ihr. Mit einer Tasse Kaffee in der Hand hatte sie das Zimmer betreten. »Du bist inzwischen also mit jemand anderem zusammen. Hat ja nicht lange gedauert, nicht wahr?«

»Marlene …«, protestierte Max.

»Clark hat es mir erzählt. Er saß in der Cafeteria, weil du dich geweigert hast, ihn zu sehen. Du warst an diesem Wochenende mit diesem anderen Mann zusammen, richtig?«, fragte Marlene Snowden schrill. »Kein Wunder, dass wir dich nicht erreichen konnten.«

Phoebe ignorierte ihre Anschuldigung.

»Wie kannst du es wagen, meinem Sohn vorzuwerfen, dass er dich betrügt! Wer im Glashaus sitzt, sollte nicht mit Steinen werfen.«

»Ich glaube, ich sollte jetzt gehen«, sagte Phoebe, küsste Max' Handrücken und verließ das Zimmer.

Glücklicherweise folgte Clarks Mutter ihr nicht. Sie wünschte Max nur das Allerbeste, und sie würde ihn schrecklich vermissen, aber seinen Sohn heiraten? Das konnte sie einfach nicht. Niemals.

23. Kapitel

Anne Marie Roche

Die Strandtücher unterm Arm, tigerten Ellen und ihre Freundin Hallie Reynolds ungeduldig in der Wohnung auf und ab und warteten auf Anne Marie.

»Beeil dich, Mom! Wir kommen zu spät«, rief Ellen.

»Nein, kommen wir nicht«, gab Anne Marie zurück, schnappte sich die Tube Sunblocker und warf sie in ihre Strandtasche. Eingecremt hatte sie die beiden Mädchen schon vorher. Sie wollten alle zum Erlebnisbad, und sogar jetzt noch war sich Anne Marie nicht sicher, warum sie sich von Ellen und Tim dazu hatte überreden lassen. Ihren Badeanzug trug sie unter T-Shirt und Shorts, aber ins Wasser wollte sie auf keinen Fall. Das würde sie Tim und den Mädchen überlassen. Sie hatte vor, sich in die Sonne zu legen und den Nachmittag lesend zu vertrödeln.

»Mom! Wenn du dich nicht beeilst, sind alle guten Plätze weg.«

»Ich bin fast fertig.« Hastig legte Anne Marie Lipgloss auf und warf noch einen letzten prüfenden Blick in den Badezimmerspiegel, fuhr sich mit der Bürste durchs Haar und setzte ihren brandneuen Strohhut auf. Besser ging's nicht.

Sie gesellte sich zu den Mädchen, die Arm in Arm dastanden. Sie hatten sich im Ferienprogramm kennengelernt und sofort Freundschaft geschlossen. In den letzten Wochen waren sie unzertrennlich geworden.

Nachdem sie Baxter noch mit frischem Wasser versorgt hatte, ließ Anne Marie die Mädchen ins Auto steigen. Die Aussicht, den ganzen Nachmittag im Erlebnisbad zu verbringen, ließ die beiden vor Vergnügen quietschen. Als Tim am letzten Wochenende diesen Ausflug vorgeschlagen hatte, war Ellen so aufgeregt gewesen, dass sie kaum hatte still sitzen können. Danach hätte Anne Marie den Vorschlag einfach nicht mehr ablehnen können. Deshalb opferte sie den einzigen freien Tag der Woche, trug einen alten Badeanzug, einen billigen Sonnenhut und eine Sonnenbrille.

Seit Jahren hatte sie diesen Badeanzug nicht mehr angehabt. Immerhin passte er, obwohl sie zugeben musste, dass er alles andere als modisch war. Das spielte aber keine Rolle, da ihn sowieso niemand außer Ellen zu sehen bekommen würde.

»Tim ist der *Freund* meiner Mutter«, wandte sich Ellen auf dem Weg zum Bad an Hallie. Sie freute sich sichtlich, diese Information weitergeben zu können.

Anne Marie biss sich gerade noch rechtzeitig auf die Zunge, bevor sie ihrer Tochter widersprechen konnte. Ihre Beziehung zu Tim war bei Weitem zu kompliziert, als dass sie sie hätte erklären können. Am Samstag hatte er sie im Buchladen abgeholt, und sie waren alle gemeinsam ins Kino gegangen. Anschließend hatte er sie zum Abendessen in eine Pizzeria eingeladen und dort diesen Ausflug vorgeschlagen.

Natürlich war Tim nicht ihr Freund, trotzdem genoss Anne Marie seine Gesellschaft. Genauso ging es Ellen, die inzwischen anfing, ein bisschen zu viele Fragen über die angebliche Romanze zu stellen.

Außer an jenem Abend im Diner hatte Anne Marie ihn nie allein getroffen. Immer war Ellen dabei. Unter solchen Umständen konnte nichts »Romantisches« passieren, und doch …

Anne Marie hätte nichts dagegen gehabt, wenn er versucht hätte, sie zu küssen. Oder sich mit ihr allein zu verabreden. Sie hätte nie erwartet, einmal in dieser Richtung an Tim zu denken. Plötzlich fiel ihr wieder ein, dass *sie* auf der Hochzeitsfeier ihrer Stieftochter Melissa den Brautstrauß gefangen hatte. Damals hatte sie gelacht und jedem gesagt, das könne nur ein Irrtum sein. Jetzt, so viele Monate später, hatte sie Tim kennengelernt, und plötzlich sah sie alles in einem anderen Licht. Sie fühlte sich zu ihm hingezogen, er war der Vater ihrer Tochter – anscheinend passte alles. Die Vorstellung, sie drei könnten eine Familie gründen, war so verführerisch, dass sie sich zwingen musste, vernünftig zu bleiben. Sie hatte angefangen, Luftschlösser zu bauen, und das musste ein Ende haben.

Am Ziel angekommen, fand Anne Marie erst am äußersten Ende des Parkplatzes eine freie Lücke.

Ellen und Hallie zappelten herum. Sie hatten es eilig, ins Wasser zu kommen. Kaum hatte Anne Marie den Motor ausgeschaltet, öffneten die beiden Mädchen ihre Sicherheitsgurte und sprangen aus dem Auto. Anne Marie blieb nichts anderes übrig, als allein die Strandtasche mit den Luftmatratzen, der trockenen Kleidung und allem anderen hinter ihnen herzuschleppen. Als sie sich dem Kartenschalter näherten, sah sie Tim dort wie verabredet auf sie warten.

Bei ihrem Anblick eilte er sofort herbei und nahm Anne Marie die schwere Tasche ab.

»Danke«, murmelte sie.

Er lächelte ihr zu und wandte sich dann an die Mädchen. »Seid ihr bereit für ein bisschen Spaß?«

Schrilles Freudengeheul war die Antwort.

Im Bad suchten sie sich ein schattiges Plätzchen, an dem sie ihre Strandtücher und alle anderen Utensilien ablegten. Tim half Anne Marie, die Decke auszubreiten, die sie mitgebracht hatte, während die Mädchen, die es keine Sekunde länger aushielten, zum Wellenbecken rannten.

»Geh ruhig, Tim«, sagte Anne Marie. »Ich bleibe hier.«

»Kommst du nicht auch ins Wasser?«, fragte er enttäuscht.

»Später vielleicht.« Sie streifte ihre Sandalen ab und kramte ein Taschenbuch hervor, das sie schon lange hatte lesen wollen. »Ich halte hier die Stellung«, erklärte sie und ließ sich im Schneidersitz auf der Decke nieder. Sie hatten Glück gehabt und sich ein Plätzchen auf dem Rasen vor dem Wasser sichern können.

Schnell zog er sich das T-Shirt über den Kopf, warf es auf die Decke und rannte zum Wellenbecken. Natürlich fiel ihr auf, dass sein Körperbau beeindruckend war: wohlgeformte Muskeln, breite Schultern. Vermutlich machte er Krafttraining, hatte aber trotzdem nicht die aufgeblasenen Muskelpartien der Kraftprotze, die sie verabscheute. Er alberte mit den Mädchen herum, als wäre er selbst erst neun Jahre alt.

Währenddessen versuchte Anne Marie zu lesen. Schon bald aber gab sie es auf, auch nur so zu tun, als folgte sie der Romanhandlung. Stattdessen beobachtete sie lieber Tim und die Mädchen.

»Das ist doch albern«, brummelte sie schließlich in sich hinein, zog T-Shirt und Shorts aus und watete in das Wasserbecken. Das Wasser war so kalt, dass sie nach Luft schnappte, aber nach etwa ein oder zwei Minuten hatte sie sich an die Temperatur gewöhnt. Die Wellenmaschine, die in Abständen abgeschaltet wurde, lief gerade nicht.

Ellen und Hallie stürmten auf sie zu, und Anne Marie hob instinktiv beide Hände. »Ich würde gern verhindern, dass meine Haare …«

Sie hatte keine Chance, den Satz zu Ende zu bringen, denn zwei Jungs im Teeniealter beschlossen spontan, sich eine Wasserschlacht zu liefern. Anne Marie stand genau zwischen ihnen und war binnen Sekunden von oben bis unten nass. Die Haare hingen ihr triefend ins Gesicht, und sie wischte sich blinzelnd über die Augen, um wieder freie Sicht zu bekommen.

So viel zu ihrem Plan, weitgehend trocken zu bleiben.

»Soll ich die beiden ordentlich nass spritzen?«, fragte Tim. Er gab sich keine Mühe, seine Belustigung zu verbergen. »Ich verteidige gern deine Ehre.«

Anne Marie spielte mit, faltete theatralisch die Hände und klimperte wie wild mit den Wimpern. »Mein Held!«

»Mom, guck mal!«, rief Ellen und tauchte ab. Sekunden später hoben sich ihre dünnen Beine senkrecht in die Luft, als sie einen Handstand im Wasser machte. Sie tauchte wieder auf und strich sich die nassen Haare aus den Augen. »Hast du das gesehen? Hast du das gesehen?«

»Mir war gar nicht klar, dass du so agil bist«, meine Anne Marie neckend.

»Was bedeutet agil?«, fragte Hallie.

»Gelenkig«, erläuterte Tim.

Verständnislos schaute Hallie Ellen an.

»Er meint, ich bin begabt«, erklärte Ellen.

»Das bin ich auch!« Hallie machte ihr den Handstand nach, und einen Augenblick später ragten von beiden Mädchen nur noch die Beine aus dem Wasser.

Eine Glocke kündigte an, dass die Wellenmaschine gleich wieder eingeschaltet werden würde. Beim Zusehen war Anne Marie zu dem Schluss gekommen, dass die Wellen harmlos wirkten – zumindest sah es vom Beckenrand her so aus.

»Geh da weg, Mom«, warnte Ellen.

»Ich komm schon klar«, erwiderte Anne Marie.

Tim, der mit beiden Mädchen in der Nähe des Beckenrandes stand, rief ihr zu: »Du solltest lieber ins flachere Wasser kommen.«

»Würdet ihr zwei bitte den Quatsch lassen?«, rief Anne Marie, gerade als die erste Welle sie traf. Sie wurde von den Beinen gerissen und durchs Wasser gewirbelt. Als sie keuchend und japsend wieder hochkam, hörte sie, wie alle drei sich vor Lachen ausschütteten.

»Sehr witzig«, brachte sie mühsam hervor. Mit beiden Händen an der Kehle tat sie so, als hätte sie Wasser geschluckt und bekäme keine Luft mehr, und schon bald klopften die beiden Mädchen ihr kräftig auf den Rücken.

Anne Maries größte Sorge galt dem Sonnenschutz der Mädchen. Während des Nachmittags cremte sie sie wiederholt mit Sunblocker ein. Ellen revanchierte sich, indem sie Anne Marie den Rücken eincremte. Irgendwann ertappte Anne Marie Tim dabei, dass er sie beobachtete – und ihr kam der Verdacht, dass er ganz gern derjenige gewesen wäre, der ihr Sonnenmilch auf den Rücken rieb. Das war ein schönes Gefühl, und sie gab sich ihm etliche Minuten hin.

Bis kurz nach fünf blieben sie im Bad, und obwohl die Mädchen inzwischen todmüde waren, protestierten sie, als Tim erklärte, es sei Zeit zum Aufbruch. Um ein Friedensangebot bemüht, bot er an, ein Abendessen bei McDonald's zu spendieren. Kurzerhand steuerten sie ein Restaurant in der Nähe des Erlebnisbades an, und Tim kaufte Cheeseburger, Pommes frites und Milchshakes für alle. Anne Marie konnte sich nicht erinnern, wann sie das letzte Mal mit solchem Appetit gegessen hatte. Sie genoss jeden einzelnen Bissen und leerte ihren Milchshake bis auf den letzten Tropfen.

Nach der Mahlzeit fühlte sie sich völlig entspannt und zufrieden. Während die Mädchen den Spielplatz erkundeten, saßen sie und Tim noch eine Weile im Gespräch zusammen.

»Danke. Das hat sehr viel Spaß gemacht«, sagte sie. »Ich wollte eigentlich nicht ins Wasser gehen, bin aber froh, dass ich es doch getan habe.«

Sein Blick hielt ihren einen langen Moment fest. »Ich bin auch froh, dass du es getan hast.«

Anne Marie lächelte. »Ich hatte keine große Wahl, oder?« Irgendwann hätten die Mädchen sie ins Wasser gezerrt, so oder so.

Tim warf einen Blick zu Ellen hinüber, die auf die große rote Rutsche geklettert war. »Sie ist umwerfend. So selbstbewusst, so voller natürlichem Charme …«

Anne Marie nickte und genoss die Gelegenheit, ihre Tochter mit den Augen eines anderen zu sehen.

»Was hältst du davon, wenn wir zwei – nur du und ich – einen Abend gemeinsam essen gehen?«

Ihr Herz setzte einen Schlag lang aus. »Warum nicht«, sagte sie, bemüht, beiläufig zu klingen. Tatsächlich war sie begeistert davon, Tim wiederzusehen. Allein. Ohne Kinder. Ihr Tagtraum erwachte zum Leben …

»Wie wäre es mit Freitag?«

»Freitag passt mir gut.« Schließlich musste sie nicht erst im Kalender nachschauen – am Freitagabend hatte sie selten etwas vor.

»Nicht weit von der Blossom Street gibt es ein wunderbares italienisches Restaurant«, sagte er. »Ihre mit Parmesan überbackenen Auberginen sind ein Gedicht.«

»Du magst Auberginen?«, fragte sie und rümpfte angewidert die Nase.

»Sehr gern so.«

Anne Marie schauderte es.

»Würdest du lieber woanders essen?«

»Oh nein, sie haben bestimmt noch etwas anderes als Auberginen auf der Speisekarte. Ich liebe Pasta.«

Tim grinste. »Dann bleibt's beim Italiener.«

Anscheinend hatten die beiden Mädchen genug gespielt, denn sie kamen lachend zurückgerannt.

»Seid ihr bereit zum Aufbruch?«, fragte Anne Marie.

Ellen und Hallie nickten.

Als Tim sich erhob, wandte sich Ellen an ihn, einen seltsamen Ausdruck im Gesicht. »Du kannst meine Mom küssen, wenn du willst«, flüsterte sie laut.

»Ellen!« Anne Marie war geschockt. Sie konnte sehen, dass Tim nur mühsam ein Grinsen unterdrückte.

»Offen gesagt, habe ich genau darüber gerade nachgedacht«, verkündete er, beugte sich vor und drückte Anne Marie einen lauten Schmatzer auf die Wange.

Ellen runzelte die Stirn. »Das war kein *richtiger* Kuss. Nicht so wie im Kino.«

»Das liegt daran, dass Erwachsene sich im Dunkeln küssen«, bemerkte Hallie. »Sie mögen es nicht, wenn Kinder zugucken.«

»Oh.« Offenbar leuchtete die Erklärung Ellen ein.

Auf dem Parkplatz trennten sich Anne Marie, Ellen und Hallie von Tim. Allerdings bestand er darauf, ihnen zur Blossom Street zu folgen. Nachdem sie Hallie bei ihren Eltern abgesetzt hatten, kamen sie erst kurz vor halb acht zu Hause an. Ellen hatte Mühe, die Augen offen zu halten.

»Komm schon, Schlafmütze«, forderte Anne Marie sie auf.

Ellen schleppte sich müde die Treppe hinauf und ließ ihr Strandtuch dabei über den Boden schleifen. Baxter begrüßte die Heimkehrer begeistert. Zweifellos wartete er bereits auf sein Futter, seinen Spaziergang und natürlich jede Menge Streicheleinheiten.

Anne Marie fütterte den Hund und steckte dann Handtücher und Badeanzüge in die Waschmaschine. Tim bot an, kurz mit Baxter Gassi zu gehen, und sie nahm sein Angebot gern an. Als er mit dem Yorkie zurückkam, war Ellen bereits auf dem Sofa eingeschlafen. Tim küsste sie auf die Stirn, blieb aber nur noch einen Moment und schlug den angebotenen Kaffee oder Tee aus. Anne Marie musste zugeben, dass sie enttäuscht war, weil er die Gelegenheit, auch *sie* zu küssen, nicht ergriff.

Nachdem er sich verabschiedet hatte, trug sie ihre Tochter in ihr Zimmer. Sie zog sie gar nicht erst aus, sondern steckte sie einfach ins Bett und deckte sie mit einem frischen, kühlen Laken zu. Der Tag war lang und anstrengend gewesen. Und aufregend schön …

Das Telefon klingelte, als Anne Marie die frisch gewaschenen Sachen aufhängte. Der kleine Waschraum grenzte direkt an die Küche, und sie stürzte hinaus, damit das klingelnde Telefon Ellen nicht weckte.

»Hallo«, meldete sie sich leise.

»Anne Marie?«, fragte ihre Freundin Barbie. »Alles in Ordnung? Du klingst so anders.«

»Ich habe gerade einen ganzen Nachmittag mit Ellen und Tim in einem Erlebnisbad verbracht. Ellen schläft schon, und ich bin völlig fertig. Wer hätte gedacht, dass Schwimmen so anstrengend sein kann?«

Barbie lachte. »Es kann auch eine Menge Spaß machen.«

Natürlich wusste Anne Marie, wie sehr Barbie und Mark die Stunden genossen, die sie in ihrem Schwimmbecken verbrachten. Mark war an den Rollstuhl gefesselt und schätzte die Freiheit, die das Wasser ihm schenkte.

»Das hat es. Wir hatten einen Mordsspaß.«

»Demnach läuft alles bestens mit Tim?«

»Ja ...« Anne Marie war sehr skeptisch gewesen, als Tim sich zum ersten Mal bei ihr gemeldet hatte, aber inzwischen reagierte sie völlig anders auf ihn. Das bewies schon die Art und Weise, wie sie seine Einladung aufgenommen hatte. Es wird Zeit, dass wir einander richtig kennenlernen, entschied sie. Zeit, meine wachsenden Gefühle für ihn auf die Probe zu stellen.

»Du fühlst dich zu ihm hingezogen, oder?«

»Ja, das stimmt«, gab Anne Marie zu. »Er ist einfach wunderbar zu Ellen, und er respektiert, dass ich jetzt ihre Mutter bin.« Da sie jemanden gebraucht hatte, dem sie sich anvertrauen konnte, hatte Ellen mit Barbie über ihre Befürchtungen gesprochen, als Tim sich erstmals bei ihr meldete.

»Aber da ist noch mehr, richtig?«

Barbie schien über eine besondere Intuition zu verfügen, wenn es um Beziehungen ging. »Romanzenradar« nannte sie es. »Tim hat mich zum Essen eingeladen.«

»Dich allein?«

»Mich allein. Für Freitagabend.«

»Warum bringst du Ellen nicht einfach zu uns? Weißt du, eigentlich habe ich angerufen, um euch beide für Freitagabend zu einer Poolparty einzuladen. Mom und Hector kommen auch.«

»Ich möchte euch Ellen nicht aufdrängen.«

»Du machst ja wohl Witze? Sie würde uns überhaupt nicht stören. Hector kann eine seiner Großnichten mitbringen, und dann sind die beiden prima beschäftigt.«

»Oh, Barbie, das wäre großartig.«

»Hat Tim dich schon geküsst?« Zurückhaltung gehörte nicht zu Barbies Stärken.

Anne Marie glaubte nicht, dass der Schmatzer auf die Wange zählte.

»Hat er, nicht wahr?«

»Technisch gesehen schon – aber das war nur Show.«

Barbie lachte. »Mach dir nichts vor. Das ist doch ideal, findest du nicht?«

»Was ist ideal?«, fragte Anne Marie zurück, obwohl sie im Grunde genauso empfand. Sie war dabei, sich in diesen Typen zu verlieben, der zufällig der leibliche Vater ihrer Adoptivtochter war.

»Für Ellen wäre das absolut perfekt«, fuhr Barbie fort.

»Vielleicht …« Anne Marie gefiel es selbst nicht, dass sie so zögerlich reagierte. Sie hatte Hoffnung geschöpft, eine Beziehung zwischen ihr und Tim sei möglich, aber so ganz mochte sie noch nicht daran glauben. »Meinst du wirklich?«

»Natürlich. Ellen hätte die Mutter, die sie liebt, und ihren leiblichen Vater. Das hätte sich nicht besser fügen können, wenn du es geplant hättest.«

»Habe ich aber nicht.«

»Eben! Genau deshalb ist es ja perfekt.« Sie machte eine kurze Pause. »Du musst mir was versprechen.«

»Okay.«

»Versprich mir, dass du mir alles erzählst, wenn du Freitagabend kommst, um Ellen abzuholen. Ach ja – außerdem möchte ich ihn bald mal kennenlernen.«

Ein paar Minuten später legte Anne Marie fröhlich grinsend auf. Trotz Barbies Optimismus hoffte sie, dass sie sich nicht zu viel von ihrem Date versprach. Zugleich fühlte sie sich aber von Tims Einladung zum Essen ermutigt.

Sie spürte, dass er sich genauso zu ihr hingezogen fühlte wie sie sich zu ihm. Außerdem erwischte sie sich viel zu oft dabei, dass sie an ihn dachte, an sie beide – und an ihre Tochter.

Am meisten fürchtete sie sich jedoch davor, eine größere Enttäuschung zu riskieren – eine Enttäuschung, die auch Ellen wehtun würde.

24. Kapitel

Lydia Goetz

»Casey!«, brüllte Cody aus voller Lunge. »Telefon!«

Casey steckte den Kopf aus ihrem Zimmer. »Telefon? Für mich?« Sie klang mehr als nur ein bisschen überrascht.

In den anderthalb Monaten, die sie jetzt bei uns lebte, hatte sie noch keinen einzigen Anruf erhalten. Auf meine Frage, warum das so sei, hatte sie nur die Achseln gezuckt und mit einer Gegenfrage geantwortet. »Wozu Freundschaften schließen, wenn ich am Ende des Sommers doch wieder wegziehe?«

Das warf eine weitere Frage auf, die ich jedoch nicht stellte. Evelyn Boyle hatte mir gesagt, Casey habe den größten Teil des Schuljahres eine Schule in diesem Viertel besucht. Wollte Casey tatsächlich sagen, dass sie die ganze Zeit mit niemandem Freundschaft geschlossen hatte? Natürlich war es auch möglich, dass keine ihrer Schulfreundinnen am Sommerprogramm teilnahm. Aber warum blieb sie nicht in Kontakt mit ihnen? Mir kam es nicht natürlich vor, sich absichtlich mit niemandem anzufreunden, und sei es auch nur für kurze Zeit. Ich hatte in meiner Kindheit sowohl in Ferienlagern und -programmen als auch in Urlauben immer Freundschaften geschlossen. Manche dieser Freundschaften hielten nur kurz, aber fast alle waren mit schönen Erinnerungen verbunden.

Mir war bereits aufgefallen, wie zögerlich Casey sich anderen öffnete. Das erklärte, warum sie Wochen gebraucht hatte, um für etwas anderes als die Mahlzeiten ihr Zimmer zu verlassen. Sie mochte uns alle drei, das konnte ich erkennen, und sie lernte und tat gern neue Dinge. Brad und ich hatten sie lieb gewonnen. Ja, wir waren sogar schon so weit gewesen, dass wir ernstlich darüber gesprochen hatten, sie als Pflegetochter aufzunehmen. Aber Evelyn hatte schon eine gute Pflegefamilie für sie gefunden und alles arrangiert.

Inzwischen war Casey zweimal zum Wollgeschäft gekommen und hatte dort für mich gearbeitet. Wobei arbeiten leicht übertrieben war. Sie wollte helfen, also ließ ich sie Preisschilder auf Wolldocken kleben und die Regale auffüllen. Obwohl sie ein paar Fehler machte, bezahlte ich sie für ihre Hilfe.

Innerhalb einer halben Stunde hatte sie die ersten zwanzig Dollar ausgegeben – für eine Hülle für einen iPod, den sie gar nicht besaß. Die zweiten zwanzig Dollar hielten ein bisschen länger vor, nämlich etwa zwei Stunden.

Auch im Unterricht schien Casey mittlerweile besser mitzukommen. Ich war überzeugt, dass das Brads Verdienst war, der inzwischen jeden Abend ihre Hausaufgaben kontrollierte. Er bewies grenzenlose Geduld, als er sich mit ihr zusammensetzte, um ihr die Bruchrechnung zu erklären. Das Konzept war für Casey nahezu unbegreiflich.

Es schien sie zu beruhigen, als ich ihr sagte, ich hätte auch Probleme mit der Bruchrechnung. Für sie platzte der Knoten beim Kuchenbacken. Ich hatte verschiedene Rezepte für sie gesammelt, und sie machte sich mindestens zweimal die Woche daran, zu backen. Seit ihrem Einzug bei uns hatten wir schon mehr Kuchen gegessen als in den vergangenen zwei Jahren.

Sie war gerade dabei, einen Teig zu mixen, als Brad sie darauf hinwies, dass sie Wasser und Öl nicht einzeln zugeben musste, wenn sie es schaffte, zum Beispiel eine und eine viertel Tasse

Wasser zu einer drittel Tasse Öl im selben Messgefäß zu geben. Die beiden lösten die Aufgabe gemeinsam. Diese praktische Anwendung vom Bruchrechnen half, und zum ersten Mal schien sie das Konzept wirklich verstanden zu haben.

Ich wartete immer noch darauf, dass Casey endlich ans Telefon ging. »Wer ist es denn?«, rief sie.

»Weiß ich nicht«, rief Cody zurück. »Ein Junge.«

Ich lächelte. Das war ja mal eine interessante Entwicklung.

Als hätte sie überhaupt kein Interesse, den Anruf entgegenzunehmen, kam Casey langsam aus ihrem Zimmer und trödelte durch den Flur.

Ich saß strickend im Wohnzimmer, während Brad Zeitung las – mit anderen Worten, wir waren mit den typischen Dingen beschäftigt, die wir nach dem Abendessen taten. Ich belauschte Caseys Telefonat nicht, war aber erleichtert, dass sie offenbar doch Freundschaften schloss.

Das Gespräch war nach weniger als fünf Minuten beendet. Ich zuckte zusammen, als sie den Hörer hinwarf und in ihr Zimmer zurückrannte. Dann knallte sie ihre Tür so heftig zu, dass die Wände im ganzen Haus wackelten.

Brad blickte von seiner Zeitung auf. »Was ist denn nun los?«

»Keine Ahnung, aber ich schätze, ich sollte es in Erfahrung bringen.«

Er nickte zustimmend.

Ich gab Casey zehn Minuten, um sich zu beruhigen. Nach Ablauf der Zeit klopfte ich sacht an ihre Zimmertür.

Sie reagierte nicht.

»Casey?«, rief ich. »Was ist los?« Ich hütete mich zu fragen, *ob* irgendetwas nicht stimmte. Aus Erfahrung war mir klar, dass sie diese Frage verneinen würde.

Keine Antwort.

Vorsichtig öffnete ich die Tür und trat ein. Sie lag lang ausgestreckt auf ihrem Bett, das Gesicht im Kissen vergraben, weinte aber nicht. Allerdings hatte ich Casey auch noch nie weinen sehen.

Neben ihrem Bett blieb ich stehen und strich ihr sanft übers Haar. Sie schüttelte meine Hand ab.

»Ich … brauche … niemanden.« Jedes einzelne Wort presste sie zwischen zusammengebissenen Zähnen hervor.

»Wer war am Telefon?«

»Niemand.«

»Schwierig für *niemanden*, hier anzurufen.«

Ganz offensichtlich wusste sie meinen schwachen Versuch, einen Witz zu machen, nicht zu schätzen. Ein paar Minuten blieb ich bei ihr, aber ihre Körpersprache verriet mir eindeutig, dass sie mich nicht in ihrem Zimmer haben wollte. Je länger ich blieb, desto mehr verspannte sie sich. Deutlicher hätte sie mir nicht zeigen können, was sie empfand.

Nur äußerst ungern gab ich zu, wie entmutigt ich war. Ich war bereit, Casey zuzuhören und sie zu beruhigen. Ich wollte, dass sie sich mir anvertraute. Zu gern hätte ich sie in den Arm genommen und ihr gezeigt, wie wichtig sie mir war. Ihr gesagt, dass es mir das Herz brach, wenn man ihr das Herz brach. Aber sie wies jeden Versuch, sie zu trösten, zurück.

Diese Zurückweisung schmerzte. Ich kämpfte meine Tränen nieder, als ich schweigend ging und sie allein ließ. Im Wohnzimmer setzte ich mich wieder hin und wusste nicht, was ich denken sollte.

Nach einer Weile ließ Brad die Zeitung sinken. »Bist du wegen irgendwas traurig?«, fragte er. Manchmal können Männer solche Stoffel sein. Es war doch offensichtlich, dass ich traurig war. Um das zu erkennen, musste er mich nur anschauen.

»Ja«, fauchte ich.

Mein Mann hatte die ausdrucksstärksten Brauen, die ich je gesehen hatte. Jetzt wanderten sie Richtung Haaransatz, drückten Mitgefühl aus – und Verwirrung über meine grobe Reaktion. »Möchtest du darüber reden?«

Ich verschränkte die Arme und schüttelte den Kopf. Wahrscheinlich verhielt ich mich wie ein trotziges Kind, aber das war mir im Moment egal. Dass Casey bei uns lebte, war für uns alle nicht leicht. Das Mädchen trug schwer an einer gewaltigen emotionalen Last.

»Ich gehe davon aus, dass es was mit Casey zu tun hat?«, fragte Brad weiter.

In diesem Moment stürzte Cody ins Wohnzimmer, gefolgt von Chase. Er blieb abrupt stehen, als er uns sah. »Streitet ihr euch etwa?«

»Nein«, erwiderte Brad. »Deine Mom macht sich Sorgen um Casey. Kannst du uns irgendwas über den Anruf sagen, den du vorhin entgegengenommen hast?«

Cody setzte sich neben seinen Vater. »Er sagte, er heißt Lee.«

»Lee.« Ich ließ die Arme sinken, beugte mich vor und schaute Brad an. »Das ist ihr Bruder.« Und dann fiel es mir wie Schuppen von den Augen. »Als ich mit Casey zum Jugendgefängnis gefahren bin, damit sie ihn besuchen kann, hat Lee ihr gesagt, er wolle aufs College gehen und würde einen Job bekommen.«

»Und sie zu sich holen«, murmelte Brad.

»Außerdem hat sie gesagt, er denke darüber nach, Soldat zu werden.«

»Wenn er das tut, kann sie nicht bei ihm wohnen.«

Das war das Einzige, was Casey so aus der Fassung bringen

konnte. Der kurze Besuch bei ihrem Bruder hatte ihr Hoffnung gemacht. Hoffnung, dem System zu entkommen. Hoffnung, bei ihm leben zu können. Hoffnung auf ein ganz normales Leben.

»Was sollen wir jetzt tun?«

Manchmal befürchtete ich, dass wir einen Fehler machten, wenn wir uns emotional zu sehr an Casey banden. Wenn der Sommer vorbei war, würde sie uns verlassen, und wir mussten das akzeptieren, so wie sie es tat. Aber wie sollten wir es schaffen, ihr gegenüber gleichgültig zu sein?

Brad runzelte die Stirn. »Soll ich es mal versuchen? Vielleicht redet sie ja mit mir?«

Da ich nichts erreicht hatte, glaubte ich nicht, dass er mehr Erfolg haben würde, aber es gab keinen Grund, warum er es nicht wenigstens versuchen sollte. Immerhin war Brad derjenige, der Stunden damit verbracht hatte, ihr Bruchrechnen beizubringen.

»Lasst mich mal versuchen«, meldete Cody sich zu Wort. »Mich und Chase«, fügte er sehr ernst hinzu.

Brad schaute mich fragend an, und ich zuckte hilflos die Achseln. »Schaden kann's ja nicht.«

»In Ordnung, Sohn«, sagte Brad. »Schau, was du tun kannst.«

Cody nickte. »Komm, Chase«, befahl er. »Casey braucht uns.«

Die beiden zogen ab in Richtung Caseys Zimmer. Leise klopfte Cody an, öffnete die Tür und ging hinein.

Brad und ich warteten. Insgeheim befürchtete ich, dass Casey ihn anschreien und seine Gefühle verletzen würde. Ohne dass es mir bewusst war, rutschte ich auf die Sofakante, bereit, meinem Sohn zu Hilfe zu eilen, wenn das nötig wurde.

Schätzungsweise zehn Minuten vergingen, wobei sich jede einzelne wie eine Stunde anfühlte. Wenn Cody und Casey miteinander redeten, konnte ich ihre Stimmen nicht hören. Ich lauschte angestrengt und hörte – nichts.

»Was, meinst du, geschieht da drin?«, fragte Brad. Er wirkte genauso angespannt, wie ich war.

»Ich habe keinen blassen Schimmer.«

Endlich, gerade als ich nachschauen wollte, wurde die Tür zu Caseys Zimmer geöffnet. »Mom«, rief Cody, als wäre ich im Keller statt ein Zimmer weiter. »Haben wir Eiscreme?« So, wie er fragte, klang es wie ein Notruf.

»Ich glaube schon«, erwiderte ich so ruhig wie möglich.

»Wir brauchen zwei Schalen, in Ordnung?«

»Zwei Schalen. Kommen sofort.«

Er zog die Tür zu, riss sie aber gleich wieder auf. »Und wie sieht es mit Schokoladensirup aus?«

»Oh ... ich schau nach.«

Brad war jetzt auch auf den Beinen. »Wenn nötig, fahre ich schnell zum nächsten Supermarkt.«

Ich war schon in der Küche und inspizierte den Schrank, von dem ich wusste: Wenn wir Schokoladensirup hatten, dann stand er dort. »Gefunden!«, rief ich triumphierend.

»Gut.« Cody klang erleichtert. »Beeil dich, ja?«

»Dauert nur eine Minute«, versprach ich.

Gemeinsam füllten Brad und ich zwei Dessertschalen randvoll mit Vanilleeis und gossen Schokoladensirup darüber. »Vielleicht noch Schlagsahne obendrauf?«, fragte ich.

Brad schüttelte den Kopf. »Ich glaube nicht.«

Jeder von uns nahm eine Schale, und gemeinsam näherten wir uns der geschlossenen Zimmertür.

Brad klopfte und öffnete die Tür. Wir traten ein, die Eisschüsseln präsentierend, als wären es Gaben von Gold und kostbaren Edelsteinen.

Casey saß mit dem Rücken zur Wand auf ihrem Bett. Cody saß ebenfalls auf ihrem Bett, und Chase lag zwischen ihnen. Beinah mechanisch streichelte Casey Chases Fell und wich unseren Blicken aus.

»Danke, Mom und Dad«, sagte Cody.

Und damit waren wir entlassen.

Also gingen wir zurück ins Wohnzimmer, wo ich meine Stricksachen hervorholte und Brad den Fernseher einschaltete. Wir hatten gerade eine halbe Folge *CSI: Miami* gesehen, als die Tür zu Caseys Zimmer wieder aufging und Cody mit den beiden leeren Schalen herauskam.

»Alles in Ordnung da drin?«, erkundigte sich Brad.

Cody nickte. »Eiscreme heilt nicht alles«, erklärte er gewichtig, »aber sie lindert auf jeden Fall den Schmerz.« Er brachte die Schalen in die Küche.

»Von wem hat er das denn?«, fragte Brad verdutzt.

Ich konnte nur raten. »Entweder von Margaret oder von Alix.«

»Du gibst dich mit weisen Frauen ab, meine Liebe«, erwiderte er grinsend.

Da konnte ich ihm nur zustimmen. »Bist du in Stimmung für Eiscreme?«

»Warum nicht? Scheint ja zu helfen.«

Wir lächelten einander an. Eine Krise war abgewendet worden.

Nach einer Weile kam Casey mit ihrer Häkelnadel und einer Docke Garn aus ihrem Zimmer. »Ich brauche mal Hilfe hierbei«, sagte sie, als hätte es die Ereignisse dieses Abends nie gegeben.

»Okay.« Mit Häkeln kannte ich mich nicht sonderlich gut aus, aber eine Häkelschrift konnte ich lesen. Wenn das nicht reichte, konnte ich immer noch meine Schwester anrufen.

Casey setzte sich neben mich auf das Sofa. »Scheint, als hätte ich hier einen Fehler gemacht.« Sie hielt mir ihre Arbeit hin, damit ich sie mir anschaute.

Ich betrachtete den Waschlappen, den sie angefangen hatte, und fand keinen Fehler. »Für mich sieht das gut aus, Casey.«

»Bist du sicher?«

Ich zuckte die Achseln. »Du könntest Margaret morgen bitten, sich das mal anzuschauen.«

Verlegen sah sie mich an. »Darf ich wieder ins Geschäft kommen? Du musst mich nicht bezahlen.«

»Ich habe eine ganze Liste von Dingen, die du in Angriff nehmen kannst, und natürlich werde ich dich bezahlen.«

Ich konnte sehen, dass sie sich freute, auch wenn sie versuchte, das zu verbergen. »Ich schätze, das geht in Ordnung.« Und mir wurde klar, dass sie mich nicht wissen lassen wollte, wie gern sie im Wollgeschäft war.

Diese Einstellung überraschte mich immer wieder. Diese Angst davor, etwas zu verlieren, das sie besonders schätzte. Aber war das nicht genau das, wovor Alix mich gewarnt hatte?

Gegen zehn ging Casey wieder in ihr Zimmer, und ich wollte ins Bett, so müde war ich. Die emotionale Belastung dieses Abends hatte mich erschöpft.

Ich wusste immer noch nicht, was Lee zu Casey gesagt hatte, und sehr wahrscheinlich würde ich es nie erfahren. Wenn sie es Cody anvertraut hatte, dann hatte er nichts davon durchblicken lassen. Obwohl ich neugierig war, wollte ich ihn nicht ausfragen. Das war etwas, das ich ihm keinesfalls vorleben wollte.

Das Telefon klingelte, gerade als Brad aus dem Bad kam, fix und fertig fürs Bett angezogen. Der schrille, unerwartete Ton ließ uns beide zusammenzucken. Hastig griff ich nach dem Hörer.

»Hallo«, meldete ich mich mit gedämpfter Stimme.

»Lydia«, hörte ich meine Schwester rufen. »Es geht um Mom.«

»Was ist passiert?« Seit mehr als einem Jahr machte der sich verschlechternde Gesundheitszustand meiner Mutter uns große Sorgen.

»Ich bin in der Notaufnahme. Mom ist gestürzt.«

Ich keuchte auf und streckte Hilfe suchend die Hand nach Brad aus. Er umfasste meine Finger. »Hat sie sich verletzt?«

»Es ist ihre Hüfte.«

»Nein.« Eiskalt lief es mir über den Rücken.

»Gott sei Dank hat jemand sie gehört.«

Vor etwas mehr als einem Jahr war bei Mom Diabetes festgestellt worden, und ihr Blutzuckerwert musste engmaschig kontrolliert werden. Damit hatten ihre gesundheitlichen Probleme begonnen, und ihr Zustand hatte sich seitdem rapide verschlechtert.

»Ist sie gebrochen?« Ich befürchtete das Schlimmste.

»Nur ein Haarriss. Sie hat sich auch den Kopf ziemlich hart angeschlagen. Das scheint aber nicht so schlimm zu sein.«

»Ich bin in zwanzig Minuten da«, sagte ich. Brad ließ meine Hand los, ich schlug die Decke zurück, und meine Füße standen schon auf dem Boden, als Margaret mich aufhielt.

»Das ist nicht nötig. Alle Untersuchungen sind abgeschlossen. Ich habe keinen Grund gesehen, dich anzurufen, bevor wir Genaueres wussten.«

»Du hättest dich trotzdem früher bei mir melden sollen«,

stieß ich beunruhigt und erleichtert zugleich hervor. Ich hatte ein Recht darauf, zu erfahren, wie es meiner Mutter ging, und doch … Unwissenheit konnte ein Segen sein.

Schuldgefühle übermannten mich. So sollte ich nicht denken. Ich liebte meine Mutter und war dankbar, dass Margaret da gewesen war und die Situation im Griff hatte.

»Der Arzt möchte Mom über Nacht zur Beobachtung dabehalten. Sie braucht Schlaf, und offen gesagt, ich auch.« Margaret klang erschöpft und seelisch am Ende.

»Fahr nach Hause«, riet ich ihr. »Sag den Leuten im Krankenhaus, dass sie mich anrufen sollen, falls es nötig wird, während der Nacht mit einem Angehörigen Kontakt aufzunehmen.«

Margaret zögerte. Dann erklärte sie sich widerstrebend einverstanden.

Nachdem sie mir noch ein paar Fragen beantwortet hatte, legte ich auf. Tränen liefen mir ungehindert übers Gesicht und ließen alles vor meinen Augen verschwimmen. Ich machte mir Sorgen um meine Mutter und wusste doch nicht, wie ich ihr helfen sollte.

Brad reichte mir einen Stapel Papiertaschentücher, und ich versuchte, ihm zu erklären, was geschehen war.

»Aber es geht ihr gut, richtig?«, hakte er nach.

Ich nickte. Mom hatte bei dem Sturz keinen ernsteren Schaden davongetragen, soweit die Ärzte das beurteilen konnten, ich hingegen schon. Es war nur zu offensichtlich, dass ich bald meine Mutter verlieren würde.

In vielerlei Hinsicht war das bereits geschehen. Inzwischen kümmerten Margaret und ich uns um sie. Wir hatten die Rolle von Erwachsenen übernommen, und sie war fast ein Kind geworden – abhängig, passiv, anderen ausgeliefert. Und ich machte mir Sorgen, dass ich sie irgendwie im Stich gelassen hatte.

Als ich mir die Augen trocknete, sah ich, dass Cody und Casey in der Tür unseres Schlafzimmers standen und mich beobachteten.

»Was ist passiert?«, fragte Cody.

Bevor ich antworten konnte, lächelte Casey mich vorsichtig an. »Ich glaube, Lydia braucht etwas Eiscreme.«

25. Kapitel

Anne Marie Roche

Gelächter erfüllte Barbies Haus, als Anne Marie ankam, um Ellen abzuliefern. Barbies Mutter Lillie und ihr Mann Hector öffneten ihnen die Tür. Es war unübersehbar, wie sehr die beiden einander liebten und wie glücklich ihre Freundin war. Anne Marie freute sich ehrlich, dass Lillie die große Liebe gefunden hatte, aber irgendwie tat es ihr auch weh, denn es erinnerte sie stets daran, was sie selbst verloren hatte. Und doch zeigte es ihr, dass es möglich war, sich erneut zu verlieben – für Barbie und Mark, für Lillie und Hector. Und vielleicht auch für sie.

Die Begegnung mit Tim war die große Überraschung in ihrem eigenen Leben. Noch überraschender war jedoch, wie sehr sie sich zu ihm hingezogen fühlte. Im Leben geschah immer wieder Unerwartetes, und einige dieser unerwarteten Ereignisse bereiteten Freude.

»Nur hereinspaziert«, sagte Lillie und trat einladend zur Seite. Sie umarmten einander, und Hector begrüßte sie würdevoll wie immer.

»Meine Großnichte Maria ist mitgekommen«, erzählte er Ellen, »und sie freut sich darauf, dich kennenzulernen. Ich hoffe, ihr beide werdet Freundinnen.«

»Meine Mom ist mit Tim verabredet«, verkündete sie. »Sie treffen sich nur zu zweit, damit er sie im Dunkeln küssen kann.«

Anne Marie lief knallrot an, aber bevor sie etwas dazu sagen konnte, tauchte auch Barbie auf.

»Oh, schön, ihr seid da.« Sie trug eine Schürze, die dazu aufforderte, die Köchin zu küssen. Mark rollte ebenfalls herbei. Er war nicht der Typ Mann, der offen seine Zuneigung zeigte, aber Ellen hatte ihn im Sturm erobert, und sie eilte sofort zu ihm und umarmte ihn.

»Bring deine Verabredung nächstes Mal einfach mit zur Party«, sagte Mark, nachdem er Ellen losgelassen hatte.

»Tu ich«, versprach Anne Marie. Sie ging in die Hocke, um auf Augenhöhe mit Ellen zu sein. »Barbie hat meine Handynummer. Wenn du mich irgendwie brauchst, kannst du anrufen. Okay?«

Ellen nickte.

»Ich hol dich gegen zehn wieder ab.«

»Ist gut.« Ellen schlang ihre dünnen Arme um Anne Maries Nacken und drückte sich an sie. Dann hob sie den Kopf. »Gib Tim einen Kuss von mir«, flüsterte sie.

Anne Marie lächelte. »Mach ich«, flüsterte sie zurück.

Lillie begleitete Anne Marie nach draußen zu ihrem Wagen. »Ich freue mich so sehr, dass du wieder ausgehst«, sagte sie. »Mein Leben hat sich geändert, als ich Hector kennengelernt habe. Ich freue mich über jeden Tag, jede Minute, die ich mit ihm habe.«

Insgeheim fragte sich Anne Marie, ob Tim sich als ihr Hector erweisen würde … Denn genau wie Lillie und Barbie war sie bereit, eine neue Liebe zu erleben.

»Ich kann dir nur dringendst empfehlen, dich zu verlieben«, meinte Lillie lachend. Hector stand in der Tür und wartete auf sie, und sie trat einen Schritt zurück, als Anne Marie in ihr Auto einstieg und den Motor anließ. Beim Wegfahren sah sie, wie

Hector neben Lillie trat, ihr den Arm um die Taille legte und sie an sich zog.

Oh ja, Anne Marie war bereit für die Liebe. Bereit, ihre Liebe zu Ellen mit jemandem zu teilen, dem das Kind ebenso wichtig war wie ihr selbst.

Dieser Gedanke erfüllte sie, während sie nach Hause fuhr und den Wagen hinter dem Buchgeschäft abstellte.

Was ihr an Tim Carlsen – neben vielem anderen – besonders gefiel, war die Tatsache, dass er einen Sinn fürs Detail und für nette Gesten hatte. Das italienische Restaurant, für das er sich entschieden hatte, war gut zu Fuß zu erreichen. Dennoch hatte er darauf bestanden, sie abzuholen, obwohl sie angeboten hatte, sich dort mit ihm zu treffen.

Als sie die Wohnungstür öffnete, um Tim einzulassen, kläffte Baxter aufgeregt. Tim beugte sich zu ihm hinunter und schenkte ihm die gewünschte Aufmerksamkeit. Erst dann richtete er sich wieder auf, schaute Anne Marie an und riss anerkennend die Augen auf. »Du siehst … umwerfend aus.«

»Danke.« Während Tim ein wenig mit Baxter spielte, ging Anne Marie ins Schlafzimmer und holte sich ihre Handtasche. Dabei stellte sie fest, dass ihr die Hände leicht zitterten.

Ihren Freunden gegenüber hatte sie zwar versucht, die Bedeutung dieser Verabredung herunterzuspielen, aber sie war trotzdem nervös. Es fiel ihr schwer, sich an ihr letztes echtes Date zu erinnern. Das war vor ihrer Heirat mit Robert gewesen, also … Nein, lieber nicht nachrechnen.

Ihre Kleidung hatte sie sorgfältig ausgewählt: ein weißes Sommerkleid mit Lochstickerei, dazu ein seidiger rosa Schal und rosa Pumps.

»Bist du so weit?«, fragte Tim, als sie ins Wohnzimmer zurückkam.

Sie nickte. Nervös, wie sie war, plapperte sie drauflos, während sie zum Restaurant gingen. Der Abend war perfekt, die Sonne schien noch, und eine leichte Brise erfüllte die Luft mit frischem Duft.

»Ich bin auf der Suche nach einem Haus«, sagte sie. »Ellen möchte nicht umziehen, aber meine Wohnung ist zu klein.« Dann erzählte sie ihm, dass sie ein Haus in der Gegend suchte, in der Hallie wohnte, weil sie glaubte, der Umzug wäre vielleicht weniger traumatisch für Ellen, wenn sie eine Freundin in der Nähe hatte.

Als sie das Restaurant erreichten, wurde ihr bewusst, dass sie Tim keine Chance gegeben hatte, auch nur ein Wort zu sagen. Das war so untypisch für sie, dass sie meinte, ihr Verhalten erklären zu müssen.

»Normalerweise rede ich nicht so viel«, gestand sie verlegen. »Ich glaube, ich bin ein bisschen nervös.«

Tim schenkte ihr ein Lächeln. »Ich auch.«

Das war so beruhigend, dass Anne Marie sich sofort entspannte.

Ihnen wurde ein netter Tisch nahe am Fenster zugewiesen. Als der Kellner kam, um ihre Getränkebestellung entgegenzunehmen, sagte Tim, er begnüge sich mit Wasser. Anne Marie empfahl er jedoch, ein Glas Wein zu bestellen, und sie entschied sich für einen Rotwein.

»Es macht dir nichts aus, wenn andere trinken?«, fragte sie ein wenig unbehaglich.

»Ganz und gar nicht. Andere können damit umgehen. Ich nicht.«

Trotzdem war ihr nicht ganz wohl dabei, in seiner Gegenwart Alkohol zu trinken. »Ich hätte kein Problem damit, auf Wein zu verzichten«, sagte sie.

Abwehrend hob er die Hand. »Bitte nicht. Nüchtern zu bleiben liegt einzig und allein in meiner Verantwortung.«

Seine Einstellung machte Eindruck auf sie. Sie nahm einen Schluck von ihrem Wein und konnte ihn beinahe genießen.

Als der Kellner an ihren Tisch zurückkam, gaben sie ihre Bestellung auf. Tim entschied sich für die Auberginen-Piccata und Anne Marie für Spaghetti mit Muscheln. Der Kellner ging, und Anne Marie spielte nervös mit ihrer Serviette, während sie darauf wartete, dass Tim das Wort ergriff. Bis jetzt hatte hauptsächlich sie die Unterhaltung dominiert.

»Ich hoffe, du fühlst dich jetzt, da wir eine Chance hatten, einander kennenzulernen, allmählich wohler mit mir«, meinte er.

»Das tue ich, ja.« Anne Marie nahm ein Stück Brot und riss ein Stückchen davon ab. »Ich kann selbst kaum glauben, wie wohl.« Sie tauchte das Stückchen Brot in das kleine Schälchen Olivenöl, das mitten auf dem Tisch stand, und wich Tims Blick aus. »Du hast mich davon überzeugt, dass du nicht versuchen wirst, mir Ellen wegzunehmen.«

»Das würde ich niemals tun. Ihr beide gehört zusammen. Dolores hat das schon richtig gesehen. Sie wusste, dass du Ellen lieben und dich besser um sie kümmern würdest als Candy. Oder irgendjemand sonst.«

Sie errötete, während unglaubliche Freude sie erfasste. Dass er, ausgerechnet er, das anerkannte, erfüllte sie nicht nur mit Dankbarkeit, sondern auch mit innerem Frieden. »Danke«, murmelte sie.

Das Essen schmeckte hervorragend, und sie genossen es beide sehr, sich nebenher über alles Mögliche zu unterhalten.

Beim Dessert – Spumoni und Kaffee – wurde Tim stiller. »Wenn es dir recht ist, Anne Marie, möchte ich meinen Eltern gern von Ellen erzählen.«

Da sie es als selbstsüchtig empfand, ihrer Tochter die Liebe der Großeltern vorzuenthalten, erklärte Anne Marie sich einverstanden. »Das darfst du gern tun.«

Er umfasste seine Kaffeetasse und nickte feierlich. »Danke.«

»Du hast mir erzählt, dass Ellen ihre einzige Enkelin ist.«

»Das stimmt, und meine Mutter hat sich schon immer ein kleines Mädchen zum Verwöhnen gewünscht. Meine jüngere Schwester hat zwei Jungs.«

»Das klingt, als wäre sie genauso wie meine Mutter.«

Tim starrte auf seinen Kaffee hinunter. »Wärst du auch bereit, mir Zeit mit Ellen allein zuzugestehen?«

Damit, dass dieses Thema so schnell zur Sprache kommen würde, hatte Anne Marie nicht gerechnet, aber seine Bitte war nachvollziehbar und akzeptabel. »Du willst ein Besuchsrecht?«

»Ja.«

Sie zögerte. »An wie oft hattest du dabei gedacht?«

Er zuckte die Achseln. »Ich nehme, was du mir zu geben bereit bist. Ich will dich nicht unter Druck setzen, Anne Marie. Wenn du lieber noch abwarten möchtest, habe ich dafür Verständnis.«

»Aber du möchtest, dass ich darüber nachdenke.«

»Ja, so kann man es sagen.«

»Außerdem willst du wissen, ob du Ellen sagen darfst, dass du ihr Vater bist.« Das war die große unausgesprochene Frage, die stets über allem zu schweben schien.

»Das würde ich gern tun. Schon bevor ich die Testergebnisse kannte, habe ich gespürt, dass Ellen mein Kind ist.«

Jetzt war es an Anne Marie, in ihren Kaffee zu starren. Ihr Eis hatte bereits zu schmelzen begonnen, und sie schob es von sich. Aus einem ersten Impuls heraus hätte sie am liebsten Nein gesagt, so egoistisch das auch sein mochte. Sie schaute auf und entdeckte, dass er sie erwartungsvoll musterte.

»Ich möchte dabei sein, wenn du es Ellen sagst.«

»Natürlich.«

»Und mit den Besuchen lassen wir es langsam angehen. Du darfst es ihr außerdem erst sagen, wenn ich glaube, dass sie bereit dafür ist.«

»Klar. Die Regeln bestimmst du.«

Er war so entgegenkommend, und das trug dazu bei, ihre Sorge zu beschwichtigen.

»Wäre es möglich, dass ich sie nächste Woche einen Abend zu mir hole? Meine Eltern haben bald ihren Hochzeitstag, und ich möchte, dass Ellen sie vor der großen Party kennenlernt.«

Bevor ihr eine Ausrede einfallen konnte, nickte Anne Marie. »Aber sie dürfen sie nicht wissen lassen, wer sie sind. Ich meine, was sie für sie sind.«

»Das akzeptiere ich. Danke.«

Diese Bitte war vermutlich die Erklärung dafür, warum er sie zu einem Essen unter vier Augen eingeladen hatte, und das war nicht nur ein bisschen enttäuschend.

»Schön, damit hätten wir das geklärt«, sagte sie entschlossen.

»Na ja, da wäre noch was.«

»Ach ja?«

Er senkte den Blick. »Ich fürchte, ich habe dich in den letzten Wochen in die Irre geführt.«

»Mich in die Irre geführt? Womit?«

»Ich bitte um Entschuldigung. Das war nie meine Absicht.«

Jetzt war Anne Marie endgültig durcheinander. »Wovon redest du?«

Er holte tief Luft. »Ich schätze, es ist am besten, wenn ich es dir geradeheraus sage: Ich habe eine andere.«

Zutiefst schockiert und völlig fassungslos sah Anne Marie ihn an. »Du bist … gebunden.«

»Vanessa und ich …«

»Sie heißt also Vanessa?«

»Ja, und ich muss dir sagen, dass die ganze Situation für sie sehr schwierig war.«

Anne Marie verkniff sich eine sarkastische Bemerkung. Sie brauchte alle Selbstbeherrschung, die sie aufbringen konnte, um ihm nicht zu zeigen, wie sehr seine Mitteilung sie verletzt hatte.

»Ich wollte nicht, dass du …«

Es fiel ihr schwer, ruhig zu bleiben. »Findest du nicht, dass du mir das hättest früher sagen können?«

Er öffnete den Mund und schloss ihn wieder. »Ja, na ja … vielleicht hätte ich das tun sollen, aber es schien sich nie eine gute Gelegenheit zu bieten.«

»Tatsächlich?« Schon interessant, wie er es geschafft hatte, von ihr zu bekommen, was er wollte, bevor er ihr die Wahrheit sagte. Sie fühlte sich gedemütigt. Dumm. Naiv. All die Wochen hatte sie sich ihren romantischen Träumereien hingegeben, sie sich alle drei als perfekte kleine Familie vorgestellt. Kein Wunder, dass er sie nie geküsst hatte. Wenn sie nicht ihren dummen Fantastereien nachgehangen hätte, wäre sie vielleicht eher misstrauisch geworden.

»Ich bitte um Entschuldigung, wenn du glaubst, dass ich dich an der Nase rumgeführt habe.«

»Vergiss es«, sagte sie, schaute in die Ferne und wich seinem Blick aus. Steif saß sie da und konnte nur noch daran denken, so schnell wie möglich hier wegzukommen. Das hatte sie also davon, dass sie Gefühle riskiert hatte. Es war die Sache nicht wert gewesen. Tief in ihrem Inneren wusste sie, dass sie sich nie wieder verlieben würde.

»Ich halte es für wichtig, dass wir um Ellens willen Freunde bleiben«, sagte er.

»Wir können selbstverständlich freundlich miteinander umgehen.« Viel wichtiger war ihr im Moment jedoch, schnellstmöglich von Tim wegzukommen. Sie musste nachdenken. Musste verarbeiten, was er ihr da gerade offenbart hatte.

Betont offensichtlich sah sie auf die Uhr. »Haben wir schon die Rechnung bekommen?«

Er reagierte darauf, indem er die Hand hob, um den Kellner auf sich aufmerksam zu machen.

»Ich will Vanessa kennenlernen«, sagte Anne Marie. Es kam überhaupt nicht infrage, dass sie ihre Tochter jemandem anvertraute, dem sie noch nie begegnet war. Da war es völlig egal, ob Vanessa mit Tim verbandelt war. Für sie war das keine Empfehlung oder Garantie.

Er blinzelte, sichtlich auf der Hut.

»Wenn sie dabei sein sollte, wenn du Ellen bei dir hast …«

Tim entspannte sich. »Ich denke schon, dass sie das wird. Zumindest manchmal.«

»In dem Fall muss ich sie kennenlernen, oder siehst du das anders?« Sie gab sich große Mühe, sich ihre Verärgerung nicht anmerken zu lassen.

»Ja, natürlich. Kein Problem.«

Plötzlich kam ihr noch ein anderer Gedanke, und ihre inneren Alarmglocken begannen zu schrillen. »Wie habt du und … Vanessa euch kennengelernt?«

»Ich glaube nicht, dass das eine Rolle spielt«, wehrte er sichtlich aufgebracht ab.

»Ist sie auch bei den Anonymen Alkoholikern?«

Zögernd nickte Tim.

»Wie lange ist sie schon trocken?«

»Sie war es drei Jahre lang.«

»War?«

»Angesichts dessen, was zwischen dir und mir und Ellen vorgeht, ist sie … na ja … rückfällig geworden.«

»Moment mal!« Anne Maries Augen wurden schmal. »Vor gerade mal einer Stunde hast du mir erzählt, du allein seist dafür verantwortlich, trocken zu bleiben. Hast du das gesagt oder nicht?«

»Ja …«

»Und jetzt übernimmst du auch die Verantwortung dafür, dass *Vanessa* trocken bleibt?«

Die Frage schien ihn tief zu treffen. »Nein.«

Anne Maries Blick bohrte sich förmlich in seinen. »Ellen darf Vanessa kennenlernen, aber ich muss dabei sein, wenn das geschieht. Anderenfalls kannst du unsere Abmachung vergessen.«

»Fein«, erwiderte er knapp.

»Gut. Dann verstehen wir uns ja.«

Schlagartig kam ihr der Raum unerträglich stickig vor. Eng. Bedrückend. Anne Marie ließ ihre Serviette auf den Tisch fallen und stand auf. »Ich warte draußen auf dich.«

Er erhob sich ebenfalls. »Ich kümmere mich um die Rechnung. Das dauert nicht lang.«

Während die Nachtluft ihre fiebrig erhitzte Haut kühlte, wehrte Anne Marie sich gegen den Drang, das Gesicht in den Händen zu verbergen. In ihrem ganzen Leben war ihr noch nie etwas so peinlich gewesen. Wie dumm sie doch gewesen war. Was für eine verliebte Närrin.

Und schlimmer noch: Tim wusste es. Er hatte die Sehnsucht ihres Herzens erkannt, sie in ihren Augen gesehen. Er wusste Bescheid. Wenn sie hätte verschwinden oder sich einfach in Luft auflösen können, dann hätte sie das mit Freuden getan.

26. Kapitel

Phoebe Rylander

»Gute Nacht«, sagte Hutch vor Phoebes Wohnungstür. Es war unübersehbar, dass er eigentlich nicht gehen wollte. Langsam beugte er sich zu ihr hinunter und küsste sie zärtlich. Und das nicht zum ersten Mal an diesem Abend. »Ich muss jetzt wirklich los.«

»Nacht«, flüsterte sie. Nur äußerst ungern ließ sie ihn gehen. Gemeinsam hatten sie einen wundervollen, denkwürdigen Abend verbracht. Auch am Sonntag waren sie zusammen gewesen, aber selbst ein Tag Trennung kam ihnen viel zu lang vor. Als Hutch vorgeschlagen hatte, sich heute Abend zu treffen, war sie sofort einverstanden gewesen.

Es wurde immer offensichtlicher, dass Hutch überhaupt keine Ähnlichkeit mit Clark hatte. Tatsächlich war er das völlige Gegenteil ihres ehemaligen Verlobten.

Hutch war aufmerksam, warmherzig, witzig und einfach anders. Er brachte sie zum Lachen und hatte den Schmerz, den sie seit ihrem Bruch mit Clark mit sich herumtrug, deutlich gelindert. Und doch hätte sie wahrscheinlich keinen zweiten Blick an ihn verschwendet, wenn der Strickkurs nicht gewesen wäre. Dieser Kurs, für den sie sich spontan entschieden hatte, hatte ihr in mehrfacher Hinsicht die Augen geöffnet.

Phoebe hielt sich nur ungern für fordernd oder oberflächlich, wenn es um Männer ging. Aber vielleicht war sie genau das ja doch gewesen. Die meisten Männer, mit denen sie früher eine Beziehung gehabt hatte, waren so gewesen wie Clark – äußerst erfolgreich, beruflich etabliert, weltgewandt und gut aussehend. Hutch sah eher durchschnittlich aus, aber jene anderen Qualitäten wies auch er auf: den Ehrgeiz und den Erfolg. Dennoch war er … besser.

»Ich rufe dich morgen an«, sagte er, während er sich langsam in den Flur zurückzog.

Maunzend folgte Princess ihm aus der Wohnung, offensichtlich so wenig geneigt, ihn gehen zu lassen, wie Phoebe selbst. Schnell hob sie ihre Katze hoch und drückte sie an sich.

»Bis morgen«, sagte sie. An den Türrahmen gelehnt, wartete sie ab, bis er den Fahrstuhl betreten hatte und die Türen sich schlossen. Die Zeit war so schnell vergangen, dass sie kaum glauben konnte, dass es schon nach zehn war.

Hutch hatte sie nach einer Besprechung mit seinem Anwalt in der Klinik abgeholt. Standhaft weigerte er sich, über den Fall zu reden, und sagte, er überlasse den ganzen Schlamassel den Profis, die er dafür bezahlte, dass sie die Sache regelten. Am Lake Washington mieteten sie ein Paddelboot, und anschließend aßen sie in einem Fish-and-Chips-Imbiss, den Hutch schon als Kind besucht hatte. So vertrödelten sie den Sommerabend, lachten viel und kamen sich immer näher. Sie saßen unter einem Sonnenschirm an einem Tisch auf dem Gehsteig und lieferten einander Ausreden, um noch länger die Abendsonne genießen zu können.

Als Hutch sie schließlich zu Hause ablieferte, wollten sie den Abend beide noch nicht enden lassen. Ihre Einladung auf eine Tasse Kaffee nahm er mit Freuden an, und sie saßen noch fast eine Stunde zusammen und redeten. Aber jetzt war es dunkel, und sie beide mussten am nächsten Morgen früh wieder zur Arbeit. Phoebe wusste, dass er schon um sechs im Büro war, außer an den Tagen, an denen er vorher ins Fitnessstudio ging.

Das Telefon klingelte, und Phoebe beeilte sich, den Anruf entgegenzunehmen, denn sie ging davon aus, dass es Hutch war. Es war typisch für ihn, anzurufen, kaum dass er im Wagen saß. Das tat er oft, um noch ein letztes Mal Gute Nacht zu sagen oder über ihre Pläne für den nächsten Tag zu reden … oder ihr zuzuflüstern, dass er sie bereits vermisste.

Aber nein, die Anruferkennung zeigte: Es war Clark.

Phoebe wich ein paar Schritte zurück. Sie wollte nicht mit ihm reden, wollte nichts mehr mit ihm zu tun haben. Sollte er doch auf den Anrufbeantworter sprechen. Sie wartete, bis der sich einschaltete.

Gegen ihren Willen blieb sie neben dem Telefon stehen und lauschte, was ihr Exverlobter zu sagen hatte.

»Phoebe, ich bin's, Clark.« Er klang niedergeschlagen. »Ich weiß, dass du da bist und dass du nicht mit mir reden willst. Aber ich würde dich nicht anrufen, wenn es nicht wichtig wäre. Bitte, ruf zurück. Du bist zu Hause, das weiß ich.« Er zögerte. »Bitte«, fügte er schließlich mit brüchiger Stimme hinzu.

Zögernd streckte Phoebe die Hand nach dem Telefon aus, griff aber nicht sofort zu. Erst vor einer Woche hatte sie seinen Vater im Krankenhaus besucht, und sie fragte sich, ob sich Max' Zustand womöglich verschlechtert hatte. Schließlich hatte er selbst durchblicken lassen, dass er der Meinung war, nicht mehr lange zu leben.

Ihr Puls beschleunigte sich. Clarks Vater war solch ein außergewöhnlicher Mann. Ohne ihn würde die Familie zerbrechen.

Sie griff nach dem Telefon.

Schon beim ersten Klingelton nahm Clark ab. Statt eines Grußes kam ein inbrünstiges »Danke«.

»Geht es um deinen Vater?«

»Ich …«

»Wenn es nicht um Max geht, haben wir nichts miteinander zu bereden.« Sie wollte schon auflegen, doch dann hielt sie inne.

»Leg nicht auf! Ich weiß nicht, wie ich es dir feinfühlig beibringen soll, aber … mein Vater liegt im Sterben.«

Keuchend holte Phoebe Luft. »Was ist passiert?«

»Er bekam plötzlich hohes Fieber. Sie konnten es nicht unter Kontrolle bringen.«

»Ach Clark.« Darauf konnte sie nicht angemessen reagieren, keinen Trost spenden. Es schnürte ihr die Kehle zu.

»Er hat sich irgendeinen Infekt eingefangen, und der scheint für das Fieber verantwortlich zu sein. Es sieht schlecht aus, Phoebe.«

»Oh nein …«

»Die Ärzte haben Mutter und mich informiert und uns gebeten, ins Krankenhaus zu kommen.«

»Bist du jetzt dort?«

Sie hörte, wie Clark schluckte. »Ja. Wo sollte ich sonst sein?«

»Es tut mir so leid.« Sie wusste nicht, was sie tun konnte, außer zuzuhören.

»Ich hatte recht, nicht wahr? Du warst zu Hause, wolltest aber nicht mit mir reden.«

Seine Frage klang wie eine Anschuldigung, und sie dachte gar nicht daran, darauf zu antworten.

»Er war bei dir, oder?«, fuhr Clark im selben aggressiven Tonfall fort. »Dieser neue Typ, mit dem du ausgehst. Du tust das nur, um mich zu verletzen, hab ich recht?«

»Wen ich date, geht dich nichts an.«

»Wirklich nicht? Ich frage mich, ob du mich jemals wirklich geliebt hast.«

Phoebe fühlte sich entsetzlich, obwohl sie keinen Grund dafür hatte. Clark versuchte ihr Schuldgefühle einzureden, und sie durfte nicht zulassen, dass er sie zur Zielscheibe seines Frusts machte. Sie konnte und würde nicht gestatten, dass ihr Gespräch sich um ihn drehte, wenn sein Vater womöglich im Sterben lag.

»Ist er ein guter Liebhaber?«

»Wie bitte?« Phoebe holte tief Luft. »Und damit ist das Gespräch beendet.«

»Nein, bitte«, flehte er. »Hör zu, hör einfach zu …«

Phoebe wollte nichts mehr hören. Sie war drauf und dran, aufzulegen, aber wieder unterbrach Clark ihren Gedankengang.

»Schon gut, schon gut, es tut mir leid«, sagte er rasch. »Ich habe nicht das Recht, dir solche Fragen zu stellen.«

Phoebe wollte nichts sehnlicher, als diesen Anruf zu beenden. Zugleich interessierte es sie aber auch, wie es Max ging.

Bevor sie sich entscheiden konnte, meldete Clark sich erneut zu Wort. »Du darfst mir jedes Schimpfwort an den Kopf werfen, das dir einfällt, Phoebe. Vermutlich habe ich das verdient. Aber eins musst du doch zugeben: Ich liebe meinen Dad.«

Phoebe wusste, dass das stimmte. Clark stand beiden Elternteilen sehr nahe – obwohl er im Verhalten seinem Vater gewiss nicht ähnelte.

»Kommst du bitte her und setzt dich zu Mom und mir?«, fragte er flehend. »Die Ärzte sagen, es würde an ein Wunder grenzen, wenn Dad die Nacht überlebt.«

Als sie zögerte, hakte Clark nach: »Können wir nicht um

Dads willen unsere Differenzen zurückstellen? Nur für heute Nacht?«

»Ihr seid allein, du und Marlene? Was ist mit der übrigen Familie?«

»Die Krise schien überstanden. Alle sind gegangen – und jetzt das. Es bringt Mom und mich schier um.«

Phoebe sah an die Decke, immer noch unsicher, was sie tun sollte. »Na schön«, flüsterte sie schließlich wider besseres Wissen. »Ich bin so bald wie möglich bei euch.«

Erleichtert stieß er den Atem aus. »Ich kann dir gar nicht genug danken, Phoebe. Das wird meiner Mom unendlich viel bedeuten.«

Das bezweifelte Phoebe dann doch.

Handtasche und Autoschlüssel in der Hand, war sie schon an der Tür, als sie abrupt stehen blieb. Die Snowdens waren bestens vernetzt. Da sollten Marlene und Clark eigentlich nicht allein sein. Warum rief er ausgerechnet *sie* an, wo er doch jede Menge Freunde und Verwandte in der Stadt hatte?

Nichts von dem, was er gesagt hatte, machte wirklich Sinn. Sie verabscheute es, so misstrauisch zu sein, aber die Zeit hatte sie ein paar wertvolle Lektionen über Clark Snowden gelehrt. Er machte vor nichts Halt, wenn es darum ging, seinen Willen durchzusetzen. Jetzt, da er von Hutch wusste, war er mehr denn je darauf aus, sie zurückzugewinnen. Andererseits würde er sie wohl kaum entführen wollen. All ihren Zweifeln zum Trotz würde Clark doch wohl nicht so weit gehen, ihr vorzulügen, dass sein Vater im Sterben lag.

Aber dennoch, nur für den Fall der Fälle …

Phoebe beschloss, kein Risiko einzugehen. Also drehte sie sich um, ging zum Telefon und wählte die Nummer ihrer Mutter.

Nach dreimaligem Klingeln erklang Leannes verschlafene Stimme. »Phoebe? Alles in Ordnung?«

»Anscheinend geht es Clarks Vater nicht gut.«

»Oh nein.« Ihre Mutter war sofort hellwach.

»Clark sagt, er hat sich eine Infektion eingefangen und ringt mit dem Tod. Sie sind nicht sicher, ob er die Nacht überstehen wird.«

»Was können wir tun?«, fragte ihre Mutter eindringlich. »Soll ich die Gebetskette unserer Kirche in Gang setzen?«

»Das wäre wunderbar, Mom«, antwortete Phoebe.

»Gut, das mache ich gleich morgen früh.«

»Danke.« Phoebe fühlte sich schuldig, ihre Mutter so zu benutzen, aber sie wusste, wie sehr Leanne darauf bedacht war, sich bei den Snowdens einzuschmeicheln. »Hör mal, Mom. Clark hält mit seiner Mutter Wache an Max' Bett. Soweit ich weiß, sind sie allein. Warum begleitest du mich nicht ins Krankenhaus? Marlene könnte jetzt eine Freundin gebrauchen.«

»Oh, Phoebe, ich freue mich so, dass du fragst. Wir können Marlene und Clark jetzt nicht alleinlassen.«

»Danke, Mom.« Phoebe bezweifelte, Clarks Mutter trösten zu können, falls Max wirklich im Sterben lag. Ihr Verhältnis zueinander war ohnehin schon angespannt. Leanne würde in dem Fall eher eine Hilfe sein.

»In fünfzehn Minuten fahre ich los«, sagte Leanne. »Ich zieh mir nur schnell was über und bürste mir die Haare.«

»Ich hole dich ab.«

»Das brauchst du nicht.«

Oh doch, das war nötig. »Ich möchte nicht, dass du so spät noch allein durch Seattle fährst, Mom.«

»Oh.« Anscheinend hatte Leanne das gar nicht bedacht. »Gute Idee. Ich werde fertig sein, wenn du kommst.«

Phoebe wartete ein paar Minuten, holte dann ihren Wagen aus der Tiefgarage des Apartmenthauses und fuhr zu ihrer Mutter in Capitol Hill. In der kurzen Zeit rief Clark nicht nur ein-, sondern zweimal an.

»Woher hast du diese Nummer?«, fragte sie. Sie konnte nur vermuten, dass ihre Mutter sie ihm gegeben hatte. Wieder einer ihrer fehlgeleiteten Versuche, Phoebes Entscheidung zu beeinflussen.

Er beantwortete die Frage nicht. »Ich würde sie nur im Notfall benutzen, und dies ist einer.«

Damit hatte er zwar recht, aber dass er ihre Mobilfunknummer kannte, beunruhigte sie trotzdem.

»Ich dachte, du wärst schon unterwegs«, beklagte er sich. »Du kommst doch, oder?«

»Ich bin in ein paar Minuten da«, versprach sie. »Hat sich an Max' Zustand irgendwas geändert?«

»Nein, nichts hat sich geändert. Beeil dich bitte.«

In der Straße angekommen, in der sie aufgewachsen war, sah Phoebe, dass die Verandabeleuchtung am Haus ihrer Mutter angeschaltet war. Sie hielt in der Einfahrt. Im selben Moment kam Leanne aus dem Haus geeilt, stieg auf der Beifahrerseite ein und legte den Sicherheitsgurt an.

»Arme Marlene, sie muss außer sich vor Sorge sein.« Leanne faltete die Hände. »Hast du inzwischen etwas Neues gehört?«

»Nicht wirklich.« Clarks dringlicher Anruf, sie solle sich beeilen, würde ihre Mutter nur aufregen, also erwähnte Phoebe ihn nicht. Außerdem hatte er ja gesagt, Max' Zustand sei unverändert.

Als sie den Wagen beim Krankenhaus abgestellt hatten und den Haupteingang erreichten, sah Phoebe, dass Clark im Foyer auf und ab lief. Er wirkte fahrig und nervös, was nur zu verständlich war. Das musste eine nervenaufreibende Nacht für ihn und seine Mutter sein.

Seine Miene hellte sich auf, als er sie entdeckte. Doch dann sah er Leanne und runzelte die Stirn.

Die Glastüren glitten auf, und Leanne rannte auf ihn zu, um ihn zu umarmen. »Clark, das sind ja schreckliche Neuigkeiten.«

»Leanne«, sagte er und erwiderte ihre Umarmung. Über die Schultern ihrer Mutter hinweg schaute er Phoebe forschend an.

»Wo ist Marlene?«, wollte Leanne wissen. »Sie muss völlig verzweifelt sein.«

Clark löste sich von ihr und ging ein paar Schritte voraus. »Sie … sie ist gegangen.«

Ungläubig starrte Phoebe ihn an. »Ihr wisst nicht, ob dein Vater die Nacht überleben wird, und deine Mutter ist *nach Hause* gegangen?«

»Ja, nun … anscheinend geht es Dad inzwischen besser.«

»Seit wann?«, fragte Phoebe, zunehmend misstrauischer.

»Seit einer Weile«, erwiderte Clark.

»Das ist großartig«, murmelte Leanne und ließ den Blick zwischen ihnen beiden hin und her wandern.

»Max hat gar nicht im Sterben gelegen, oder?«, fragte Phoebe, ohne den Blick von Clark abzuwenden. Sie wollte, dass er wusste, dass es ihm nicht gelungen war, sie zu täuschen. Als er das erste Mal angerufen hatte, hatte sie sich noch für ihr Misstrauen ihm gegenüber verabscheut. Jetzt schien sich herauszukristallisieren, dass sie von Anfang an richtig vermutet hatte. Clark war jedes Mittel recht, um sie zurückzugewinnen, auch eine ausgemachte Lüge. Das hätte sie nicht überraschen dürfen, aber es tat es doch. Zugleich verursachte es ihr Übelkeit, dass er so tief sinken konnte, den Gesundheitszustand seines Vaters auf diese Weise auszunutzen.

»Jetzt, da ich schon mal hier bin«, fuhr sie fort, »kann ich auch gleich im Schwesternzimmer vorbeischauen und mich selbst davon überzeugen, wie es Max geht.«

»Sie haben sehr viel zu tun«, wandte Clark sofort ein.

»Er liegt auf der Intensivstation, richtig?«

Clark atmete aus. »Offen gesagt, er wurde vor Kurzem verlegt …« Er zuckte die Schultern. »Warum gönnen wir uns nicht alle einen Kaffee, und ich informiere euch über die neuesten Entwicklungen?«

»Also hat sich dein Vater in den letzten dreißig Minuten auf wundersame Weise erholt.« Sie wollte den Sarkasmus in ihrer Stimme gar nicht verbergen.

»Es geht ihm gut genug, dass Mom nach Hause fahren konnte, aber du musst begreifen, dass er immer noch ernstlich in Lebensgefahr schwebt.«

Phoebe glaubte ihm nicht.

»Ich könnte eine Tasse Kaffee gebrauchen«, warf Leanne ein. »Koffeinfreien natürlich. Alles, was Koffein enthält, würde mich stundenlang wach halten.«

»Geht ihr beiden doch schon mal vor«, schlug Phoebe vor. »Ich komme in ein paar Minuten nach. Vorher muss ich noch mal auf die Toilette.«

Clark starrte ihr nach, als sie den Gang zu den Besuchertoiletten hinuntereilte. Kaum hatte sie den Waschraum betreten, zog sie ihr Handy hervor, rief die Auskunft an und ließ sich mit dem Empfang des Krankenhauses verbinden.

»Würden Sie mir bitte sagen, in welchem Zimmer Max Snowden liegt?«, fragte sie und bat im Stillen Gott um Vergebung für die Lüge. »Ich möchte ihm Blumen schicken, und der Lieferdienst braucht anscheinend die Zimmernummer.«

»Einen Moment, bitte.«

Kurz darauf meldete die Frau sich wieder. »Nach unseren Unterlagen wurde Mr. Snowden vor zwei Tagen aus dem Krankenhaus entlassen.«

»Verstehe«, presste Phoebe zwischen zusammengebissenen Zähnen hervor. »Danke für Ihre Mühe.«

»Gern geschehen.«

Genauso gern würde Phoebe ihrem Exverlobten ins Gesicht sagen, was sie von ihm hielt. Als sie den Waschraum verließ, standen Clark und Leanne auf dem Gang und warteten auf sie.

»Lass uns gehen, Mutter«, sagte sie bestimmt.

Verwirrt schaute Leanne sie an. »Aber … wir wollten doch mit Clark einen Kaffee trinken?«

Wütend marschierte Phoebe an ihm vorbei. »Das werden wir nicht tun.«

»Phoebe …« Nur mühsam konnte ihre Mutter mit ihr Schritt halten. »Was ist denn in dich gefahren? Du bist unhöflich. Clarks Vater ist sehr krank. Genau wie du bin ich enttäuscht, dass Marlene nicht hier ist, aber Clark hat mir erzählt, dass sie seit Tagen bei Max wacht und emotional und körperlich am Ende ist.«

Phoebe blieb stehen und drehte sich zu ihrer Mutter und Clark um. »Wenn das der Fall sein sollte, dann war sie jedenfalls nicht im Krankenhaus.«

»Aber natürlich war sie das«, widersprach Leanne. »Die ganze Familie war hier versammelt … Clark hat mir gerade davon erzählt.«

»Das ist hochinteressant, Mom, denn Max wurde bereits vor zwei Tagen aus dem Krankenhaus entlassen.« Sie schaute Clark direkt an. »Hast du geglaubt, ich könnte mich nicht beim Empfang erkundigen?«

Zornig funkelte er sie an, blieb ihr aber eine Antwort schuldig.

»Wenn so was noch mal passiert«, fuhr sie langsam, aber sehr bestimmt fort, »rufe ich die Polizei.« Sie wollte sichergehen, dass er begriff: Dies war keine leere Drohung. »Ich meine das ernst, Clark. Noch ein Vorfall wie dieser, und ich zeige dich wegen Stalkens an.«

Ihre Mutter wirbelte herum. Schock und Unglaube standen ihr ins Gesicht geschrieben. »Ist das wahr?«, fragte sie Clark.

»Clark Snowden ist der Letzte, den du nach der Wahrheit fragen solltest«, erklärte Phoebe voller Verachtung, drehte sich um und verließ das Krankenhaus.

Ihre Mutter eilte ihr nach. Sie musste beinahe laufen, um mit ihr Schritt zu halten, denn Phoebe war so wütend, dass sie gar nicht schnell genug von Clark wegkommen konnte. Wenn sie noch Zweifel gehegt oder in ihrer Entscheidung geschwankt hatte, so war das jetzt endgültig vorbei. Gott sei Dank war sie ihrem Instinkt gefolgt und hatte ihre Mutter mitgebracht.

Leanne schwieg, während sie neben ihrer Tochter herlief. »Ich glaube, du könntest tatsächlich recht haben, was Clark angeht«, sagte sie schließlich außer Atem, als sie den Parkplatz erreichten. »Diesem Mann ist nicht zu trauen.«

27. Kapitel

Lydia Goetz

Ich konnte mir nicht helfen, ich machte mir Sorgen um Casey. Seit dem Anruf von Lee war sie verschlossen und, anders konnte man es nicht sagen, schwierig. Manche Tage waren eindeutig besser als andere, aber der heutige Morgen sah ganz danach aus, als würde es ein schlimmer Tag werden. Als ich Casey zum Frühstück rief, hörte ich, wie sie Dinge in ihrem Zimmer durch die Gegend pfefferte, und als sie sich endlich bequemte, in der Küche aufzutauchen, geschah das gruß- und wortlos.

Jetzt saß sie am Küchentisch über ihre Müslischale gebeugt, als hätte sie Angst, jemand könnte sie ihr entreißen.

Ich versuchte, mit ihr zu reden, aber die wenigen Reaktionen, die ich bekam, bestanden in unverständlichem Gegrummel. Meine Bemühungen blieben weitestgehend unbeachtet.

»Möchtest du mit mir ins Wollgeschäft fahren?«, fragte ich. Ihr Nachhilfeunterricht war beendet, ihr blieb also nur das Ferienprogramm. »Ich fahre schon früh hin, obwohl ich heute Abend den Kurs habe.« Keine Ahnung, warum ich mir die Mühe gab, etwas zu erklären.

Ein nichtssagendes Achselzucken war die Antwort.

»Soll das Ja heißen oder Nein?« Allmählich verlor ich die Geduld.

Wütend schaute sie zu mir hoch. »Schätze, Ja.«

Ganz sicher war ich mir nicht, was das heißen sollte, aber ich war bereit, anzunehmen, dass sie mit mir zur Arbeit wollte. »Ich habe eine neue Wolllieferung erhalten, die ausgepreist werden muss.« Auf eines konnte ich nämlich zählen: auf Caseys Interesse daran, sich etwas Geld zu verdienen. Bis auf die ersten kleinen Fehler, die ihr unterlaufen waren, hatte sie bis jetzt jede Aufgabe, die ich ihr übertragen hatte, gut bewältigt.

»Wird Margaret da sein?«

Das war der erste vollständige Satz, den Casey an diesem Morgen von sich gegeben hatte!

»Ja. Und Brad kommt nach der Arbeit vorbei, um dich mit nach Hause zu nehmen.«

Erneut zuckte sie die Achseln. Anscheinend war das heute Morgen die einzige Antwort, die man von ihr erhielt.

Ich brauchte einen Moment, um zu begreifen, warum sie nach Margaret gefragt hatte. »Du kannst dein Häkelzeug mitnehmen, wenn du möchtest.« Sie sollte wissen, dass ich aufmerksam zugehört hatte.

Halbherzig zuckte sie mit einer Schulter. Und das war dann auch schon das ganze Gespräch am Frühstückstisch mit ihr.

Cody, dem die Spannung zwischen Casey und mir nicht auffiel, plapperte wie ein Wasserfall. Ich kam kaum hinterher, so schnell wechselte er von einem Thema zum nächsten, aber glücklicherweise war er mit einem gelegentlichen »Wow!« oder »Tatsächlich?« völlig zufrieden.

Zu dritt verließen wir das Haus. Als Erstes wollte ich Cody absetzen. Heute war für seine Altersgruppe ein Ausflug zum Aquarium im Ferienprogramm angesetzt, und dafür konnte er sich am meisten begeistern.

Casey schwieg während der gesamten Fahrt, während ich im Geiste versuchte durchzugehen, was Alix mir über die Jahre erzählt hatte, die sie selbst als Pflegekind durchlebt hatte. Sie hatte unterschiedliche Erfahrungen gemacht, gute und schlechte. Außerdem meinte sie, Casey habe vermutlich Angst davor, jemandem zu zeigen, was ihr Freude bereitete. Gerade so, als wäre es ihr nicht erlaubt, sich an irgendetwas zu erfreuen. An diesem Punkt hätte ich kaum sagen können, ob Casey überhaupt an irgendetwas Freude hatte – abgesehen von dem Tag am Green Lake.

An der Kirche angekommen, die das Ferienprogramm anbot, sprang Cody aus dem Auto und rannte zu seinen Freunden, ohne auch nur einen Blick zurückzuwerfen. Früher hätte er mir einen Kuss auf die Wange gegeben, aber das hatte sich in diesem Sommer geändert. Er hielt es nicht mehr für »cool«, vor seinen Freunden zu zeigen, dass er mich lieb hatte. Mir fehlten seine Umarmungen zum Abschied, aber ich hatte Verständnis für sein Verhalten. Cody wurde langsam groß.

Offenbar hatte ich gelächelt, denn Casey warf mir einen seltsamen Blick zu. »Was ist so lustig?«

»Cody«, erwiderte ich und erklärte, warum.

Einen winzigen Moment lang dachte ich, Casey fände das vielleicht auch lustig. Ich wartete immer noch darauf, dass sie sich wieder ein wenig öffnete. In den letzten beiden Tagen war ich auf Zehenspitzen um das Thema herumgeschlichen, warum sie so missmutig war, und jetzt hielt ich die Zeit für gekommen, es anzusprechen.

»Möchtest du darüber reden, was dich quält?«, fragte ich so sanft wie nur möglich.

Sie wandte sich mir zu und sah mich prüfend an, als müsste sie sich vergewissern, dass meine Frage aufrichtig gemeint war.

»Ich dachte – oder hatte vielmehr gehofft –, dass du die Zeit in unserer Familie genossen hast.«

Wieder nur ein Achselzucken. Casey starrte stur geradeaus. »War schon okay.«

»Okay!«, wiederholte ich gespielt entrüstet.

Das entlockte Casey tatsächlich ein Grinsen. »Wenn du es unbedingt wissen willst: Der Sommer bei euch war besser als die meisten anderen.«

Dass sie das zugab, wollte wirklich etwas heißen. »Klingt schon besser«, gab ich zurück.

Caseys Stimmung schien sich zu heben, als wir das Wollgeschäft erreichten. Gern hätte ich ihr erzählt, dass der Laden auf mich die gleiche Wirkung ausübte. Ich konnte wütend sein, deprimiert oder einfach nur müde. Und doch wurde mir sofort leichter ums Herz, wenn ich das Geschäft betrat.

Es gab nur einen Ort, an dem ich ähnlich empfand: in einer Kirche. Aber in einem Wollgeschäft? Aus Gründen, die ich selbst nicht erklären konnte, erfüllte mein Laden in der Blossom Street mich mit einer Zufriedenheit, die mir seit meiner ersten Krebsdiagnose als Teenager nur noch selten vergönnt war.

Kaum angekommen, erschienen auch schon die ersten drei Kundinnen. Es sah fast so aus, als hätten sie nur darauf gewartet, dass die Tür aufgeschlossen wurde, denn nur einen Augenblick später traten alle drei ein.

Margaret bediente die erste Frau und war mit den anderen beiden beschäftigt, als die nächste Kundin mit einem Strickproblem hereinkam. Ich sah sofort, was sie falsch gemacht hatte. Also setzten wir uns nach hinten an den Tisch, und ich erklärte ihr den Fehler, der recht leicht zu beheben war. Ich musste etwa fünfzehn Reihen zurückgehen, um mithilfe einer Häkelnadel den Fehler auszumerzen. Immer wieder überraschte es mich, wie viele Strickerinnen einfach nicht mit ansehen konnten, wie jemand ihre Arbeit wieder auftrennte. Diese Frau schloss tatsächlich die Augen, während ich die Masche fallen ließ.

Nachdem Casey die neue Wolle mit Preisschildern versehen und in die richtigen Fächer gepackt hatte, setzte sie sich hin, ließ Whiskers auf ihren Schoß springen und streichelte den Kater eine ganze Stunde lang. Mich wunderte, dass sie so lange still sitzen konnte. Whiskers verbrachte sonst täglich mehrere Stunden schlafend im Schaufenster. So viel Aufmerksamkeit war er gar nicht gewohnt. Er schnurrte zufrieden; offenbar war Caseys Schoß zu einem seiner Lieblingsplätze geworden.

Als ich zwischen ein paar Kunden einen Moment Zeit hatte, holte ich mir etwas zum Mittagessen und brachte eine Portion Salat für Casey mit.

»Ich gehe ein bisschen spazieren«, verkündete sie gegen zwei und verschwand aus dem Laden. Ihr Timing war perfekt. Sie hatte gewartet, bis ich beschäftigt war – ich rechnete gerade aus, wie viel Garn Mary Kilborn, eine erfahrene Strickerin, für einen Pullover benötigte. Da ich dabei ein Computerprogramm nutzte, das für jeden Hersteller den Markennamen und die Lauflänge pro Docke auflistete, hatte ich so gut wie keine Chance, auf ihre Ankündigung zu reagieren.

»Brad kommt gegen …« Den Rest konnte ich mir schenken, denn Casey war schon aus der Tür und damit außer Hörweite.

»Egal«, sagte ich. Brad würde erst in etwa zwei Stunden erscheinen, und bis dahin war Casey sicher zurück.

Wie so oft, wenn es um sie ging, hatte ich mich geirrt. Brad kam, bevor Casey zurück war.

»Was denkst du, wo sie stecken könnte?«, fragte er sichtlich besorgt.

»Ich … ich weiß nicht. Ehrlich gesagt, habe ich nicht damit gerechnet, dass sie so lange wegbleibt.« Ich rieb die Handflächen aneinander, eine Angewohnheit, die ich im Laufe des Sommers – genauer gesagt, seit Casey bei uns lebte – angenommen hatte, um meine Nervosität zu überspielen.

Es war offensichtlich, dass Brad keinen besonders guten Tag gehabt hatte, denn normalerweise reagierte er nicht so gereizt. »Na schön, was hat sie denn *gesagt*, wohin sie will?«, fragte er ungeduldig.

»Gar nichts.«

Fragend zog Brad die Augenbrauen in die Höhe. »Kannst du dir vorstellen, dass sie wieder weggelaufen ist?«

Der Gedanke war mir nicht einmal gekommen. »Nein, warum sollte sie?«

»Warum, warum? Warum tut sie überhaupt dies oder jenes?« Genervt warf er die Hände in die Luft. »Dieses Kind ist mir einfach ein Rätsel.« Dann huschte ein Grinsen über sein Gesicht. »Man könnte meinen, sie sei ein Teenager oder so.«

»Oder so« traf es am ehesten, denn Casey würde erst im nächsten Jahr zum Teenager werden. Trotzdem verhielt sie sich genau so, als wäre sie bereits einer. Vor allem war sie ebenso launisch.

»Sie kommt wieder«, versicherte Margaret, während sie einer Kundin Wechselgeld herausgab, der bei der Arbeit das Garn ausgegangen war und die deshalb gekommen war, um eine Docke nachzukaufen.

»Wie kannst du dir da so sicher sein?«, fragte Brad, als die Kundin aus der Tür war.

»Aus zwei Gründen.« Margaret kam hinter dem Tresen hervor. »Erstens, Casey hat sich noch nicht für ihre Arbeit heute Morgen bezahlen lassen. Und zweitens …« Damit deutete sie auf das Häkelzeug, das Casey hinten auf dem Tisch hatte liegen lassen. »Sie hat ihre Sachen nicht mitgenommen.«

Ich nickte. Meine Schwester hatte recht. »Versuch dich einfach zu entspannen, bis sie zurückkommt«, riet ich meinem Mann.

Brad grummelte etwas in sich hinein und ergab sich dann in sein Schicksal. Seufzend ließ er sich am Tisch nieder.

Fünf Minuten später kam Casey herein, als wäre sie nur ein paar Sekunden weg gewesen.

Brad war sofort auf den Beinen. »Wo warst du?«

»Draußen«, erwiderte Casey und funkelte ihn trotzig an.

Um einen Streit zu vermeiden, legte ich Brad die Hand auf seine. »Alles okay. Sie ist wieder da, und nur das zählt.«

Casey tat so, als hätte sie mich nicht gehört, trat an den Tisch, schnappte sich ihr Häkelzeug und stopfte es in die Patchworktasche, die ich ihr geliehen hatte. »Bist du so weit?«, fragte sie, als hätte Brad sie warten lassen.

Mit hochgezogenen Brauen warf Brad mir einen Blick zu. Ich schüttelte den Kopf, als die beiden wortlos gingen.

Margaret sah ihnen nach, bevor sie sich mir zuwandte. »Ich wette, ihr seid froh, wenn sie aus dem Haus ist.«

Ich wusste nicht genau, was ich empfinden würde, aber es überraschte mich, dass ihre Bemerkung ein Verlustgefühl in mir auslöste. Trotz aller Schwierigkeiten, die wir mit Casey hatten, hatte ich sie aufrichtig lieb gewonnen. Ich würde sie vermissen, und genauso würde es auch Brad und Cody gehen.

Tatsache war, dass Caseys Aufenthalt bei uns unserem Sohn gutgetan hatte. Er hatte zum Beispiel teilen gelernt. Schließlich stand Cody normalerweise ganz allein im Mittelpunkt unserer Liebe und Aufmerksamkeit. Natürlich hofften wir, unsere Familie durch noch ein Kind zu erweitern, aber zumindest im Moment drehte sich alles nur um ihn. Er war Casey ein Freund geworden, und dabei hatte er gelernt zu kommunizieren. Trotz der Launenhaftigkeit, die sie manchmal zeigte, schien sie ihn zu mögen.

»Ich werde sie vermissen.« Dass ich das laut ausgesprochen hatte, wurde mir erst klar, als meine Schwester einen abfälligen Laut ausstieß. »Was soll das denn heißen?«, fragte ich und forderte Margaret damit heraus, ihre Meinung zu äußern.

Doch sie schenkte mir nur den mir bereits so vertrauten missbilligenden Blick und schüttelte den Kopf.

An diesem Abend kam Alix als Erste zum Kurs. Als sie den Laden betrat, nahm ich sofort den Zigarettengeruch an ihr wahr.

Sie konnte sich vermutlich denken, was mir durch den Kopf ging, und eröffnete Margaret und mir: »Okay, ich rauche wieder. Vier Tage habe ich ohne Zigaretten durchgehalten, aber jetzt sind es wieder drei am Tag. Lasst mich ja in Ruhe deswegen.«

Offensichtlich waren sowohl Alix als auch Casey an diesem Tag nicht gerade bester Laune. »Drei sind besser als zehn oder zwanzig oder wie viele es zunächst auch gewesen sein mögen.« Mit dieser Bemerkung wollte ich ihr klarmachen, dass ich sie nicht verurteilte.

»Es gibt medizinische Hilfe, weißt du«, setzte Margaret hinzu. »Und wenn du nicht so stur wärst, würdest du darauf zurückgreifen.«

»Nein.« Kurz schloss Alix die Augen. »Ich schaffe das. Wenn ich ein bisschen schlecht gelaunt bin, liegt das nur daran, dass ich meine letzte Zigarette für heute gerade geraucht habe und schon nach der nächsten giere.«

Es steckte mehr dahinter als nur das Verlangen nach einer Zigarette. Alix war so selten schlecht gelaunt, dass ich wusste, ihr lag noch etwas anderes auf der Seele. Und ich vermutete, dass es mit Jordan zu tun hatte. Er war nicht bei ihr, obwohl er sie üblicherweise zum Kurs begleitete und dann zur Kirche ging oder sich mit einer Männergruppe traf, während Alix strickte.

»Jordan ist heute nicht mitgekommen?«, fragte ich vorsichtig nach.

»Nein«, gab sie knapp zurück.

Ich hob beide Hände, als wollte ich sagen: »Entschuldige, dass ich gefragt habe.« Es tat mir tatsächlich leid.

Margaret dagegen wich grundsätzlich keiner Konfrontation aus. »Was ist heute bloß los mit allen?«, wollte sie, die Arme in die Hüften gestemmt, wissen. »Erst Casey, jetzt du.«

Alix entspannte sich sichtlich. »Ich wollte meine schlechte Laune nicht an euch auslassen. Jordan und ich hatten einen kleinen Streit.«

»Das tut mir leid.« Mein Mitgefühl war ihr sicher. Wenn Brad und ich uns übereinander ärgerten, dann fühlte ich mich immer grauenvoll. Außerdem war ich mir sicher, dass ich dann auch nicht leicht zu ertragen war.

»Kommt vor«, meinte Margaret. »Sieh zu, dass du darüber hinwegkommst.«

Zu meinem Erstaunen grinste Alix. »Ja, das sollte ich wohl. Ich bin sowieso selbst schuld. Wir wollten uns um fünf im Café treffen, und ich hatte mich verspätet. Er war der Meinung, er könne nicht so lange einen Tisch besetzen. Deshalb ist er wieder gegangen.«

»Und als du dann gekommen bist, war kein Tisch mehr frei«, vollendete Margaret die Geschichte für sie.

»Genau.« Langsam atmete sie aus. »Ich wollte ihn nicht ärgern, und normalerweise bin ich pünktlich, aber es gab mildernde Umstände.«

Ich hatte noch nie erlebt, dass Alix absichtlich zu spät kam. Im Gegenteil, meistens war sie als Erste da, genau wie an diesem Abend. Sie brauchte klare Strukturen in ihrem Leben, und da ich wusste, wie ihre Kindheit verlaufen war, verstand ich auch, warum.

»Casey wollte reden. Ich konnte sie schlecht vertrösten, und dann musste ich mich beeilen, um die Speisepläne für meine Chefin fertig zu machen. Winter geht in Urlaub und hat mich gebeten, für sie einzuspringen.«

»Casey?« Alix war mit Casey zusammen gewesen? An diesem Nachmittag? Plötzlich ergab alles einen Sinn. Ich hätte wissen müssen, dass Casey sich an Alix wenden würde, aber bis zu diesem Moment war mir der Gedanke nicht gekommen.

Alix nickte und schaute zwischen Margaret und mir hin und her. »Soll das heißen, ihr habt nicht gewusst, dass sie bei mir war?«

»Nein«, sagte Margaret lakonisch. »Wir hatten keine Ahnung, wo sie gesteckt hat, und sie war stundenlang weg.«

»Ich bin froh, dass sie mit dir reden konnte«, erklärte ich, obwohl ich Mühe hatte, nicht eifersüchtig zu sein. Ich hatte mir so sehr gewünscht, dass Casey sich sicher und wohl genug fühlte, um sich an mich zu wenden.

Stattdessen war sie zu Alix gegangen. Ihre Gründe waren absolut logisch – außerdem hatte ich dasselbe getan. Auch ich war zu Alix gegangen und hatte sie nach ihren Erfahrungen als Staatsmündel gefragt, damit ich Casey besser verstehen konnte.

Alix wirkte ein bisschen verwirrt. »Sie sagte, du hättest mich zu ihr geschickt.«

Ja, ich hatte ihr diesen Vorschlag gemacht, aber das war Wochen her. Natürlich war ich neugierig, was Casey gesagt hatte, zumal sie so lange miteinander geredet hatten, aber ich fragte nicht nach. Ich hoffte, Alix würde es von sich aus erzählen. Als sie das nicht tat, ließ ich es dabei bewenden.

»Ist zwischen dir und Jordan wieder alles in Ordnung?«, fragte ich stattdessen.

»Nicht wirklich.« Alix wirkte niedergeschlagen. »Er war ziemlich sauer auf mich. Meinte, ich hätte ihn auf seinem Handy anrufen sollen. Er hatte ja recht. Hoffentlich gehen wir nach dem Kurs noch eine Kleinigkeit essen.« Dann erhellte ein Lächeln ihr Gesicht, und ihre Anspannung ließ nach. »Ich werde einen Weg finden, es nachher wiedergutzumachen.«

Margaret johlte vor Lachen. »Das wirst du, da bin ich mir sicher.« Verschwörerisch zwinkerte sie Alix zu.

28. Kapitel

Phoebe Rylander

Eigentlich interessierte sich Phoebe nicht für Baseball. Als Hutch sie jedoch zum *Stitch N' Pitch* beim Spiel der Mariners einlud, nahm sie die Einladung sehr gern an. Alle Kursteilnehmer hatten sich Eintrittskarten zu diesem gemeinschaftlichen Handarbeiten während des Baseballspiels besorgt, und es würde ein unterhaltsamer Abend werden, so ganz anders als ihre üblichen Unternehmungen.

Hutch holte sie von der Arbeit ab. Er trug das Trikot der Mariners inklusive der Baseballkappe. Darin sah er zugegebenermaßen athletisch und jungenhaft charmant aus. Sie wusste, dass er seit einiger Zeit dreimal wöchentlich im Fitnessstudio trainierte, und mittlerweile zeigten sich beachtliche Ergebnisse. Tatsächlich konnte sie kaum den Blick von ihm wenden.

Doch das beruhte auf Gegenseitigkeit, denn auch er warf ihr immer wieder verstohlene Blicke zu. Seit dem Montagabend, an dem Clark versucht hatte, sie hereinzulegen, war Hutch in Phoebes Ansehen noch mehr gestiegen. Er war offen und ehrlich, wohingegen man Clark einfach nicht trauen konnte, egal, was er sagte. Für ihn war die Wahrheit ein äußerst dehnbarer Begriff.

Die Zuschauer strömten ins Stadion. Als sie und Hutch ihre Plätze erreichten, ließ er sie allein und stellte sich an einer endlosen Schlange an, um die allseits beliebten Hotdogs für sie zu kaufen.

Phoebe beobachtete, wie der Werfer sich warm machte. Die Aufregung im Publikum war ansteckend, und sie sah, wie Lydia, Brad, Casey und Cody sich in die Reihe vor ihr einfädelten, ein halbes Dutzend Plätze rechts von ihr. Die beiden Kinder hatten Baseballhandschuhe mit. Offenbar hofften sie darauf, Fehlwürfe fangen zu können. Lydia hatte ihr Strickzeug dabei, genau wie Phoebe.

»Hallo«, rief sie der Gruppe zu.

Grinsend drehte Lydia sich zu ihr um. »Hi! Du hast nicht zufällig Margaret gesehen, oder?«

Phoebe nickte. »Sie stand vor der Damentoilette an.«

»Oh, gut. Sie hat es also geschafft.«

»Elise Beaumont war ebenfalls da.«

»Schön, dass es Margaret gelungen ist, sie zu überreden, auch zu kommen«, meinte Lydia.

»Da ist Anne Marie.« Spontan stand Phoebe auf und winkte. Ellen war auch da sowie ein Paar, das sie nicht kannte. Etliche Reihen unter ihr winkte Anne Marie zurück.

Phoebe setzte sich wieder und beugte sich zu Lydia hinüber. »Wer sind die beiden, die bei Anne Marie und Ellen sitzen?«

Lydia beschattete die Augen und spähte hinunter. Dann schüttelte sie den Kopf. »Keine Ahnung.« Nach einer Weile drehte sie sich wieder zu Phoebe um. »Anne Marie trifft sich mit diesem Typen namens Tim, aber ich glaube nicht, dass er das ist.«

»Warum nicht?«

»Na ja, hauptsächlich, weil er mit der anderen Frau Händchen hält.«

»Oh.«

Sie reckte den Hals, um besser sehen zu können. »Es ist nur so, für mich sieht es so aus, als wäre er das.«

»Du kennst ihn?«

»Ich habe ihn einmal gesehen, als ich im Buchladen war, um etwas abzuholen. Da war er gerade da.«

In diesem Moment kam Hutch zurück. Er hatte einen Pappbehälter bei sich, schwer beladen mit zwei mächtigen Hotdogs, dick mit Gewürzen bestrichen, dazu Sauerkraut und Senf sowie zwei riesige Becher Limo und eine Tüte geröstete Erdnüsse.

»Ich hoffe, du hast Hunger«, warnte er und setzte sich neben sie.

»Bärenhunger.«

»Hast du mir Schokolade mitgebracht, Mr. Mount Rainier?«, fragte Margaret, während sie sich an etlichen Leuten vorbeidrängte, um sich neben ihre Schwester zu setzen. Elise folgte ihr, das Strickzeug in der Hand.

»Tut mir leid, nein.«

»Entschuldige dich nicht dafür! Ich weiß das zu schätzen.«

Phoebe stieß ihm leicht in die Rippen. Seitdem die Kursteilnehmer erfahren hatten, dass er *Mount Rainier Chocolates* leitete, hatte Hutch sich angewöhnt, Schokolade mitzubringen, wenn er zum Kurs kam. Der Mount-Saint-Helens-Riegel war inzwischen auf den Markt gebracht worden und nach seinen Angaben gut angekommen. Die ersten Verkaufszahlen trudelten inzwischen ein, und er war begeistert vom bisherigen Erfolg.

»Seht mal!«, rief Cody und sprang auf. »Wir sind auf dem großen Bildschirm!«

Phoebe drehte den Kopf, um auf den gewaltigen Bildschirm zu schauen, und richtig, er zeigte gerade die ganze Strick-Gemeinschaft. Cody, der mit beiden Armen winkte, fiel ganz besonders auf.

Phoebe lachte, und dann hielten alle ihr Strickzeug hoch.

Überrumpelt beeilten Hutch und Phoebe sich, ihre Musterschals zur Schau zu stellen. Dabei hätte Phoebe beinahe ihren Hotdog auf Margarets Kopf fallen lassen, schaffte es aber so gerade eben noch, ihn aufzufangen.

Rings um sie herum saßen Leute, die ihr Strickzeug dabeihatten, und es herrschte eine fröhliche Stimmung, während sie einander ihre Arbeiten zeigten. Etliche Wollgeschäfte hatten eigene Stände in der Nähe der Getränke- und Imbissstände aufgebaut, und Phoebe konnte nicht widerstehen. Sie musste stöbern – und kaufen.

Bisher hatte sie sich zurückgehalten und keine Wolle gekauft, die sie nicht für ihr laufendes Projekt brauchte. Zwar hatte sie festgestellt, dass sie gern strickte, aber das Problem war, ihr fehlte die freie Zeit dafür, weil sie sich fast jeden Tag mit Hutch traf. Deshalb war sie dazu übergegangen, in ihrer Mittagspause zu stricken. Sonst hätte sie nicht mit den anderen Kursteilnehmern Schritt halten können.

Am nächsten Mittwoch, dem ersten im August, fand die letzte Kursstunde statt. Dann würde sie mit ihrem Schal fertig sein und wollte etwas Neues beginnen. Sie wählte Sockenwolle in den Farben der Mariners und erwog, einen weiteren Strickkurs zu belegen – diesmal den Sockenstrickkurs, den Elise leitete – und die fertigen Socken Hutch zu schenken.

»Was hast du gekauft?«, fragte Hutch, als sie wieder zu ihm stieß.

Sie öffnete die Tasche und zeigte ihm stolz ihre Beute. »Ich werde lernen, Socken zu stricken.«

»Toll.«

»Gefallen dir die Farben?«

»Was denkst du denn?« Er lächelte sie an. Und lächelte. Und lächelte.

Phoebe tat es ihm gleich. Obwohl sie von Tausenden jubelnder Fans umringt waren, hatten sie nur Augen füreinander.

»Ich dachte, ich stricke sie für dich«, flüsterte sie.

Er sagte nichts, griff aber nach ihrer Hand, verschränkte die Finger mit ihren und drückte sie fest. Sie erwiderte den Druck, um ihn wissen zu lassen, dass sie seine intensiven Gefühle erwiderte.

»Entschuldigt, Leute«, sagte Alix, die es offenbar eilig hatte.

»Oh, tut mir leid.« Hastig stand Hutch auf, damit Alix und Jordan an ihm vorbeikonnten.

»Wohin wollen sie denn so eilig?«, erkundigte sich Phoebe.

»Keine Ahnung«, meinte Margaret. Schnell und geschickt hantierte sie mit ihrer Häkelnadel. Anscheinend arbeitete sie an einer Decke. Auch Casey häkelte, und Lydia strickte. Was Phoebe am meisten beeindruckte, war die Tatsache, dass Lydia stricken konnte, ohne auch nur auf die Nadeln zu sehen. Phoebe hingegen schaute bei jeder einzelnen Masche genau hin, um nur ja keinen Fehler zu machen. Der Gedanke, eine Reihe wieder auftrennen zu müssen, traumatisierte sie regelrecht, obwohl sie das inzwischen oft genug hatte tun müssen.

Ein paar Minuten später kam Alix zurück, diesmal ohne Jordan. »Tut mir leid«, murmelte sie, als sie über Phoebes Füße hinwegkletterte. »Ich musste ganz plötzlich mal wohin.« Sie schlüpfte an dem Paar vorbei, das neben ihnen saß.

Kurz darauf folgte Jordan, sich ebenfalls entschuldigend. Er hatte einen Hotdog und eine Limo bei sich, und als er sich neben Alix setzte, fiel Phoebe auf, dass die beiden ihre Mahlzeit miteinander teilten. Da sie vom Gehalt eines Jugendpastors leben mussten, war es vermutlich schwierig, gleich zweimal in einer Woche auswärts zu essen.

Vom Kurs am Vortag wusste Phoebe, dass die beiden sich

gestritten hatten, hatte aber keine Ahnung, weshalb. Anscheinend war das vor ihrer Ankunft im Laden gewesen. Nach der Stunde war Jordan gekommen, um Alix wie üblich abzuholen. Er stand neben der Tür, wirkte deprimiert und ganz und gar nicht so aufgeschlossen wie sonst.

Etwas später, nachdem sie und Hutch sich voneinander verabschiedet hatten, entdeckte Phoebe die beiden in einem Burger-Restaurant, wie sie die Köpfe zusammensteckten, aßen und sich angeregt unterhielten.

Offensichtlich war die Spannung, die am Nachmittag zwischen ihnen geherrscht hatte, wieder vorbei.

Das Spiel des Abends endete mit einem Sieg der Mariners am Ende der neunten Runde. Die Zuschauer waren in Jubelstimmung, als sie das Stadion verließen. Hand in Hand gingen Phoebe und Hutch zum Parkplatz, auf dem Hutch seinen Wagen abgestellt hatte.

Zum ersten Mal an diesem Abend wirkte er etwas in sich gekehrt. Sie brauchte nicht zu fragen, was ihn beschäftigte – der Prozess gegen *Mount Rainier Chocolates*. Er hatte gelegentlich davon gesprochen, ohne ihr allzu viele Details zu verraten. Außerdem hatte sie einen Zeitungsartikel dazu gelesen, aber der lieferte auch nicht mehr Informationen als die, die sie bereits hatte.

»Was hältst du von einer Tasse Kaffee bei mir?«, schlug sie vor.

Er nickte lächelnd, aber es kostete ihn sichtlich Mühe, wieder in fröhliche Stimmung zu kommen.

Sie schluckte schmerzhaft. Heute wollte sie ihm gestehen, dass sie ihn belogen hatte – ihn und alle anderen Kursteilnehmer –, was ihren Verlobten anging. Niemals hätte sie diesen Schwindel so lange aufrechterhalten dürfen.

Aber wenn sie mit Hutch zusammen war, hatten sie so viele andere Dinge zu bereden. Und doch, erst kürzlich hatte er eine Bemerkung dazu gemacht, dass in ihrer Wohnung keine Bilder von ihrem Verlobten standen. Einen Moment hatte seine Bemerkung sie irritiert. Dann fiel ihr ein, dass er Clark für tot hielt.

Sie verließ sich darauf, dass er ihr die dumme Lüge verzeihen würde. Diese Lüge, die inzwischen ein Eigenleben angenommen hatte und so viele weitere Lügen nach sich zu ziehen drohte.

Außerdem hoffte sie, dass er nach ihrem Geständnis nicht länger zögerte, über seine Sorgen bezüglich des Prozesses mit ihr zu reden. Ihrer Meinung nach war die ganze Sache lächerlich, reine Zeitverschwendung. Aber wenn sie ihn danach fragte, erklärte er stets, sein Anwalt kümmere sich darum. Und jedes Mal versicherte er ihr, dass er sich nicht ernstlich Sorgen machte. Aber das stimmte nicht, und heute Abend war das sehr offensichtlich.

In ihrer Wohnung räumte sie die gekaufte Wolle weg, mahlte frische Kaffeebohnen und brühte eine kleine Kanne Kaffee auf, gerade genug für zwei Tassen.

Danach gesellte sie sich zu Hutch ins Wohnzimmer und reichte ihm seinen Becher.

»Es gibt da etwas, das ich dir sagen muss«, begann sie leise.

Hutch erstarrte, als wüsste er schon, was kommen würde. Aber das konnte er nicht wissen. »Okay.« Er nickte »Ist es was Ernstes?«

»Ich habe dich angelogen.«

Sorgsam setzte Hutch seinen Becher auf dem niedrigen Tischchen neben sich ab. »Mir ist es lieber, jetzt mit der Wahrheit konfrontiert zu werden als später.«

Sie nahm einen Schluck von ihrem Kaffee und senkte den Blick. »Als ich mich für den Strickkurs angemeldet habe, habe ich allen erzählt, dass ich verlobt war und mein Verlobter gestorben ist.«

»Er ist also nicht tot?« Hutch runzelte die Stirn, und Besorgnis flackerte in seinem Blick auf. »Sag bitte nicht, dass du verheiratet bist.«

Trotz ihrer Nervosität lächelte sie. »Nein, er ist nicht tot, und nein, ich bin nicht verheiratet. Nichts dergleichen.«

Sofort ließ er die verspannten Schultern sinken, so erleichtert war er.

»Ich war verlobt und verliebt in einen Mann, der …« Sie stockte. Es fiel ihr schwer weiterzusprechen. »Vor zwei Monaten habe ich die Verlobung aufgelöst, als ich erfuhr, dass er wegen Inanspruchnahme sexueller Dienstleistungen verhaftet worden war.«

Hutch legte die Hand auf ihre und drückte sie, sagte aber nichts.

»Das war vorher schon einmal passiert. Beim ersten Mal habe ich ihm verziehen …«

»Beim ersten Mal, von dem du wusstest.«

»Genau. Ich muss davon ausgehen, dass es weitere Vorfälle dieser Art gegeben hat.«

»Ach Phoebe.«

»Er hat es geschafft, mich davon zu überzeugen, dass das nie wieder passieren würde. Und ich habe ihm geglaubt.« Sie erwähnte nicht, wie sehr sie von Clarks Familie und ihrer eigenen bedrängt worden war, ihm zu vergeben und alles zu vergessen.

»Es tut mir leid.«

Sie fuhr sich mit der Zunge über die Lippen, die sich trocken und spröde anfühlten. »Ich tat, was ich tun musste, löste die

Verlobung auf, und obwohl es schmerzte, habe ich es nicht bedauert. Nicht eine Sekunde lang.« Hutch von Clarks jüngstem Versuch zu erzählen, sie dazu zu bringen, zu ihm zurückzukehren, würde ihn nur aufregen. Also beschloss Phoebe, das Ganze lieber für sich zu behalten.

»Als du dich für den Kurs angemeldet hast, war das also dein Versuch, von deinem Verlobten loszukommen? Aufzuhören, ihn zu lieben?«

Sie senkte den Kopf und nickte.

»Hat es geholfen?«

Strahlend schaute sie ihn an. »Besser, als du dir vorstellen kannst. Ich war am Boden zerstört, zutiefst gedemütigt, wütend. Inzwischen ist mir klar, dass ich Clark zwar geliebt habe, dass sein Verhalten aber alle Gefühle, die ich jemals für ihn hatte, abgetötet hat.«

Hutch zog sie sanft an sich und lehnte seine Stirn gegen ihre. »Danke, dass du es mir gesagt hast.«

»Ich konnte dich einfach nicht länger anlügen.«

Zärtlich küsste er sie auf die Nasenspitze, auf eine Weise, die sie inzwischen über alles liebte. Seine Zärtlichkeit erregte sie mehr als ein Dutzend leidenschaftlicher Liebkosungen. Seufzend schlang sie ihm die Arme um den Hals, und sie küssten sich lange und intensiv – jeder Kuss inniger als der vorherige. Endlich lehnte sie sich an seine Schulter, schwindlig vor Verlangen. Hutchs Atem ging stoßweise.

Eine Weile saßen sie schweigend da.

»Erzähl mir von deinem Rechtsstreit«, bat sie schließlich.

Hutch atmete aus. »Da gibt es nicht viel zu erzählen.«

»Aber du machst dir Sorgen.«

»Ja. Mein Anwalt hat sich bereit erklärt, den Rechtsstreit auszufechten, aber er hätte eine außergerichtliche Einigung vorgezogen. Das will ich aber auf keinen Fall. Meines Erachtens wäre das ein Eingeständnis meiner Schuld. Mein Anwalt jedoch ist der Meinung, ich gehe ein schreckliches Risiko ein, wenn ich es zum Prozess kommen lasse.« Er schüttelte den Kopf. »Der Fall hat landesweit großes Interesse erregt. Wenn ich den Prozess verliere, öffnet das anderen Leuten Tür und Tor, gegen größere Firmen zu klagen und zu behaupten, Schokolade sei ein Suchtmittel. Und dann kämen Alkoholiker, die die Spirituosenhersteller verklagen. Medikamentensüchtige, die die Pharmaindustrie verantwortlich machen. Du verstehst, was ich meine? Hier steht viel mehr auf dem Spiel, als auf den ersten Blick ersichtlich ist.«

»Aber ist das diese Angst wert?«, fragte sie und stellte sich damit auf die Seite seines Anwalts. In diesem speziellen Fall war es vielleicht wirklich das Beste, dieser idiotischen Frau einfach eine entsprechende Summe zu bezahlen und die Sache damit hinter sich zu bringen.

»Ich weiß es nicht«, gab er zögernd zu. »Das erste Vergleichsangebot habe ich abgelehnt. Ich sehe nicht ein, dass ich eine so gewaltige Summe hergebe, nur um die Sache aus der Welt zu schaffen. Als mein Anwalt durchblicken ließ, dass wir vielleicht doch zu einem Vergleich bereit sind, stellte die Gegenseite eine noch höhere Forderung.«

»Gier stellt widerliche Dinge mit Menschen an.«

»Das kann man wohl sagen. Außerdem, wer garantiert mir, dass ich nächste Woche oder nächsten Monat oder nächstes Jahr nicht wieder angeklagt werde? So oder so ist die Sache gefährlich. Deshalb möchte ich lieber direkt dagegen angehen und es ein für alle Mal hinter mich bringen.«

Phoebe seufzte. »Ich wünschte, ich könnte irgendetwas tun.«

»Das kannst du.«

»Was denn?«, fragte sie eifrig.

Er zog sie in die Arme. »Lass mich dich noch ein paar Minuten halten«, flüsterte er. »Wenn du in meinen Armen liegst, kann ich an nichts anderes denken.«

Hutch war vielleicht nicht so redegewandt wie Clark, aber seine Worte waren aufrichtig und ehrlich. Genau wie seine Gefühle.

29. Kapitel

Anne Marie Roche

Es würde schwierig werden – das war Anne Marie jetzt schon klar. Wiederholt hatte Tim sie daran erinnert, dass sie diejenige war, die darauf bestanden hatte, dabei zu sein, wenn Ellen und Vanessa erstmals zusammentrafen. Das entsprach zwar der Wahrheit, aber Anne Marie hielt es für keine brillante Idee, sich ausgerechnet zum *Stitch N' Pitch* beim Spiel der Mariners zu treffen – scheinbar zufällig, aber doch absichtlich. Sie hatte sich damit einverstanden erklärt, obwohl ihr Instinkt ihr davon abriet – ihr erster Fehler.

Wie geplant waren sie zum Spiel gekommen und gerade auf dem Weg zu ihren Sitzplätzen, als Tim ihren Namen rief und winkte. Er tat so, als hätte er sie rein zufällig gerade erst bemerkt.

Von da an war es steil abwärts gegangen.

Vanessa verhielt sich Anne Marie gegenüber offen feindselig. Ellen begegnete sie gönnerhaft von oben herab und zuckersüß. Am schlimmsten fand Anne Marie jedoch, dass Tim anscheinend nicht bemerkte, dass mit Vanessas Verhalten irgendwas nicht in Ordnung war. Nach außen hin wirkte er, als glaube er, das Treffen hätte nicht besser laufen können.

Anne Maries Meinung nach war das Ganze eine einzige Katastrophe gewesen. Jetzt, da sie wieder zu Hause waren und Ellen sich bettfertig machte, hatte sie Gelegenheit, genauer über die Ereignisse des Abends nachzudenken.

»Mom«, rief Ellen aus ihrem Zimmer. »Ich bin so weit.«

Zeit für ihr abendliches Ritual. Ellen kletterte ins Bett, Baxter kuschelte sich an sie, und Anne Marie kniete vor dem Bett nieder, damit Ellen ihr Gebet sprechen konnte.

»Hat dir das Baseballspiel gefallen?«, fragte Anne Marie.

»Es war schön.«

Nicht für Anne Marie, aber das konnte sie Ellen nicht sagen.

Das Mädchen schaute arglos zu ihr hoch. »Ich dachte, du wärst Tims Freundin.«

Lächelnd gab sich Anne Marie große Mühe, ruhig und gleichmütig zu klingen. »Tim und Vanessa sind ein Paar.«

»Oh.« Ellen runzelte die Stirn. »Aber er hat dich doch allein zum Essen eingeladen?«

Das würde Anne Marie vermutlich nie vergessen. »Vanessa war dabei«, erklärte sie. Einerseits war das gelogen, andererseits war Tims Freundin zwar nicht physisch anwesend gewesen, in jeder anderen Hinsicht aber doch.

»Du hast mir gar nichts von ihr erzählt.«

Tatsächlich wusste sie auch nicht viel über die andere Frau. »Ich schätze, ich hätte es dir früher sagen sollen.«

Ellen war Tim in kurzer Zeit sehr nahegekommen. Sie bewunderte ihn und redete unablässig von ihm. Neben Brad, Mark und Hector war er ihr ein positives männliches Vorbild, und Anne Marie wollte nichts sagen oder tun, was diese besondere Beziehung gefährden konnte.

»Ich weiß, dass Vanessa eine Überraschung für dich war.« Tim hatte Vanessa und Ellen miteinander bekannt machen wollen, und Anne Marie hatte nachgegeben. Rückblickend sah sie ein, dass es hundertmal besser gewesen wäre, wenn sie Ellen auf die andere Frau vorbereitet hätte. Jetzt wünschte sie, sie hätte diesen Vorschlag gemacht, und bedauerte, es nicht getan zu haben.

»Du magst Tim, nicht wahr?«, fragte Ellen.

Damit ihre Stimme sie nicht verriet, nickte Anne Marie nur.

»Und er mag dich?«

»Ja, aber nicht auf diese Weise.«

»Oh.« Ellen war offensichtlich enttäuscht und verwirrt gleichermaßen.

Konnte sie ihr das verübeln? »Der Mensch, den Tim wirklich liebt, bist du«, murmelte Anne Marie.

»Ich?« Freude blitzte in Ellens Augen auf. »Ich mag ihn auch. Er bringt mich zum Lachen und besucht schöne Orte mit uns.«

»Ja, das tut er. Außerdem kannte er deine Großmutter und deine andere Mom.« Anne Marie glaubte nicht, dass es ihr zustand, Ellen zu sagen, dass sie Tims leibliche Tochter war. Das wollte sie ihm überlassen – zu einer für beide Seiten akzeptablen Zeit und an einem passenden Ort. Sie würde nicht erlauben, dass Tim Ellen mit dieser Information überfiel, ohne sie allmählich darauf vorzubereiten.

Ellens dunkle Augen wurden riesig. »Er kannte meine Grandma Dolores? Wieso habe ich ihn dann vorher nie getroffen?«

Auf diese Frage war Anne Marie nicht vorbereitet. Sie hatte auch so schon die Wahrheit ziemlich stark verfälscht. »Das wirst du Tim fragen müssen, wenn er das nächste Mal kommt.«

»Wird Vanessa dabei sein?«

»Vermutlich. Du magst sie, oder?«

Ellen zuckte die Achseln. »Sie ist in Ordnung, aber sie redet mit mir, als wäre ich ein Baby.«

»Irgendwann macht sie es bestimmt besser. Sie wird es lernen«, beschwichtigte Anne Marie sie und betete im Stillen, dass sich das bewahrheiten würde. »Vanessa ist ein sehr netter

Mensch.« Um das über die Lippen zu bringen, musste sie die Zähne zusammenbeißen.

Ellen schien darüber nachzudenken und nickte schließlich. »Das muss sie sein, wenn Tim sie liebt.«

Gutes Argument. So hatte Anne Marie das noch nicht betrachtet.

»Du hast recht.« Anne Marie griff nach Ellens kleinen Händen und schloss die Augen, bereit, dem Kind beim Gebet zuzuhören. Ellen betete manchmal drei bis vier Minuten lang. Zuerst bat sie Gott, Anne Marie zu segnen, zählte dann all ihre Freundinnen aus der Schule und dem Ferienprogramm auf, dann die aus der Blossom Street und schließlich Tim. Nach kurzem Zögern fügte sie auch Vanessa der Liste hinzu.

»Amen«, sagte Ellen und öffnete die Augen.

»Amen«, fügte Anne Marie hinzu und küsste Ellen auf die Wange. Dann streichelte sie Baxters seidiges Fell, verließ das Zimmer und schloss leise die Tür hinter sich.

Ruhelos und verunsichert wanderte Anne Marie mit verschränkten Armen in ihrer Küche auf und ab und ließ sich das Gespräch mit ihrer Tochter durch den Kopf gehen. Tatsache war, dass sie Vanessa gegenüber feindselig gewesen war. Na ja, vielleicht nicht gerade feindselig, aber sicher auch nicht freundlich. Sie hegte einen Groll gegen die andere Frau, die das vollkommene Szenario ruinierte, das sie sich für Ellen, Tim und sich ausgemalt hatte.

Als ihr bewusst wurde, wie stark sie für Tim empfand, war Anne Marie geschockt. Gefühle für ihn zu entwickeln, hatte sie zunächst überhaupt nicht erwartet, aber ihre Haltung ihm gegenüber hatte sich allmählich verändert. Er war so gut, so natürlich im Umgang mit Ellen. Anne Marie hatte ihn genauestens beobachtet. Zunächst war sie nicht bereit gewesen, ihm zu vertrauen, aber nach und nach hatte er sich ihr Vertrauen verdient. Bis zu dem Punkt, an dem sie nicht länger auf der Hut war. Sie hatte sich selbst eingeredet, dass sie dabei war, sich in ihn zu verlieben.

Als er ihr von Vanessa erzählt hatte, war sie wütend und beschämt gewesen, aber rückblickend verstand sie durchaus, dass Tim sich in einer schwierigen Lage befunden hatte. Er hatte ihr bereits gesagt, dass er Ellens leiblicher Vater war, und versucht, fair zu sein. Er hatte Anne Marie Gelegenheit gegeben, sich an diese Tatsache zu gewöhnen, bevor er auch Vanessa ins Spiel brachte. Ob das nun die beste Methode gewesen war, mit der Situation umzugehen, spielte keine Rolle. Was geschehen war, war geschehen und ließ sich nicht mehr ändern.

Leider hatte ihre Beziehung zu Vanessa einen sehr schlechten Start genommen. Daran waren sie beide gleichermaßen schuld, weil sie sich beide bedroht fühlten. Wenn sie das jemals wieder ins Lot bringen wollte, würde Anne Marie einen Schritt auf die andere Frau zumachen müssen.

Am nächsten Morgen beschloss sie, so schnell wie möglich Kontakt zu Vanessa aufzunehmen. Sie würde Tim nach ihrer Telefonnummer fragen und ihn deshalb später anrufen. Nachdem sie Ellen zum Ferienprogramm in die Kirche gebracht hatte, öffnete sie das Buchgeschäft. Sie zählte noch Bargeld in die Kasse, als sie Tim an der Tür entdeckte. Er sah aus, als hätte er die ganze Nacht nicht geschlafen.

»Guten Morgen«, begrüßte sie ihn munter.

Er runzelte die Stirn.

»Ist es denn kein guter Morgen?«, fragte sie neckend.

Langsam breitete sich ein Lächeln auf seinem Gesicht aus. »Jetzt schon. Ich habe nicht erwartet, dass du so guter Laune bist.«

»Warum nicht?«

Er kratzte sich am Kopf. »Vanessa hatte nicht das Gefühl, dass es gestern Abend gut gelaufen ist.«

Anne Marie öffnete eine Rolle Münzen und leerte sie in das entsprechende Kassenfach. »Ist es auch nicht, aber dafür übernehme ich die Verantwortung.«

»Du?«

»Ich war ... Vanessa gegenüber nicht so freundlich, wie ich hätte sein können. Ich muss sie – und dich – um Entschuldigung bitten.«

Tim starrte sie einfach nur an, als wäre er nicht sicher, ob er das glauben konnte. »Du?«

»Ich hätte Vanessas Gefühle stärker in Betracht ziehen müssen. Sie hatte das Gefühl, dass ich in ihrem Revier wildere, nicht wahr?«

»Na ja, so was in der Art.«

Was nun kam, fiel ihr am schwersten. »Du hattest recht. Ich fürchte, ich habe in die Situation zwischen uns beiden mehr reingedeutet, als ich hätte tun sollen. Das hat bei unserem ersten Treffen vermutlich für eine gewisse Feindseligkeit gesorgt.« Es war ihr peinlich, das zugeben zu müssen, aber er wusste ja sowieso schon Bescheid. Schließlich war es ihr nicht sonderlich gut gelungen, ihre Gefühle zu verbergen.

»Das tut mir leid.«

»Dir muss nichts leidtun«, erwiderte sie, bemüht, das Thema zu wechseln. »Wenn du mir Vanessas Telefonnummer gibst, rufe ich sie an und versuche, die Scharte auszuwetzen. Ich bin sicher, ihr ist genauso unwohl bei der ganzen Sache wie mir.«

Tim trat an den Tresen heran und schrieb die gewünschte Nummer auf die Rückseite einer seiner Visitenkarten. »Kannst du mir sagen, *was* genau passiert ist?«

Anne Marie zuckte die Achseln. »Eigentlich nichts. Da waren nur unschöne Untertöne zwischen uns.« Im Grunde hatten sie einander nur mit Blicken erdolcht und ein kindisches Verhalten an den Tag gelegt, das Anne Marie bereute.

»Was hält Ellen von Vanessa?«, wollte Tim wissen.

Anne Marie antwortete nicht sofort. »Sie hat gesagt, wenn du Vanessa liebst, muss sie etwas Besonderes sein«, meinte sie schließlich. Sie musste nicht unbedingt erwähnen, dass Ellen meinte, Vanessa spreche mit ihr wie mit einem Baby.

Tims Schultern schienen sich ein wenig zu lockern. »Das hat sie tatsächlich gesagt?«

»Hat sie.«

»Stört es dich, wenn ich das Vanessa erzähle?«

»Überhaupt nicht.«

»Danke. Ganz herzlichen Dank.«

Er war schon fast an der Tür, als sie ihn zurückhielt. »Es ist an der Zeit, weißt du.«

Verdutzt drehte er sich um. »An der Zeit?«

»Dass du Ellen sagst, dass du ihr Vater bist. Ich glaube, in ihrem Herzen weiß sie das bereits. Die Nachricht wird sie nicht schocken.«

Tim schluckte hart und nickte. »Ist es okay, wenn ich heute Abend vorbeikomme?«

»Perfekt. Inzwischen setze ich mich mit Vanessa in Verbindung.«

Anne Marie wartete bis zum späten Vormittag, bevor sie Tims Freundin anrief. Zunächst lief die Unterhaltung gar nicht gut.

»Was willst du?«, war Vanessas erste Frage.

Anne Marie musste sich auf die Zunge beißen, um nicht denselben scharfen Ton anzuschlagen. »Mir scheint, du und ich, wir sollten versuchen, Freundschaft zu schließen«, sagte sie ruhig.

»Als ob das jemals möglich wäre …«

»Das wird es sein, wenn wir uns beide Mühe geben. Die Sache ist die: Ich habe mich gestern unschön benommen und möchte mich entschuldigen.«

»Klar doch.«

Anne Marie ignorierte die Bemerkung. »Um Tims und Ellens willen schlage ich vor, dass wir noch mal von vorn anfangen.«

Am anderen Ende wurde es still, und einen Moment lang glaubte Anne Marie, die andere Frau hätte aufgelegt.

»Vanessa, bist du noch da?«

»Ja.«

Obwohl sie geneigt war aufzugeben, versuchte Anne Marie es noch einmal. »Bist du bereit, meine Entschuldigung anzunehmen?«

Vanessa zögerte. »Ist gut«, sagte sie schließlich etwas leiser.

»Ich meine es ehrlich, Vanessa. Ich stelle keine Bedrohung für deine Beziehung mit Tim dar. Ihm und Ellen würde es helfen, wenn du und ich uns irgendwie einigen könnten.«

»Du lässt deine Finger von Tim, dann kommen wir schon miteinander klar.«

»Kein Problem.«

»Gut.«

Anne Marie lächelte, erleichtert, getan zu haben, was getan werden musste. »Freundschaft?«, fragte sie.

Nach kurzem Schweigen antwortete Vanessa: »Freundschaft.« Das Wort kam etwas zögerlich.

»Danke.«

»Beschränk dich darauf, Ellens Mutter zu sein, und alles läuft wie geschmiert.«

»Das werde ich«, versprach sie. »Es war mir eine Freude, mit dir zu sprechen. Auf Wiedersehen.«

»Anne Marie«, warf Vanessa rasch ein. »Es ist dir bestimmt nicht leichtgefallen, mich anzurufen. Du sollst wissen, dass ich das zu schätzen weiß.«

»Gern geschehen. Ich hoffe, wir treffen uns bald wieder.«

»Ebenso.«

In Wahrheit würde Anne Marie vermutlich nie wirklich Vanessas Freundin werden, aber wenigstens verstanden sie einander jetzt, und sie waren beide entschlossen, das Beste aus der unangenehmen Situation zu machen.

Den übrigen Tag hatten Anne Marie und Teresa ständig Kunden zu betreuen. Es gab einen wahren Ansturm auf den neuesten Band einer sehr beliebten Buchreihe, und Anne Marie war permanent beschäftigt. Sie war dankbar dafür. Gegen halb fünf, kurz bevor Ellen nach Hause kommen würde, betrat Tim erneut den Laden.

Er bot einen noch erbärmlicheren Anblick als am Morgen. »Ist Ellen da?«, fragte er.

»Noch nicht. Ich dachte, du wolltest heute Abend kommen.«

Er schüttelte den Kopf. »Ich glaube nicht, dass ich noch so lange warten kann. Jetzt, da die Entscheidung gefallen ist, möchte ich es hinter mich bringen.«

Dafür hatte Anne Marie Verständnis. »Ich würde gern dabei sein«, sagte sie. »Geht das für dich in Ordnung?«

Er nickte und vergrub die Hände in den Hosentaschen.

Ein paar Minuten später rannte Ellen, ihren Rucksack auf dem Rücken, in den Laden. »Mom, Mom!« Als sie Tim entdeckte, blieb sie wie angewurzelt stehen und ließ den Blick zwischen den beiden hin und her wandern.

»Hallo«, sagte Tim täuschend locker.

»Hi. Ist Vanessa nicht mit dir gekommen?«

»Diesmal nicht.«

»Tim möchte dir etwas sagen«, mischte Anne Marie sich ein, um Tim daran zu erinnern, dass er mit seinem Besuch einen Zweck verfolgte. Dann wandte sie sich an Teresa, die eine telefonische Bestellung aufgenommen hatte. »Ich gehe für ein paar Minuten nach oben in die Wohnung. Hältst du solange die Stellung für mich?«

»Natürlich.«

Ellen voran, liefen sie zu dritt die Treppen hinauf. Baxter, der Ellens Stimme gehört hatte, wartete bereits, dass er zu seinem Nachmittagsspaziergang aufbrechen durfte. Er rannte ins Schlafzimmer und kam mit seiner Leine im Maul zurück. Ellen war stolz darauf, ihm das beigebracht zu haben.

»In ein paar Minuten«, vertröstete Anne Marie ihren Yorkie und nahm ihn auf den Arm.

»Setzen wir uns doch hin.« Tim deutete aufs Sofa.

Ellen setzte sich. Anne Marie nahm neben ihr Platz, Baxter auf dem Schoß und den freien Arm ihrer Tochter um die Schultern gelegt.

Tim war kreidebleich und wusste offensichtlich nicht, wie und wo er beginnen sollte.

Als Ellen laut seufzte, wandte er sich ihr zu und öffnete den Mund, brachte aber kein Wort heraus.

»Bist du mein Vater?«, fragte sie unerwartet.

Tim nickte und sank vor ihr auf die Knie. Tränen standen in seinen Augen. »Ja, Ellen, ich bin dein Vater.«

»Das habe ich mir schon gedacht.« Lächelnd wandte sie sich an Anne Marie. »Ich wollte meinen Vater kennenlernen, weißt du noch? Das war einer meiner Wünsche. Dann hast du mir gesagt, dass Tim Grandma Dolores gekannt hat und auch meine andere Mom, und da wusste ich, dass Gott mir meinen Daddy geschickt hat.«

Sie schlang Tim die Arme um den Hals und drückte ihn heftig. »Ich bin so froh, dass du es bist.«

Nun spürte Anne Marie, dass auch ihr die Tränen kamen.

Sie würden dafür sorgen, dass es funktionierte. Sie alle zusammen. Für Ellen.

30. Kapitel

Lydia Goetz

Wie bereits erwähnt, blieb *A Good Yarn* montags geschlossen. Daher legte ich auf diesen Wochentag meine Arzt-, Zahnarzt- und alle anderen Termine, kümmerte mich um den angefallenen Papierkram sowie die Buchhaltung.

Außerdem hielt ich mir seit Neuestem ein paar Stunden am Montag frei, um meine Mutter zu besuchen. Glücklicherweise hatte sie nur eine Nacht im Krankenhaus verbringen müssen. Seit ihrem Sturz kam sie mir noch zerbrechlicher vor denn je, und mir fiel auf, dass sie auch geistesabwesender war. An manchen Tagen schien sie sich in der Vergangenheit verloren zu haben, und vor ein paar Wochen wusste sie meiner Meinung nach nicht einmal, wer ich bin. Margaret und ich hatten beide das Gefühl, dass sie nicht mehr lange unter uns weilen würde. Deshalb hielten wir es für besonders wichtig, so viel Zeit wie möglich mit ihr zu verbringen. Die Entscheidung, sie in einem Pflegeheim unterzubringen, hatten wir uns beide nicht leicht gemacht, aber wir erkannten mehr als je zuvor, dass sie richtig gewesen war. Bei jedem Besuch schien Mom weiter zu verfallen, und sie sehnte sich immer noch nach ihrem Zuhause, aber wir hatten keine andere Wahl gehabt, da sie nicht mehr in der Lage gewesen war, allein zu leben.

Immerhin hatte sich die Situation mit Casey in der vergangenen Woche wieder verbessert. Der entscheidende Umschwung kam nach dem Tag, an dem sie sich mit Alix beraten hatte. Trotz meiner vorsichtigen Nachfragen ließ keine der beiden durchblicken, worüber sie sich unterhalten hatten.

Was immer Alix auch gesagt haben mochte, es hatte Casey geholfen. Ich hätte mir nur gewünscht, sie hätte mir anvertraut, wohin sie gehen wollte. Kaum jemals habe ich Brad so besorgt erlebt, so voller Angst, sie hätte beschlossen, wieder davonzulaufen. Meinem Mann bedeutete Casey inzwischen ganz genauso viel wie mir.

»Was hast du heute vor?«, fragte Casey, während ich die Lunchpakete für sie und Cody vorbereitete. Wenn sie mich nicht ins Wollgeschäft begleitete, besuchte sie gemeinsam mit ihm das Ferienprogramm.

»Ich kaufe Lebensmittel ein, und dann werde ich meine Mutter besuchen«, antwortete ich und packte noch eine kleine Tüte Maischips in Codys Lunchpaket. Die mochte er am liebsten, und wenn ich ihn gelassen hätte, hätte er sie jeden Tag gegessen.

»Darf ich mitkommen?« Wie immer trug sie Shorts und T-Shirt, dazu Flip-Flops.

Ihre Bitte überraschte mich, freute mich gleichzeitig aber auch. »Sehr gern.«

»Cool.«

Casey versuchte, einen Keks zu stibitzen, und ich klopfte ihr auf den Handrücken. »Nicht vor dem Frühstück.«

Also holte sie stattdessen die Müslischachtel aus dem Schrank. Kurz darauf hatte sich Cody zu ihr gesellt, und sie schaufelten Seite an Seite Reiscrispies in sich hinein und schlürften dabei extra laut. Ich zog es vor, das zu ignorieren.

Nachdem wir Cody abgesetzt hatten, fuhren Casey und ich zum Lebensmittelgeschäft.

Sie war ziemlich schweigsam, während ich den Einkaufswagen durch die Gänge schob und sorgsam meine Liste abarbeitete. Mir fiel jedoch auf, dass an der Kasse etliche Dinge im Wagen lagen, von denen ich mich nicht entsinnen konnte, sie hineingelegt zu haben. Die Backmischung und die Melone ließ ich kommentarlos durchgehen, nahm aber die Teenie-Zeitschrift heraus, bevor sie übers Band lief.

Ich hielt sie hoch und schaute Casey fragend an. Die zuckte die Achseln, als hätte sie keine Ahnung, wie das Ding im Wagen gelandet sein mochte. Also legte ich die Zeitschrift zurück ins Regal und stupste Casey in die Rippen. Sie lachte, und ich lachte mit.

Gemeinsam brachten wir unsere Einkäufe nach Hause und verstauten sie schnell in Schränken und im Kühlschrank. Dann fuhren wir zum Pflegeheim.

Casey war meiner Mutter schon begegnet, allerdings nur kurz, und die ganze Familie war dabei gewesen. Weil das ihr erster richtiger Besuch bei ihr war, hatte ich das Gefühl, sie darauf vorbereiten zu müssen.

»Mom ist zusehends verwirrter«, erläuterte ich. »Sie hat Gedächtnislücken.«

»Was bedeutet das?«

»Sie könnte deinen Namen vergessen.«

»Das macht nichts.«

»Und sie wirkt oft weggetreten.« Zu viel wollte ich auch nicht sagen, da ich Casey nicht ängstigen oder sie negativ beeinflussen wollte.

»Ich bin manchmal auch verwirrt«, sagte sie.

»Geht mir genauso«, gab ich grinsend zu. Es war wahrscheinlich am besten, wenn Casey sich ihre eigene Meinung bildete.

Ich stellte den Wagen ab und grüßte die freundlichen Mitarbeiter, als Casey und ich das weitläufige Foyer durchquerten, um zum Fahrstuhl zu gelangen, der uns nach oben zur kleinen Wohnung meiner Mutter bringen würde.

Nach kurzem Klopfen trat ich ein. »Hi, Mom«, grüßte ich fröhlich. Margaret und ich hatten ihr Sofa ins Wohnzimmer gestellt und die Decke, die Margaret in wunderschönen Herbstfarben gehäkelt hatte, darüber ausgebreitet. Gegenüber vom Sofa standen ihr Lieblingsstuhl und die kleinen Couchtischchen, die schon bei ihr zu Hause ihren Platz gehabt hatten.

Die Küche verfügte über einen winzigen Kühlschrank, eine Mikrowelle, eine Spüle und das nötigste Ess- und Kochgeschirr, aber das war auch schon alles. Jede Woche schaute ich ihren Kühlschrank durch und entsorgte die offenen Thunfischdosen und den angeschimmelten Käse. Natürlich musste ich das tun, wenn Mom gerade nicht hinschaute. Sie hasste es, Lebensmittel wegzuwerfen.

Auch ihr Schlafzimmer war winzig. Es bot gerade genug Platz für ihr Bett, ein Nachttischchen und ihre geliebte Nähmaschine. Mom nähte schon lange nicht mehr, aber die Maschine gehörte seit vielen Jahren so sehr zu ihrem Leben, dass sie sich ohne sie niemals heimisch fühlen würde. Trotz der Enge der Wohnung hatten Margaret und ich einen Platz für die Maschine gefunden.

Mom schaute vom Fernseher zu uns herüber. Als sie mich sah, hellte sich ihre Miene auf. »Lydia. Du hast Hailey mitgebracht.«

Hailey war die Tochter meiner Schwester. »Nein, Mom, das ist Casey.« Ich legte einen Arm um die Schultern des Mädchens. »Sie verbringt den Sommer bei Brad und mir.« Ich war mir nicht hundertprozentig sicher, dass Mom sich an Brad erinnerte. An manchen Tagen wusste sie, wer er war; an anderen schaute sie mich verständnislos an, wenn ich seinen Namen erwähnte.

Nachdenklich neigte meine Mutter den Kopf zur Seite. »Sind wir uns schon mal begegnet?«, fragte sie Casey. »Ich bin in letzter Zeit so vergesslich.«

Casey schob die Hände in die Taschen ihrer Shorts. »Nicht wirklich.«

Kurz nach Caseys Einzug bei uns hatte ich Mom eines Tages zum Abendessen zu uns geholt. Casey hatte den größten Teil des Tages in ihrem Zimmer verbracht, als dächte sie, sie störe nur das Familienidyll. Es hatte noch ein paar ähnliche Gelegenheiten gegeben, darunter auch einmal bei Margaret zu Hause, aber soweit ich wusste, hatte Casey nie mehr als ein paar Worte mit meiner Mutter gewechselt.

»Du kommst mir trotzdem bekannt vor«, meinte Mom stirnrunzelnd.

Casey setzte sich neben ihren Stuhl auf das Sofa und schaute zum Fernseher. »Was siehst du dir an?«

Genauso gut hätte ich für meine Mutter antworten können. Sie war völlig begeistert vom Kochkanal. Paula Deen war ihre Lieblingsköchin, und sie schaute sich treu und brav jede ihrer Sendungen an, dazu noch vier oder fünf andere Kochshows. Früher hatte sie die Rezepte mitgeschrieben und sie Margaret und mir vermacht, und sie hatte Weihnachten immer um Kochbücher gebeten. Mittlerweile kochte Mom zwar nicht mehr, aber das änderte nichts daran, dass sie immer noch den Wunsch hegte, wundervolle Mahlzeiten für ihre Familie zu zaubern. Allerdings hatte sie es aufgegeben, die Rezepte aufzuschreiben, und das beunruhigte mich. Ich fürchtete, dass sie etwas verloren hatte, wusste aber nicht genau, was. Ihre Zielstrebigkeit? Ihren Glauben an die Zukunft? Außerdem hegte ich den Verdacht, dass sie den Anweisungen schon lange nicht mehr folgen konnte.

»Paula Deen backt heute Morgen Cookies«, erzählte Mom Casey, die anscheinend interessiert die Sendung verfolgte. Das überraschte mich nicht, so gern, wie sie selbst Cookies und Kuchen fabrizierte.

Ich ging ins Schlafzimmer, um Moms Schmutzwäsche einzusammeln, die ich jede Woche für sie wusch. Waschmaschine und Trockner standen im Flur und wurden von allen Bewohnern der zweiten Etage gemeinschaftlich genutzt.

»Lydia war als Kind eine grässliche Köchin«, hörte ich meine Mutter sagen. »Ich konnte sie nicht in der Küche allein lassen.«

»Wirklich?« Casey suchte meinen Blick und kicherte fröhlich.

Ich hatte die Geschichte, wie ich mit elf Jahren Erdnussbutterkekse zu Kohle verbrannt hatte, schon unzählige Male gehört.

»Ich stecke deine Sachen in die Waschmaschine und bin gleich wieder da«, kündigte ich an. Manchmal konnte Mom sich kaum an meinen Namen erinnern, aber lang zurückliegende Ereignisse aus meiner Kindheit und Jugend waren ihr in allen Einzelheiten präsent. Vielleicht lag das daran, dass sie im Laufe der Jahre so oft erzählt worden waren.

So hingerissen, wie Casey lauschte, bezweifelte ich, dass die beiden hörten, wie ich die Wohnung verließ. Nachdem ich die Waschmaschine beladen hatte, kam ich zurück. Mom und Casey lachten, ob nun über etwas im Fernsehen oder über einen Witz, den sie einander erzählt hatten, wusste ich nicht.

Da Casey meine Mutter unterhielt, ging ich zurück in ihr winziges Schlafzimmer, um das Bett zu richten. Mom wäre es zutiefst peinlich gewesen, wenn ihr bewusst gewesen wäre, dass sie es nicht gemacht hatte. Als ich noch klein gewesen war, hatte meine Mutter äußerst penibel darauf geachtet, dass jeden Morgen die Laken glattgezogen und festgesteckt und die Decken sauber darübergebreitet wurden. Ein ordentlich gemachtes Bett kam gleich nach Zähneputzen und Beten, und es gehörte zu den Gewohnheiten, die ich nie aufgegeben hatte.

Irgendwann fiel mir auf, dass Mom und Casey immer noch miteinander lachten. Es war so ungewöhnlich, meine Mutter lachen zu hören, dass ich ins Wohnzimmer schaute, um zu sehen, was sie so lustig fand.

Der Fernseher war ausgeschaltet, und Casey saß auf dem Fußboden und kugelte sich vor Lachen. Als sie mich entdeckte, zeigte sie auf mich. »Du hast Margarets Tagebuch gelesen?«

»Mom, verpetzt du mich etwa?«, fragte ich gespielt entrüstet.

Meine Mutter nickte. »Deine Schwester war so sauer, dass sie in den Hof marschiert ist und ihr Tagebuch verbrannt hat. Dein Vater sagte, wir hätten Glück gehabt, dass niemand die Feuerwehr gerufen hat.«

Casey fand auch das zum Schießen komisch und lachte nur noch mehr. Mom lachte ebenfalls. Freudentränen liefen über ihre faltigen Wangen, bis sie das Taschentuch aus der Tasche ihrer Strickjacke hervorholte und sich die Augen abtupfte.

Was Mom sagte, entsprach der Wahrheit. Mit siebzehn hatte ich mich in das Zimmer meiner Schwester geschlichen, nach ihrem Tagebuch gesucht und Seite für Seite gelesen. Wie der Zufall so wollte, hatte meine Schwester mich dabei erwischt, wie ich auf ihrem Bett saß, völlig in das vertieft, was sie geschrieben hatte.

Zu behaupten, dass sie wütend gewesen war, wäre eine Untertreibung. Margaret hatte mir das Buch aus den Händen gerissen, war damit aus dem Haus gestürmt und verlangte lautstark von meinen Eltern, »etwas zu tun«.

Was Margaret nicht verstand – meine Eltern übrigens auch nicht –, war, dass ich mich nach einem normalen Leben verzehrte. In meinen Augen war Margaret ein normaler Teenager, und ich war es nicht, weil ich Krebs hatte. Ich wünschte mir das Leben meiner Schwester, und für mich war es die einzige Möglichkeit, einen Blick in das zu werfen, was »normal« war, indem ich ihr Tagebuch las.

»Sie hat mir inzwischen verziehen … glaube ich jedenfalls.«

Schelmisch grinsend schaute Casey mich an. »Hätte ich nicht getan.«

»Danke vielmals, Kind.«

»Führst du Tagebuch?«, wandte sich Mom an Casey.

Sie schüttelte den Kopf.

»Das ist auch gut so«, stellte ich fest, die Hände in die Hüften gestemmt. »Ich würde vermutlich auch deines lesen.«

Casey grinste und sah meine Mutter an, in der Hoffnung, noch mehr Geschichten über meine sündige Vergangenheit zu hören.

Wir blieben, bis es für Mom Zeit wurde, zum Mittagessen in den Speisesaal zu gehen. Jeden Tag saß sie mit drei anderen Witwen am selben Tisch. Sie schienen gut miteinander auszukommen, und ich war dankbar dafür, dass sie wenigstens so ein wenig Umgang mit anderen Menschen hatte. An vom Heim geplanten Veranstaltungen oder Ausflügen nahm sie nämlich nur selten teil.

Casey begleitete sie zum Speisesaal, während ich ihre saubere Wäsche zu Ende zusammenlegte und einräumte. Dann eilte auch ich nach unten und gesellte mich dazu, als Casey für Mom den Stuhl zurechtrückte.

»Bring Hailey wieder mit«, meinte Mom und sah lächelnd zu mir auf.

Casey schien es nicht zu stören, dass meine Mutter sie für meine Nichte hielt. »Das werde ich tun.« Sanft umarmte ich sie zum Abschied. Das war vermutlich der beste Besuch bei ihr, den ich seit ihrem Umzug hierher erlebt hatte. Sie war fast wieder sie selbst, und das hatte ich Casey zu verdanken. Das Mädchen war fasziniert von meiner Mutter, obwohl diese immer wieder dieselben Geschichten erzählte.

»Ich bin so froh, dass du mitgekommen bist«, sagte ich ihr auf dem Weg zum Besucherparkplatz.

»Deine Mom ist lustig.«

»Ich weiß.«

»Ich habe keine Großeltern«, fuhr sie ein wenig traurig fort. »Ich meine, ich habe keine, an die ich mich erinnere.«

Da ich nicht wusste, was ich dazu sagen sollte, schwieg ich.

Wir waren auf der Fahrt zurück nach Hause, als Casey sich plötzlich an mich wandte. »Wie war das eigentlich, Krebs zu haben?«

Ihre Frage erwischte mich völlig unvorbereitet. Meine Mutter musste das Thema angesprochen haben, obwohl ich keine Ahnung hatte, wie viel oder wenig sie gesagt haben mochte. Oder woran sie sich erinnerte.

»Viel Spaß hat es nicht gemacht, so viel steht fest.« Ich zog es vor, die Einzelheiten für mich zu behalten. Mir war noch gut in Erinnerung, wie verstört Mom und Margaret reagiert hatten, als mir während der Chemotherapie die Haare ausfielen. Große Güte, das war das, was mich am wenigsten gestört hatte! Die Medikamente, die Übelkeit, das Erbrechen, die rasenden Kopfschmerzen, das alles machte mich fertig. Dass ich kahl wurde, war nichts dagegen.

Fast ein ganzes Jahr meines Lebens hatte ich im Krankenhaus verbracht. Zwischendurch war ich immer mal kurz zu Hause, und dann trat wieder irgendetwas ein, das mich zurück ins Krankenhaus zwang. Ich dachte nur ungern an jene Jahre zurück.

»Wie alt warst du?«

»Sechzehn. Ich hatte gerade meinen Führerschein gemacht.« Ich beschränkte mich darauf, knappe Antworten zu geben, um möglichst rasch das Thema wechseln zu können. Dass ich das dann doch nicht tat, lag daran, dass Casey offensichtlich verstehen wollte.

»Was war am schlimmsten, außer der ständigen Übelkeit?«

»Am schlimmsten? Ich glaube, das war die Tatsache, dass mir der ganze Spaß an der Highschool entging.« Dazu gehörte so viel mehr, als dass ich nicht an Fußballspielen oder Tanzveranstaltungen teilnehmen konnte. Alle meine Freundinnen gingen mit Jungs und machten erste Ausflüge in ihre Unabhängigkeit. Nur ich nicht. Stattdessen war ich monatelang im Krankenhaus, hing an Infusionen und durchlebte so große körperliche und seelische Qualen, dass mir die Kraft fehlte, auch nur die Augen zu öffnen.

Verzweifelt sehnte ich mich danach, so sein zu können wie alle anderen. Ich war es so leid, krank zu sein.

»Bist du jemals tanzen gegangen?«

Ich nickte.

»Hattest du ein besonderes Kleid?«

Überraschend schnürte es mir die Kehle zu. »Mom hat mir eins genäht. Es war wunderschön.«

»Einen Freund?«

Ich schüttelte den Kopf, und es gelang mir sogar zu lachen. »Die Jungs in meiner Klasse zogen es vor, mit Mädchen auszugehen, die keine Glatze hatten.« Normalerweise band ich mir ein Tuch um, weil die Perücken, die ich hatte, so heiß und unbequem waren.

»Du hast deine Haare verloren?«, fragte Casey entsetzt.

»Margaret hat Fotos davon. Ich glaube, sie hat sie gemacht, um sich an mir zu rächen, weil ich ihr Tagebuch gelesen hatte.«

Casey lächelte, wurde aber rasch wieder ernst. »Es war hart, Krebs zu haben, oder?«

Ich hätte diese Jahre herunterspielen können, beschloss aber, ehrlich zu antworten. »Ja.«

Ein paar Minuten blieb Casey still. »Der Krebs ist wiedergekommen, nicht wahr?«, fragte sie schließlich. »Das hat Cody mir erzählt.«

»Als ich Anfang zwanzig war. Tatsache ist, er könnte auch jetzt immer noch wiederkommen. Das Leben gibt keine Garantie darauf, dass ein Tumor nicht wieder wächst, bloß weil man ein netter Mensch ist.«

Wir bogen in unsere Einfahrt ein, und ich schaltete den Motor aus. Dann stieg ich aus und wartete, während Casey noch eine Weile sitzen blieb, offensichtlich tief in Gedanken versunken. Einen Moment später folgte sie mir.

»Du bist ein tapferer Mensch«, sagte sie leise.

Ich lachte, weil ich mich ganz sicher nicht für besonders tapfer hielt. Dann legte ich den Arm um ihre Schultern, zog ihren Kopf an mich heran und küsste sie aufs Haar. »Oh ja, so bin ich. Richtig.«

»Du hattest zweimal Krebs und … und hast mich trotzdem den Sommer über bei euch wohnen lassen.«

Dies war ein Augenblick reinster, innigster Freude für mich.

31. Kapitel

Bryan »Hutch« Hutchinson

Hutch war verliebt. Jeder in seinem Umfeld erkannte die Anzeichen, und niemand hatte Skrupel, ihn darauf hinzuweisen. Aber er versuchte auch gar nicht, das zu verbergen.

Vor einiger Zeit, bevor er Phoebe kennengelernt hatte, hatte seine Schwester versucht, ihn mit einer ihrer Freundinnen zu verkuppeln. Mia, Myra oder so ähnlich. Er hatte ihren Namen bereits vergessen, so wie sie sicherlich auch seinen vergessen hatte.

Dass er Phoebe getroffen hatte, hatte alles geändert. Schon bei der ersten Begegnung hatte er sich zu ihr hingezogen gefühlt. Sie war schön, aber er reagierte nicht nur auf ihr Äußeres. Phoebe war alles, was er sich je von einer Frau erhofft hatte. Und sie *liebte ihn*. Er konnte es kaum fassen.

Trotzdem war er ein bisschen enttäuscht, dass sie so lange gebraucht hatte, um zuzugeben, dass ihr Verlobter nicht tot war – auch wenn er verstehen konnte, warum sie gelogen hatte. Wer weiß, unter ähnlichen Umständen hätte er vielleicht genauso gehandelt, um Peinlichkeiten und langatmigen Erklärungen aus dem Weg zu gehen. So war es einfacher gewesen, und ihre Erklärung, ihr Verlobter sei in dem Moment, in dem er eine andere Frau für Sex bezahlte, für sie gestorben gewesen, war überzeugend.

Hutch dachte über diesen anderen Mann nach, der einmal

eine wichtige Rolle in Phoebes Leben gespielt hatte. In den zwei Monaten, die sie jetzt zusammen waren, hatte Phoebe weder über ihre Verlobung gesprochen noch mehr als nur die spärlichsten Details erzählt. Hutch wusste nur, dass der Mann, den Phoebe hatte heiraten wollen, sie belogen und betrogen hatte. Als die Wahrheit ans Licht gekommen war – zum zweiten Mal –, hatte sie die Beziehung ein für alle Mal beendet. Ihm war klar, wie tief das Verhalten ihres Exverlobten sie verletzt haben musste.

»Ich habe deinen Anwalt in Leitung eins«, unterbrach Gail Wendell seine Grübeleien.

Jetzt, da der Gerichtstermin näher rückte, hörte er fast jeden Tag von John Custer.

»Hutch hier«, meldete er sich.

Das Telefonat mit John dauerte nur wenige Minuten. Kaum war es beendet, versuchte er es aus seinen Gedanken zu verbannen. An Tagen wie diesen sehnte er sich danach, mit Phoebe zu reden. Nein, er *musste* mit ihr reden. Sowie er ihre Stimme hörte, schien sein Blutdruck sich zu normalisieren.

Ein Blick auf die Uhr, und er griff erneut zum Hörer. Viertel vor elf, Phoebe hatte gerade Pause zwischen zwei Patienten. Inzwischen telefonierten sie jeden Tag zwei- bis dreimal miteinander, und selbst das war ihm nicht genug.

»Hi«, sagte er, als sie sich meldete.

»Ebenfalls hi«, gab sie zurück. »Hast du mit deinem Anwalt gesprochen?«

»Habe ich.« Hutch schloss die Augen. Er liebte es, ihre Stimme zu hören. Sie hüllte ihn ein, erleichterte die Last auf seinen Schultern, tröstete ihn.

»Und?«

Da war sie wieder, die Wirklichkeit. Widerwillig öffnete er

die Augen. »Der Gerichtstermin ist nächste Woche. Es scheint keine Möglichkeit mehr zu geben, drum herumzukommen.«

»Das tut mir leid.«

Hutch empfand genauso. »Ich hatte gehofft – und das war vermutlich dumm von mir –, dass der Anwalt der Gegenseite Vernunft annehmen würde. Aber nach dem, was ich so höre, ist Clark Snowden davon überzeugt, den Fall zu gewinnen und sich in diesem Prozess einen Namen zu machen.«

»Snowden?«, fragte sie nach.

»Ja. Das ist der Anwalt der Klägerin.«

»Oh.«

Hutch senkte den Blick auf die Akte auf seinem Tisch, die seine Aufmerksamkeit erforderte. Dass er Phoebe kennengelernt hatte, hatte unter anderem die erfreuliche Folge, dass er inzwischen gelernt hatte zu delegieren. Dieser Beweis, dass er seinen Untergebenen vertraute, hatte obendrein seine Beziehung zu den Abteilungsleitern verbessert. »Was hältst du von einem gemeinsamen Abendessen?«, fragte er.

»Ich kann nicht«, erwiderte sie rasch. »Offen gesagt, habe ich die ganze Woche keine Zeit mehr.«

Ihre Ablehnung schockte ihn. Bis jetzt war sie immer genauso scharf darauf gewesen, sich mit ihm zu treffen, wie er. »Die *ganze* Woche?«, hakte er leise nach, obwohl er weder besitzergreifend noch ungebührlich betroffen klingen wollte.

»Ja … und auch die nächste.«

Seine Stimme wurde ein wenig zittrig. »Verstehe.« Er wusste nicht, was sich geändert hatte, aber es hatte sich eindeutig etwas geändert.

»Hör mal, Hutch«, sagte sie angespannt. »Unsere Beziehung hat sich sehr schnell entwickelt, findest du nicht? Vielleicht sollten wir etwas langsamer machen und uns erst mal darüber klar werden, was zwischen uns läuft, bevor wir weitermachen.«

»Ich weiß, was ich empfinde.«

»Aber weißt du auch, was du *willst*?«

Hutch lief ein eiskalter Schauer den Rücken hinunter. Er hatte das Gefühl, dass sie ihn abservierte, auch wenn er nicht die blasseste Ahnung hatte, warum. »Ja«, gab er scharf zurück. »Ich will dich in meinem Leben haben.«

Seine Worte schienen sie zu überraschen. Es folgte peinliches Schweigen. »Ich ... ich brauche Zeit. Um nachzudenken«, sagte sie schließlich.

»Worüber?«, fragte er gereizt. »Habe ich irgendwas getan, womit ich dich verärgert habe?«

»Nein, noch nie.« Ihre Stimme wurde deutlich weicher.

»Was soll das Ganze dann? Wofür brauchst du Zeit? Und dann noch so plötzlich?«

»Ich ... ich muss nachdenken. Ehrlich. Es tut mir leid, aber es ist besser so.«

Vielleicht besser für sie, aber keinesfalls für ihn. Hutch wollte mit ihr diskutieren, um herauszufinden, was sich geändert hatte, aber er riss sich zusammen und hielt sich zurück. Schließlich war es allein ihre Sache, ob sie seine Liebe erwiderte oder zurückwies.

Phoebe sagte nichts, und das Gefühl des Verlustes, das ihn durchfuhr, erschütterte ihn zutiefst.

Wenn sie Zeit brauchte, dann würde er sie ihr geben. Sein Stolz erlaubte ihm nicht, sie zu drängen oder zu betteln.

»Weißt du, was«, sagte er, bemüht, jegliche Emotion aus seiner Stimme zu verbannen, »melde dich bei mir, wenn du so weit bist.«

»In Ordnung.«

»Bye, Phoebe.«

Sie setzte dazu an, etwas zu sagen, aber er ertrug es nicht, länger zuzuhören. Sacht legte er den Hörer auf, starrte ins Leere und fragte sich, was da gerade geschehen war. Innerhalb von wenigen Minuten hatte sie die vielversprechendste Beziehung seines Lebens einfach so beendet.

Den restlichen Nachmittag verbrachte Hutch an seinem Schreibtisch und vergrub sich in dem Papierkram vor ihm.

Um halb fünf betrat Gail sein Büro. »Alles in Ordnung?«, fragte sie direkt.

»Ja.« Hutch blickte auf. »Alles bestens. Warum fragst du?«

Stirnrunzelnd schüttelte Gail den Kopf. »Erstens, du bist sehr still, seitdem du mit John Custer gesprochen hast.«

Hutch sah auf die Uhr. »Wird es nicht Zeit, Feierabend zu machen?«, fragte er. Mit anderen Worten, er hatte nicht die Absicht, ihre Frage zu beantworten.

»Und zweitens«, fuhr Gail unbeeindruckt fort, »hängst du um diese Zeit normalerweise am Telefon und sprichst mit Ms. Rylander.«

»Ich werde Ms. Rylander nicht mehr treffen«, erklärte er rundheraus.

Sie versuchte gar nicht erst, zu verbergen, wie sehr sie diese Neuigkeit schockte. »Warum, um Himmels willen? Du bist verrückt nach ihr, und ich weiß, dass es ihr mit dir genauso geht.«

»Offenbar haben du und ich uns in diesem Punkt gleichermaßen geirrt.«

Missbilligend schnalzte die ältere Frau ein paarmal mit der Zunge. »Und du legst einfach die Hände in den Schoß und tust nichts?«

»Ja.«

»Oh, Hutch, um Gottes willen, sei doch nicht so dickköpfig.«

»Das war nicht meine Entscheidung.«

»Hast du wenigstens nach dem Grund gefragt?«

»Ich hab's versucht.«

»Versuch's noch mal.«

Hutch zuckte die Achseln. »Soweit es mich angeht, ist sie jetzt am Zug. Wenn Phoebe mich anrufen will – fein. Aber ich mache mir keine großen Hoffnungen.« Er klang entschlossen und selbstsicher, obwohl er beides nicht war.

Gail zögerte, schüttelte schließlich noch einmal den Kopf und verließ sein Büro.

Kaum hatte sie die Tür hinter sich geschlossen, ließ Hutch die Luft aus seiner Lunge entweichen und hörte auf, sich zu verstellen. Er sackte förmlich in sich zusammen, so vernichtend hatte ihn der Schlag getroffen. Einen Moment dachte er darüber nach, Phoebe zur Rede zu stellen und von ihr zu verlangen, dass sie ihm sagte, was er so Schreckliches getan hatte.

Ihm fiel nichts, aber auch gar nichts ein, was ihre Reaktion hätte erklären können, und er fühlte sich elend, während er darüber nachdachte, welche Wendung sein Leben so plötzlich genommen hatte: Was noch vor Stunden so vielversprechend ausgesehen hatte, war jetzt unwiderruflich vorbei.

Bis kurz vor acht Uhr blieb er im Büro und fuhr dann schweren Herzens heim. Sein Abendessen bestand aus einem Tiefkühlfertiggericht, das er in der Mikrowelle erhitzte und vor dem Fernseher aß.

Sein Telefon klingelte zwei Mal, aber er ging nicht dran. Wer auch immer angerufen hatte, hinterließ keine Nachricht. Ihm war es recht, denn er hatte auch kein Interesse daran, sie sich anzuhören.

Während die Spätnachrichten über den Fernsehschirm flimmerten, wurde Hutch plötzlich klar, dass er seit Stunden auf das Gerät gestarrt hatte, ohne sich erinnern zu können, was er gesehen hatte. Ganz gleich, wie oft er das Gespräch mit Phoebe in Gedanken durchging, ihm fiel keine Erklärung ein, warum sie sich so plötzlich – oder vielleicht gar nicht plötzlich? – entschieden hatte, ihre Beziehung zu beenden.

Unnötig zu sagen, dass Hutch weder in dieser noch in der folgenden Nacht gut schlief. Er vergrub sich in seiner Arbeit, traf sich mit seinem Anwalt und gab sich alle Mühe, nicht über Phoebe nachzudenken. Erfolg hatte er damit nicht, tat aber so als ob. Wenn er nicht gerade an Phoebe dachte, spukte ihm der Prozess im Kopf herum.

Zu ihrer Ehre sprach Gail ihn nicht wieder auf Phoebe an, und er erwähnte ihren Namen auch nicht. Ab und zu ertappte er seine Assistentin dabei, dass sie ihn beobachtete und nach verdächtigen Zeichen Ausschau hielt. Was sie zu entdecken hoffte, wusste er nicht. Vielleicht wartete Gail auf einen Hinweis darauf, dass seine Entschlossenheit ins Wanken geriet und er allmählich doch schwach wurde.

Tatsächlich aber gelangte Hutch mehr und mehr zu der Überzeugung, dass ihm Liebe oder die Ehe einfach nicht gegeben waren. Er hatte sein Herz offen auf den Tisch gelegt, und Phoebe hatte es in Stücke gerissen – ohne Grund und ohne Anlass. Wenn das Liebe war, dann konnte sie ihm gestohlen bleiben.

Er hatte ein gutes Leben – zugegebenermaßen ein recht einsames –, aber daran war er gewöhnt. Was Kinder anging, hatte er seine Nichte und seinen Neffen, und so Gott wollte, würde schließlich einer der beiden oder beide zusammen die Firma übernehmen. Wenn nicht, würde er sie verkaufen. Womöglich musste er das ja sowieso, je nachdem, was bei dem Prozess herauskam.

Am Freitagnachmittag, fünf Tage nach seinem letzten Gespräch mit Phoebe, verließ Hutch sein Büro noch später als sonst. Es war inzwischen Mitte August, und seiner Meinung nach war kein Ort auf der ganzen Welt schöner als die Nordwest-Pazifikküste an einem heißen Sommertag, wenn der Himmel blau war und Mount Rainier geisterhaft in der Ferne flimmerte.

Es war schon fast neun, aber die Sonne schien noch. Er steuerte gerade auf seinen Parkplatz zu, als er sie entdeckte.

Phoebe.

Sie stand neben seinem Auto und wartete auf ihn.

Vergeblich versuchte Hutch, die Freude zu verdrängen, die ihn bei ihrem Anblick überkam. Er würde ihr nicht erlauben, mit seinen Gefühlen zu spielen. Nicht noch einmal, denn zu einem solchen Spiel war er nicht bereit.

Entschlossen und zielstrebig ging er weiter.

»Hallo, Hutch.«

Er reagierte nicht.

»Ich kann es nicht«, flüsterte sie niedergeschmettert. »Ich hab's versucht, aber ich kann's nicht.«

Mit beiden Händen hielt er seine Aktentasche fest und sah sie einfach nur an. Vermutlich erwartete sie, dass er ihr Fragen stellte oder zeigte, wie sehr er sich freute, sie zu sehen. Beides hatte er nicht vor.

Sie runzelte die Stirn. »Sag doch was«, flehte sie.

»Was soll ich denn sagen?«, gab er achselzuckend zurück.

Sie schaute zu ihm hoch, Tränen in den Augen. »Zum Beispiel, dass du mich vermisst hast.«

Er presste die Lippen aufeinander. Keinesfalls wollte er ihr das gestehen, auch wenn es stimmte.

Sie hob die Hand, als wollte sie sein Gesicht berühren.

Sofort wich Hutch einen Schritt zurück.

Da schlug sie sich die Hand vor den Mund und begann zu schluchzen.

Jetzt geriet seine Entschlossenheit doch ins Wanken, aber er gestattete sich nicht, ihren Tränen zu erliegen, auch wenn es ihm unmöglich war, angesichts ihrer Qual gelassen und unbeeindruckt zu bleiben.

»Es ist so, Phoebe. Ich habe entdeckt, dass ich es durchaus kann.« Er fasste nach dem Griff der Beifahrertür. »Ich kann ohne dich leben.«

»Es gibt da etwas, das du nicht weißt.«

Er erstarrte.

»Clark Snowden …«

Als der Name des Anwalts seiner Prozessgegnerin fiel, drehte er sich zu ihr um. »Was ist mit ihm?«

»Er war … er war mein Verlobter.«

Die Worte trafen ihn mit geradezu physischer Gewalt. Selbst wenn sein Leben davon abgehangen hätte, hätte er kein Wort herausbringen können.

»Ich wusste, wenn Clark erfahren würde, dass du der Mann bist, den ich liebe, dann würde er alles in seiner Macht Stehende tun, um dich zu treffen. Ich – ich dachte, ich könnte dich nur schützen, wenn ich unsere Beziehung beende … aber ich kann das nicht. Ich habe es versucht, wirklich, aber ich kann es einfach nicht. Ich bin zu selbstsüchtig und brauche dich viel zu sehr, Hutch. Und ich liebe dich zu sehr.«

Seine Aktentasche fiel zu Boden, als er sie in die Arme riss und sich an sie klammerte, als müssten sie beide sonst sterben.

»Das hättest du mir sagen sollen.« Er brauchte sie so sehr, dass es wehtat.

»Ich konnte nicht … ich hatte Angst.«

Und dann küssten sie einander, drängten sich aneinander und versuchten die fünf Tage der Trennung und der Qual wieder wettzumachen. Hutch schmeckte ihre salzigen Tränen und küsste sie ihr von den Wangen.

»Was sollen wir nur tun?«, flüsterte sie, während sie sich an ihn klammerte. »Clark wird versuchen, dich zu vernichten – deine Firma zu ruinieren und dich in Verruf zu bringen. Ich kann nicht einfach danebenstehen und zusehen.«

»Ich weiß genau, was ich tun werde«, sagte er. »Glaub mir, es ist ganz einfach. Ich werde diesen Prozess gewinnen, und dann werde ich dich heiraten, wenn du einverstanden bist.«

Er hielt sie so fest umschlungen, dass ihre Füße kaum noch den Boden berührten. Die Arme fest um seinen Nacken geschlungen, brachte Phoebe schluchzend ihre Antwort hervor: »Ja, ja! Ach Hutch, ja! Ich will dich heiraten, mehr als alles in der Welt will ich das. Ich möchte mein Leben mit dir verbringen.«

Das war gut zu hören, denn er konnte sich eine Zukunft ohne Phoebe nicht vorstellen. Neben seiner Liebe zu ihr wurde alles andere unwichtig. Snowden mochte tun, was immer er wollte. Es spielte keine Rolle für Hutch, solange er Phoebe an seiner Seite hatte.

32. Kapitel

Anne Marie Roche

Tim kam ihnen bis an den Bordstein entgegen, als Anne Marie ihren Wagen vor dem Haus seiner Eltern abstellte. Währenddessen stand Vanessa auf der Veranda und wartete, damit Anne Marie auch ja begriff, dass sie jede ihrer Bewegungen beobachtete.

Es war Tims Idee gewesen, Ellen mit zu seinen Eltern zu nehmen, damit sie sie kennenlernte. Beim ersten Mal würden nur seine Mutter und sein Vater dabei sein. Später wollte er sie auch seinen Geschwistern vorstellen.

Außerdem sollte Ellen sich auch in Vanessas Gesellschaft wohlfühlen. Anne Marie hoffte, dass sie es geschafft hatten, reinen Tisch zu machen, und es zwischen ihr und der anderen Frau keine Probleme mehr geben würde. Aber vielleicht brauchte Vanessa noch mehr Gewissheit, dass sie es wirklich nicht auf Tim abgesehen hatte.

Ellen, die ungeduldig darauf wartete, ihren Vater wiederzutreffen, löste den Sicherheitsgurt, sprang aus dem Wagen und rannte zu ihm. Ohne Zögern schlang sie die Arme um ihn. »Hast du dein Motorrad mitgebracht?«, fragte sie als Erstes.

»Habe ich doch versprochen, oder nicht?«

Begeistert nickte Ellen.

Anne Marie stieg aus dem Auto und winkte Vanessa zu, die ihre Geste halbherzig erwiderte. Selbst aus dieser Entfernung konnte Anne Marie erkennen, dass die andere Frau sie nicht hierhaben wollte.

Insgeheim hoffte Anne Marie, die Gelegenheit zu bekommen, ihr zu sagen, dass sie Ellen nicht jedes Mal zu Tims Familientreffen begleiten würde. Bei diesem ersten Mal hielt sie es jedoch für wichtig, dabei zu sein.

Bis sie die Verandastufen erreicht hatte, waren Tim und Ellen bereits in der Garage verschwunden, um sich Tims Harley anzusehen.

»Hallo, Vanessa«, grüßte Anne Marie die andere Frau freundlich.

Vanessa verschränkte die Arme. »Warum musst du unbedingt hier sein?«, fragte sie. Jede Spur von Freundlichkeit, die bei ihrem Telefonat noch zu spüren gewesen war, hatte sich offensichtlich in Luft aufgelöst.

»Ich war der Meinung, dass Ellen Gewissheit braucht, dass ich bei ihr bin, weil sie sich nicht in ihrer vertrauten Umgebung befindet. Das wird nicht jedes Mal so sein.«

»Na, das will ich doch hoffen.« Damit drehte Vanessa sich um und ging ins Haus. Die Fliegengittertür fiel hinter ihr zu.

Da sie nicht wusste, wohin, machte Anne Marie sich auf die Suche nach Ellen und Tim. Sie fand sie in der Garage, wo Ellen auf der Harley saß, den großen schwarzen Motorradhelm auf dem Kopf. Sie sieht aus wie einer der Roswell-Aliens, dachte Anne Marie belustigt. Ellen erblickte sie und winkte wild.

»Sieh nur, Mom, sieh doch«, rief sie. Unter dem Helm klang ihre Stimme gedämpft.

»Wer steckt da drin?«, fragte Anne Marie scherzend und spähte durchs Visier.

»Ich bin's! Ich!«

Lachend sah sie Tim an, der ihr Lächeln erwiderte. Sie schauten sich ein bisschen länger in die Augen als nötig, während sie sich beide über Ellens Begeisterung freuten.

Anne Marie musste sich zwingen, den Blick abzuwenden. Ihrer Versicherung gegenüber Vanessa zum Trotz fühlte sie sich immer noch zu Tim hingezogen, zumal sie sah, wie glücklich Ellen wirkte, wenn sie drei zusammen waren.

Ellen redete pausenlos über Tim. Den ganzen Tag lang hieß es Dad dies und Dad das. Sie war dazu übergegangen, ihn Dad zu nennen, seit er ihr gesagt hatte, dass er ihr Vater war. Und am selben Abend noch hatte sie den Wunsch auf ihrer Liste als erfüllt abgehakt. Anne Marie und Ellen hatten begonnen, Bilder von Vater und Tochter in das Wunschbuch des Mädchens einzukleben.

Nach ein paar Minuten half Tim dem Kind, den Helm abzunehmen, und geleitete sie beide ins Haus. »Mom und Dad brennen darauf, euch kennenzulernen«, sagte er.

Seine Eltern – und Vanessa – warteten im Wohnzimmer. Tim hielt Ellen an der Hand und zog sie mit sich. Da Anne Marie sich nicht aufdrängen wollte, blieb sie ein Stück zurück.

Vanessa saß auf dem Sofa, die Arme immer noch vor der Brust verschränkt, und funkelte Anne Marie ebenso zornig wie misstrauisch an, als fragte sie sich, was die andere die ganze Zeit mit Tim in der Garage getrieben hatte.

»Du musst Ellen sein«, sagte Tims Mutter sanft.

»Mom, Dad, das ist eure Enkelin.«

Ellen drückte sich an Tim. Sie wirkte klein und verunsichert.

»Hallo, ich heiße Mary«, stellte sich Tims Mutter vor, »aber ich hoffe, du nennst mich Grandma.«

Ellen nickte kaum merklich.

»Und ich bin dein Großvater Thomas«, meldete sich Tims Vater zu Wort.

»Ich wusste nicht, dass ich drei Grandmas haben kann«, erwiderte Ellen zaghaft.

Anne Marie sah sich gezwungen, eine Erklärung zu liefern. »Ellen hat bei ihrer Grandma Dolores gelebt, als wir uns das erste Mal begegneten. Nach der Adoption wollte meine Mutter auch Grandma genannt werden.«

»Möchtest du lieber Mary zu mir sagen?« Fragend sah Tims Mutter zu Anne Marie hinüber.

Die beschloss, die Antwort ihrer Tochter zu überlassen.

»Ich werde Grandma sagen«, erklärte Ellen nach einigem Zögern.

»Das würde mich sehr freuen.« Mary richtete sich auf. »Ich hoffe, du magst Brathähnchen, denn das werden wir zum Abendessen haben.«

Ellen nickte.

»Als dein Daddy noch klein war, mochte er mein scharfes Brathähnchen ganz besonders gern.«

Erleichtert atmete Anne Marie aus. Tims Eltern schienen gute Menschen zu sein, und es war offensichtlich, dass sie Ellen bereits ins Herz geschlossen hatten. Jetzt trat Thomas vor und streckte ihr die Hand entgegen. »Ich bin Tims Vater, und Sie sind Ellens Adoptivmutter?«

Sie schüttelte ihm die Hand und erwiderte sein Lächeln. »Anne Marie Roche.«

»Wir freuen uns, dass Sie uns ermöglichen, an Ellens Leben teilzuhaben.«

Diese Entscheidung war ihr nicht leichtgefallen, aber Anne Marie verzichtete darauf, das zu sagen.

»Ellen scheint gut zurechtzukommen, meinst du nicht?«,

warf Vanessa scharf ein. Damit gab sie Anne Marie unmissverständlich zu verstehen, dass ihr Part erledigt war und sie jetzt verschwinden sollte.

Auf dieses Stichwort hin trat sie langsam zurück. »Ich denke, es ist an der Zeit, euch in Ruhe kennenzulernen. Wann soll ich Ellen wieder abholen?«

Tims Augen wurden schmal. »Du willst doch nicht etwa gehen?«

»Bitte, leisten Sie uns doch zum Abendessen Gesellschaft«, setzte Thomas hinzu. »Wir möchten auch Sie kennenlernen, weil Sie doch diejenige sind, die unsere Enkelin aufzieht.«

»Na ja ...« Anne Marie wandte sich Vanessa zu, unsicher, wie sie reagieren sollte. Gern hätte sie der anderen Frau klargemacht, dass sie wusste, wo ihr Platz war, und dass sie nicht die Absicht hatte, sich in ihre Beziehung mit Tim zu drängen.

»Thomas«, rief Mary aus der Küche. »Würdest du bitte zusammen mit Tim den Picknicktisch in den Schatten stellen?«

Die beiden Männer folgten sofort, und Anne Marie fand sich allein mit Vanessa wieder. Was sollte sie jetzt sagen? Sollte sie überhaupt etwas sagen?

Langsam atmete Vanessa aus. »Ich hätte die Klappe halten sollen.«

»Wie bitte?« Anne Marie war es unangenehm, mitten im Zimmer zu stehen, aber um sich zu setzen, fühlte sie sich nicht entspannt genug.

»Gerade eben. Als du gekommen bist. Ich hätte nicht sagen sollen, was ich gesagt habe.«

»Ach das.« Anne Marie tat so, als hätte sie bereits vergessen, wie unfreundlich der Empfang gewesen war. »Glaub mir, ich verstehe dich. Du bist in einer schwierigen Situation. Das sind wir beide. Wir können nur eins tun, nämlich uns arrangieren. Richtig?«

Vanessa wirkte nicht überzeugt. »Ich schätze, ja, aber es ist ganz schön schwer.«

»Ja, das ist es«, stimmte Anne Marie zu. »Hör mal, ich bleibe noch ein Weilchen, dann entschuldige ich mich und gehe. Du und Tim, ihr könnt Ellen später nach Hause bringen. Oder wenn es leichter für euch ist, kann ich zurückkommen und sie abholen. Was immer euch am besten passt.«

Vanessa nickte. »Ich bespreche das mit Tim.«

»Wir können es schaffen, dass dieses Arrangement funktioniert«, beteuerte Anne Marie, »aber wir müssen kommunizieren. Ich will nicht, dass dir dabei unwohl ist.«

»Warum sollte es?«, fragte Vanessa aggressiv. »Tim und ich werden heiraten.«

»Dir *sollte* dabei *nicht* unwohl sein, und genauso sollte auch Ellen sich mit dir wohlfühlen.«

»Das tut sie bereits.« Vanessas mürrische Miene ließ erkennen, dass sie von Anne Marie wohl Widerspruch erwartete.

»Ich bin froh, wie bereitwillig du Ellen akzeptiert hast.« In Wirklichkeit war Anne Marie davon nicht überzeugt, aber sie wollte die andere Frau nicht reizen.

Vanessa stieß einen übertriebenen Seufzer aus. »Du hast keine Vorstellung, wie schwer es mir fällt, Tim mit diesem Kind zu teilen. Wie wird sich das entwickeln, wenn wir erst eigene Kinder haben?«

Diese Frage konnte ihr Anne Marie nicht beantworten. »Ihr beide werdet einen Weg finden, wenn es so weit ist«, sagte sie. Etwas Besseres fiel ihr nicht ein.

»Klar«, murmelte Vanessa. »Das werden wir.«

In diesem Moment tauchten die beiden Männer wieder auf, und Tim gesellte sich augenblicklich zu Vanessa.

Da sie sich nicht als Außenseiterin fühlen wollte, ging Anne Marie in die Küche, wo Mary und Ellen fröhlich miteinander plauderten.

»Kann ich irgendwie helfen?«, fragte sie.

»Danke, aber ich habe alles im Griff. Wir werden in ein paar Minuten essen.«

Ellen saß auf einem Barstuhl am Küchentresen. »Sieh mal, Mom«, stieß sie aufgeregt hervor. »Grandma Mary hat den gleichen krummen kleinen Finger wie ich.« Sie legte ihre beiden kleinen Finger aneinander und zeigte, wie sie auseinanderstrebten und ein V bildeten.

»Mein Vater hat mir mal gesagt, das sei ein Zeichen hoher Intelligenz«, erzählte Mary.

»Hat Dad das auch?«

»Hat er«, bestätigte Mary lächelnd, holte das Hähnchen aus dem Ofen und richtete es auf einem großen Servierteller an.

»Ich trage das gern nach draußen, wenn Sie möchten«, bot Anne Marie an. Inzwischen wünschte sie sich, sie hätte die Einladung zum Essen ausgeschlagen. Die Situation war zu unangenehm für sie und Vanessa.

»Danke. Ellen, sagst du bitte allen Bescheid, dass das Essen fertig ist?«, fragte Mary.

»Gut, aber darf ich Grandpa vorher was zeigen?«

»Natürlich.«

Ellen rannte ins Wohnzimmer, während Anne Marie die Servierplatte mit den Hähnchenteilen nach draußen trug und auf den Tisch stellte. Gerade betrat sie wieder das Haus, als sie Ellen schreien hörte.

Anne Marie erstarrte. Noch nie hatte sie ihre Tochter so

schreien hören. Es hörte sich an, als hätte sie sich entsetzlich wehgetan. In ihrer Eile, zu Ellen zu gelangen, wäre sie fast gestürzt. Aus der Garage drang herzerweichendes Schluchzen.

Ellen saß auf dem Zementboden, während Tim sich über sie gebeugt hatte. Thomas stand im Hintergrund. Er war sehr blass.

»Was ist passiert?«, rief sie und ließ sich neben dem Mädchen auf die Knie fallen. Die Kleine hielt sich den Arm und hatte so große Schmerzen, dass sie kaum Luft zu bekommen schien. Sie schluchzte heftig und zitterte erbärmlich.

»Sie ist vom Motorrad gefallen«, erklärte Tim. »Es ging so schnell, dass ich sie nicht rechtzeitig auffangen konnte.« Auch er war blass und zutiefst erschüttert. »Ich glaube, sie hat sich den Arm gebrochen.«

Anne Marie hob Ellen vorsichtig hoch. »Ruf einen Krankenwagen.«

Sofort rannte Tim ins Haus.

Anne Marie kannte sich in medizinischen Fragen nicht besonders gut aus, aber ihr schien es, als hätte Ellen einen Schock. In dem Moment verlor auch sie die Nerven. »Warum dauert das so lange?«, brüllte sie, nur mühsam die aufsteigende Panik unterdrückend.

Jetzt rannte auch Thomas ins Haus und kam mit einer Decke zurück, die er Ellen um die Schultern legte. Das Schluchzen des Mädchens zerriss Anne Marie das Herz, und im Nu liefen auch ihr die Tränen übers Gesicht. Sanft wiegte sie Ellen, flüsterte ihr tröstende und beruhigende Worte zu, während sie auf die Sanitäter warteten.

Es schien eine halbe Ewigkeit zu dauern, aber dann endlich hörten sie die Sirene. Kaum waren die Sanitäter da, übernahmen sie das Kommando, und binnen weniger Minuten lag Ellen im Krankenwagen. Anne Marie begleitete sie, während Tim in seinem Auto folgte.

Glücklicherweise war in der Notaufnahme nicht allzu viel los. Ellen bekam etwas gegen die Schmerzen, und dann wurde sie zum Röntgen gebracht.

Kaum hatte man ihre Tochter fortgerollt, da wirbelte Anne Marie zu Tim herum. »Wie konntest du das geschehen lassen?«, rief sie.

Resigniert schüttelte er den Kopf. »Es ging alles so schnell …«, wiederholte er.

Anne Marie schlug die Hände vors Gesicht und rang um Fassung. Es war sinnlos, Tim die Schuld zu geben. Schließlich hätte Ellen genauso gut zu Hause bei Anne Marie stürzen und sich den Arm brechen können.

»Es tut mir leid«, flüsterte sie.

Tröstend legte er ihr den Arm um die Schultern. »Mir auch«, sagte er und lehnte seine Stirn gegen ihre. »Ich wusste im selben Moment, in dem sie aufkam, dass sie sich etwas gebrochen hatte.«

In diesem Augenblick betrat Vanessa die Behandlungskabine. Als sie sah, dass Tim den Arm um Anne Marie gelegt hatte und sie beide die Köpfe aneinanderlehnten, ging sie an die Decke. »Ich hab's gewusst! Ich hab's gewusst! Kaum bin ich eine Minute nicht dabei, da stellst du Tim nach … So viel zu deinem dämlichen Gequatsche, du hättest kein Interesse an ihm. Du hast es auf ihn abgesehen, seit du ihm das erste Mal begegnet bist!«

Anne Marie konnte nicht glauben, was sie da hörte. Verwirrt blinzelte sie. »Was?«

»Du willst mir Tim wegnehmen.«

»Vanessa!«, warnte er. »Hör auf damit.«

»Den Teufel werde ich tun. Haltet ihr mich für blind? Ich hab doch gesehen, wie ihr beide euch anschaut.«

»Mach dich nicht lächerlich!«

Eine Krankenpflegerin betrat die Kabine. »Sie müssen unbedingt leiser sein«, sagte sie. »Wenn es hier ein Problem gibt, klären Sie das bitte draußen.«

Zögernd stand Tim auf. »Komm«, wandte er sich an Vanessa. »Lass uns irgendwo darüber reden, wo nicht das halbe Krankenhaus zuhört.«

Die beiden gingen, und Anne Marie entspannte sich ein wenig. Für heute hatte sie genug von Vanessas Herumgezicke. Sie strich sich die zerzausten Haare aus dem Gesicht, schloss die Augen und sann darüber nach, ob sie womöglich einen Riesenfehler gemacht hatte, als sie Tim in ihr Leben gelassen hatte. Im Augenblick sah es ganz danach aus.

Bevor sie noch tiefer ins Grübeln geriet, kam der Röntgenassistent mit Ellen und einer Röntgenaufnahme zurück. »Sieht ganz so aus, als würdest du einen Gipsverband bekommen«, sagte er zu Ellen.

Die Tränen ihrer Tochter waren inzwischen versiegt, und sie schaute mit großen Augen neugierig zu ihm auf. »Kann ich einen rosa Gips haben?«

»Mal schauen, was Dr. Sawyer dazu sagt.«

Es dauerte eine weitere Stunde, bevor Ellens Arm gerichtet und geschient war. Bewundernd schaute Ellen auf ihren Arm hinunter, der in einem leuchtend pinken Gipsverband steckte. Dann sah sie lächelnd zu Anne Marie hoch. »Es tut immer noch ganz doll weh.«

»Ich weiß, mein Schatz.«

Plötzlich sprang Ellen von ihrem Stuhl hoch. »Wo ist Dad?«

»Bei Vanessa.«

Dazu sagte Ellen nichts, schaute nur zu Boden.

Eine Assistentin brachte die Unterlagen, die Anne Marie unterzeichnen musste. Als das erledigt war, konnten sie gehen. Tim saß im Wartebereich und stand auf, als sie aus dem Behandlungsraum kamen.

Ellen zeigte bei seinem Anblick keine Freude.

Tim kniete vor ihr nieder. »Wie geht es meinem Mädchen?«

»Geht so. Ich habe einen Gips.«

»Ja, das sehe ich.«

»Wenn du mich zu meinem Auto zurückfahren könntest, wäre ich dir sehr dankbar«, sagte Anne Marie erschöpft.

»Natürlich. Mein Dad hat mir seinen Wagen geliehen. Zu Hause hatte ich nur die Harley.«

Anne Marie interessierte es nicht im Geringsten, wem das Auto gehörte, solange es sie dorthin brachte, wohin sie musste. Auf der Fahrt zurück zu Tims Eltern stellte sie keine Fragen zu Vanessa. Es war ihr, offen gesagt, völlig egal, wo die andere Frau steckte, und sie war einfach nur dankbar, nicht mehr mit ihr konfrontiert zu werden.

Kaum dass Tim den Wagen abgestellt hatte, stieg Anne Marie aus. Sie wollte nur noch weg und ihre Tochter nach Hause bringen.

»Entschuldige mich bitte bei deinen Eltern«, sagte sie und löste Ellens Sicherheitsgurt. »Ich bin sicher, sie haben Verständnis.«

Die Hände in den Hosentaschen, stand Tim hilflos daneben, während Anne Marie ihre Tochter zu ihrem Auto führte. »Wenn ich irgendetwas tun kann …«

»Kannst du nicht«, erwiderte sie steif.

»Darf ich nachher anrufen und fragen, wie es Ellen geht?«

Sie wollte nicht unhöflich sein, sah sich aber außerstande,

sich heute noch einmal mit ihm auseinanderzusetzen. »Es wäre mir lieber, wenn du das nicht tust. Morgen gern.«

»In Ordnung.« Er akzeptierte das ohne Widerrede. »Denk dran: Du kannst mich jederzeit anrufen, wenn ich irgendetwas tun kann.«

Sie nickte, aber in ihren Augen hatte Tim schon mehr als genug getan.

33. Kapitel

Alix Turner

»Alix, ich muss mit dir reden.«

Erschrocken zuckte Alix zusammen. Sie kannte diesen Tonfall ihrer Arbeitgeberin nur zu gut, und er verhieß nichts Gutes. Schon vor ein paar Tagen hatte Alix eine vertrauliche Unterredung mit Winter Adams, der Eigentümerin des *French Café*, gehabt.

An diesem Morgen hatte sie einen kostspieligen Fehler gemacht – das zweite Mal in dieser Woche. In beiden Fällen hatte der gesamte angesetzte Teig weggeworfen werden müssen, sodass nicht nur die Zutaten verschwendet waren, sondern auch die Arbeitszeit. Alix wusste, dass die Schuld bei ihr lag – genauso wie ihr klar war, dass sie Fehler machte, weil sie so fahrig und unaufmerksam war.

Zwar hatte sie jetzt ein paar Tage ohne Zigaretten durchgehalten, aber ihr Körper schrie immer noch nach Nikotin. Eigentlich hätte ihr der Verzicht immer leichter fallen müssen, aber dem war nicht so. Zwar wusste sie, woran das lag, aber helfen konnte ihr das nicht.

»Willst du mich feuern?«, fragte Alix. Sie betrat das Büro und bewahrte Haltung, war auf das Schlimmste gefasst. Verdient hätte sie es. Nicht genug damit, dass sie zwei komplette Teigansätze in den Müll hatte werfen müssen, nein, obendrein war sie die ganze Woche schon gereizt und übellaunig. Sie fürchtete, ihre Arbeitgeberin sei ihre schlechte Laune leid und der Vorfall an diesem Morgen hätte das Fass zum Überlaufen gebracht. Offenbar wollte Winter sie entlassen.

Laut seufzend musterte Winter sie. »Von Wollen kann keine Rede sein. Darf ich dich daran erinnern, dass ich dich gebeten habe, mich nächste Woche als Geschäftsführerin zu vertreten, wenn ich im Urlaub bin?«

»Aber du tust es trotzdem, nicht wahr?« Alix wusste nicht, warum sie das Bedürfnis hatte zu fragen. Wenn sie jetzt ihren Job verlor, war das eine Katastrophe. Sie und Jordan lebten im Haus am See. Da sie auf eine eigene Wohnung sparten, zugleich höhere Fahrkosten und höhere Nebenkosten fürs Haus hatten, kamen sie so gerade eben über die Runden. Daher hatte sie das Rauchen nicht nur aufgeben müssen, weil sie es wollte, sondern auch, weil sie es musste. Sie konnte es sich einfach nicht mehr leisten.

»Nein«, erwiderte Winter nachdenklich. »Bis vor Kurzem warst du eine großartige Mitarbeiterin, und ich hoffe, du kannst das Problem lösen, das dich beschäftigt.« Sie schaute Alix direkt an. »Hältst du das für möglich?«

Alix schluckte und nickte. Es war so leicht, ihre schlechte Laune auf ihr Verlangen nach einer Zigarette zu schieben. Tatsächlich aber gab es noch andere Gründe als ihre Nikotinabhängigkeit.

Die Zigaretten waren eine bequeme Ausrede. In Wirklichkeit lag das Problem aber tiefer: Sie hatte Angst vor der Mutterschaft. Zwar sehnte sie sich nach einem Kind, zugleich aber fürchtete sie sich davor. Jordan tat, was er konnte, um sie zu beruhigen, aber Alix quälte trotzdem die Sorge, keine gute Mutter sein zu können. Ihr Mann war bereit, das Risiko einzugehen, weil er daran glaubte, dass sie gute Eltern sein würden. Alix war diejenige, die sich mit Zweifeln herumquälte.

»Ja, ich werde mich bemühen«, versprach Alix, bevor sie das Büro verließ.

»Ich weiß, dass es nicht leicht ist, mit dem Rauchen aufzuhören«, meinte Winter mitfühlend. »Das führt zu Stimmungsschwankungen und Konzentrationsschwierigkeiten – aber was dich angeht, habe ich das Gefühl, dass mehr dahintersteckt.«

»Das stimmt.«

»Brauchst du ein bisschen Zeit, um den Kopf freizukriegen?«

»Gibst du mir eine Stunde?«

»Selbstverständlich.«

Alix legte ihre Schürze ab und beschloss, einen Spaziergang zu machen. Ihr Ziel war der kleine Park in der Nähe der Blossom Street, den sie flotten Schrittes ansteuerte, während ihr allerlei durch den Kopf ging.

Der Tag war trübe, und der bedeckte Himmel kündigte Regen an, aber das Wetter passte zu ihrer Stimmung. Der Spielplatz im Park war leer. Kurzerhand setzte Alix sich auf eine Schaukel, hielt sich an den Ketten fest und schaukelte sacht hin und her.

»Hi.«

Als Alix aufblickte, stand Casey Marshall neben der Schaukel, sichtlich verdrossen. Sie hatten sich schon ein paarmal unterhalten und verstanden sich gut, da sie aus ähnlichen Verhältnissen stammten und beide die Probleme kannten, die sich daraus ergaben.

»Hey, was liegt dir auf der Seele?«, fragte Alix und schob ihre eigenen Sorgen beiseite.

»Ich bin gekommen, um mich zu verabschieden.«

»Verabschieden?«

»Nächste Woche ziehe ich zu meiner neuen Pflegefamilie.«

»So bald schon?«

Casey biss sich auf die Unterlippe. »Es ist eine gute Familie. Evelyn hat das gesagt. Die beste, meint sie.«

»Ich fand es auch immer schrecklich, umziehen zu müssen«, meinte Alix. Sie erinnerte sich noch gut daran, wie sie all ihre Habseligkeiten in einen kleinen Koffer gestopft hatte, um Freunde, Haustiere und das Leben, das sie in den letzten Monaten oder Jahren gekannt hatte, hinter sich zu lassen. Sich in eine neue Familie einzugewöhnen war schwierig, und sie hatte es gehasst, immer wieder von vorn anfangen zu müssen.

»Es ist nur …« Casey brachte den Satz nicht zu Ende. Stattdessen setzte sie sich auf die Schaukel neben Alix und stieß sich mit der Spitze ihrer Tennisschuhe ab.

Alix wusste auch so, was sie hatte sagen wollen. »Es ist schwer, Lydia und Brad zu verlassen, stimmt's?«

Casey nickte. »Sie … sie sind toll. Ich weiß, dass ich ihnen mehr oder weniger aufgedrängt worden bin. Schließlich wollen sie ein Baby adoptieren … so wie alle, hab ich recht?«

»Ja.« Alix konnte die Tatsachen nicht leugnen. Kleinkinder wurden schnell adoptiert, während ältere Kinder häufig von Pflegestelle zu Pflegestelle, von Familie zu Familie weitergereicht wurden und nie Gelegenheit bekamen, in irgendeiner Gemeinschaft Wurzeln zu schlagen.

»Als ich zu ihnen kam, habe ich … Ich wollte nicht bei ihnen sein. Es sollte nur für ein paar Tage sein. Lydia und Brad haben ihr Zuhause für mich geöffnet und … und ihre Herzen auch. Ich wollte sie nicht lieb gewinnen, habe es aber trotzdem getan. Ich mag sie wirklich gern.« Traurig starrte sie zu Boden.

»Ich weiß.« Alix verstand das Mädchen nur zu gut. Auch sie hatte zunächst versucht, sich in ihre Pflegefamilien einzuleben.

Hatte versucht, ihnen zu beweisen, dass sie dazugehören konnte. Dass sie ihre Liebe wert war.

»Es hat nicht funktioniert«, fuhr Casey fort. »Alles, was ich getan habe, war eine Katastrophe.«

»Ich bin sicher, dass das nicht stimmt.« Alix wusste, wie intensiv Lydia sich darum bemüht hatte, Casey das Gefühl zu vermitteln, in ihrer Familie willkommen zu sein und dazuzugehören.

»Doch, das tut es!«, rief Casey. »Gestern Abend wollte ich Lydia überraschen und Abendessen vorbereiten. Und dann ist die Auflaufform übergekocht, Qualm kam aus dem Ofen, und der Rauchmelder fing an zu piepen. Das Essen war natürlich ruiniert.« Das alles kam in einem einzigen Atemzug über ihre Lippen.

»Haben Brad oder Lydia sich aufgeregt?«

Casey schüttelte den Kopf. »Brad hat Witze darüber gemacht. Er meinte, der Feuermelder sollte künftig ›Essensglocke‹ genannt werden.«

Trotz des ernsten Themas musste Alix lächeln.

»Und Cody fand es cool, weil wir Pizza bestellen mussten.«

»Und Lydia?«

Casey wandte den Blick ab. »Lydia … hat mich umarmt und gesagt, ich sollte mir keine Gedanken machen. Dann hat sie mir gezeigt, wo die größere Auflaufform steht, damit ich weiß, welche ich nehmen kann, wenn ich es noch mal versuchen möchte.«

»Es war also niemand sauer auf dich.«

Ruckartig hob Casey den Kopf. »Doch. *Ich!*«, widersprach sie. »Ich wollte mich mit dem Essen bei ihnen bedanken und habe alles ruiniert.«

Das Mädchen wirkte immer noch verstört, was Alix verstand. Casey hatte etwas Nettes tun wollen und stattdessen nur ihre Unfähigkeit bewiesen. Sie ging unnötig hart mit sich selbst ins Gericht, eine Eigenschaft, die Alix nur allzu gut kannte. Auch sie übertrieb jede Kleinigkeit, die schiefging. Im Moment, da war Alix sicher, hatte Casey das Gefühl, ihr ganzes Leben sei eine einzige Abfolge von Fehlern und alles, was sie versuchte, endete in einer Katastrophe.

»Und das ist noch nicht alles«, fuhr Casey fort. »Lydia hat mich in ihrem Laden kleinere Aufgaben übernehmen lassen, und sie hat mich sogar dafür bezahlt. Das hätte sie nicht tun müssen, aber sie hat es trotzdem getan, und dann habe ich es richtig vermasselt.«

»Wie?«

Es schien zwar nicht möglich, aber Casey ließ ihre Schultern noch mehr hängen. »Lydia hat mich gebeten, eine Wolllieferung auszupreisen. Sie enthielt zwei Sorten Wolle, und ich habe versehentlich die Preise verwechselt und das teurere Garn viel zu billig ausgepreist. Kaum hatte ich es ins Regal geräumt, da kam eine Kundin und kaufte alle Docken und sagte, Lydia müsse sie ihr zu dem Preis überlassen, der auf den Etiketten stand.«

»Und? Hat Lydia das getan?«

Casey nickte.

Alix hätte darauf wetten können, dass Margaret das bestimmt nicht unkommentiert gelassen hatte.

»Ich habe Lydia gesagt, dass ich ihr den Schaden bezahle, aber sie meinte, es sei halb so wild. War es aber doch, und sie hat eine Menge Geld verloren, weil ich so nachlässig war.«

»Casey, jeder macht Fehler. Ich habe heute Morgen im Café richtig Mist gebaut, und meine Arbeitgeberin hätte recht daran getan, mich zu entlassen.«

»Was ist denn passiert?«, fragte Casey, als könne sie sich

nicht vorstellen, dass es auch nur annähernd so schlimm gewesen war wie das, was sie getan hatte.

Alix war nicht scharf darauf, zuzugeben, was für eine Dummheit sie sich geleistet hatte. »Ich habe vergessen, Zucker in den Teig für die Zimtrollen zu geben. Ich backe sie praktisch jeden Morgen, und heute habe ich's gründlich versaut. Der ganze Teig musste weggeworfen werden.«

»Waren alle sauer?«

»Nein, aber die Zutaten sind nicht billig, und die Zubereitung kostet Zeit. Ms. Adams hätte mich feuern können. Grund genug hätte sie gehabt.«

»Sie hat es aber nicht getan, oder?«

»Nein, hat sie nicht, und ich bin ihr dafür dankbar.«

Casey richtete sich ein wenig auf. »Es ist also so, wie du sagst: Jeder macht Fehler?«

»Ja. Wichtig ist nur, dass wir daraus lernen. Du hast mir erzählt, dass Lydia dir gezeigt hat, wo sie die größere Auflaufform aufbewahrt, damit du beim nächsten Mal weißt, welche du benutzen musst.«

»Ja.«

»Wenn du also beschließt, wieder mal zu kochen, wirst du die größere Form nehmen.«

»Natürlich.«

»Siehst du? Du hast daraus gelernt.«

Casey lächelte schief und zuckte die Achseln. »Außerdem hasse ich es, den Backofen zu reinigen. Das ist harte Arbeit, auch wenn der Backofen angeblich selbstreinigend ist.«

»Genau das meine ich.« Alix nickte. »Jordan sagt immer, dass jeder Misserfolg uns Gelegenheit gibt, daraus zu lernen und daran zu wachsen.« Jetzt grinste sie. »Der Trick besteht darin, nicht zweimal denselben Fehler zu machen.« Aus Erfahrung – insbesondere den Backdesastern dieser Woche – wusste Alix, dass das leichter gesagt als getan war.

Caseys Miene hellte sich auf. »Wenn ich jemals wieder Wolldocken auszeichnen sollte, dann prüfe ich ganz genau, ob ich auch den richtigen Preis auf die richtige Wolle klebe.«

Freundschaftlich klopfte Alix dem Mädchen auf die Schulter. »Genau. Siehst du jetzt, was ich meine?«

»Cody macht auch Fehler, aber sie sind nicht so groß wie meine«, sagte Casey und lächelte schwach.

»Das liegt daran, dass er jünger ist als du. Je älter wir werden, desto größere Fehler machen wir.«

»Klingt einleuchtend«, meinte Casey. »Ein Glas fallen zu lassen, wenn man den Tisch deckt, ist nicht so schlimm, wie das ganze Abendessen zu ruinieren.«

»Für ein Kind bist du ganz schön schlau«, neckte Alix sie.

Casey umschloss beide Ketten der Schaukel fest mit den Händen und begann, sich höher zu schwingen. »Jetzt fühle ich mich besser.«

»Gut.« Alix ging es ganz genauso.

»Ich wette, du wirst mal eine tolle Mom.«

Tolle Mom. Tolle Mom. Wie einen Singsang hörte sie die Worte in ihrem Kopf widerhallen. Oder wie ein Gebet. »Meinst du?«, fragte sie, ohne ihre Unsicherheit verbergen zu können.

»Klar.« Casey schwang sich immer höher mit der Schaukel. »Lydia hat mir erzählt, dass du aufhörst zu rauchen, damit du schwanger werden kannst.«

Da es ihr die Kehle zuschnürte, konnte Alix nichts dazu sagen und nickte einfach nur.

»Danke«, flüsterte sie, als sie endlich wieder sprechen konnte. *Eine tolle Mom.* Casey konnte nicht einmal ahnen, wie intensiv diese Worte auf sie wirkten.

Ihre kurze Unterhaltung wurde zum Wendepunkt ihres Tages. Als sie zur Arbeit zurückkehrte, ging sie sofort zu Winter, um mit ihr zu reden.

»Ja?«, fragte diese und schaute von ihrem Computer auf.

»Ich möchte dir danken, dass ich meinen Job behalten darf«, sagte Alix. »Ich arbeite sehr, sehr gern hier, und ich bin dir dankbar, dass du mir meine schlechte Laune verzeihen kannst.«

Winter lächelte. »Gern geschehen, Alix. Von dieser Woche abgesehen, warst du bisher eine fantastische Mitarbeiterin.«

»Daran wird sich auch nichts ändern«, erklärte Alix aus tiefster Überzeugung.

An diesem Nachmittag konnte sie es kaum erwarten, nach Hause zu kommen. Während der Busfahrt wippte sie nervös mit dem Fuß und ließ die Ereignisse des Nachmittags wieder und wieder Revue passieren.

Im Haus am See angekommen, erntete sie frischen Salat in ihrem kleinen Gemüsegarten und bereitete einen Cobb Salat zu, wie ihn Jordan besonders mochte. Den fertigen Salat stellte sie in den Kühlschrank und deckte den Tisch im Freien. Anschließend legte sie sich mit einem Buch in die Hängematte, wo sie in der Nachmittagssonne einschlief, während sie auf Jordan wartete.

Das Geräusch der sich öffnenden Haustür weckte sie. Einen Moment lang war sie durcheinander, aber dann wusste sie Bescheid: Ihr Mann war nach Hause gekommen.

»Alix?«, rief Jordan nach ihr.

»Jordan!« Alix rannte ins Haus zu ihm und warf sich in seine Arme. Bevor er auch nur ein Wort sagen konnte, bedeckte sie schon sein Gesicht mit Küssen. Ihre Lippen streiften seine Augen, seine Wange und seine Nase, bevor sie sich auf seine Lippen senkten.

Jordan umfasste ihre Taille und taumelte rückwärts, bis er an die Küchenwand stieß.

Lächelnd schlang Alix die Beine um seine und küsste ihn erneut voller Leidenschaft.

Dann hob sie den Kopf und sah ihn an.

»Was ist denn nun los?«, fragte Jordan, die Stimme rau vor Verlangen. »Nicht, dass ich mich beschweren will …«

»Ich werde eine gute Mutter sein. Eine tolle Mutter.«

»Ja, das weiß ich«, erwiderte er ohne Zögern, umfasste ihren Hinterkopf und zog sie an sich, um sie erneut leidenschaftlich zu küssen.

Als er den Kuss endlich beendete, war Alix völlig außer Atem.

»Was ist geschehen, das dich überzeugt hat?«, fragte er schließlich.

Alix lehnte den Kopf an seine Schulter. »Willst du den ganzen Abend reden oder lieber ein Baby machen?«

Schmunzelnd hob Jordan sie auf die Arme und trug sie ins Schlafzimmer. »Wenn das keine lächerliche Frage ist, dann habe ich noch nie eine gehört«, meinte er und stimmte in ihr Lachen mit ein.

34. Kapitel

Anne Marie Roche

Ellen trug ihren Gips jetzt seit fast einer Woche, und Tim war jeden Nachmittag gekommen, um nach ihr zu schauen. Nicht ein einziges Mal hatte Vanessa ihn begleitet, und das war auch gut so, wenn man an die Szene im Krankenhaus dachte. Anne Marie erwähnte den Namen der anderen Frau nicht, und Tim hielt es genauso.

Schmerzen hatte Ellen nicht mehr, und die zusätzliche Aufmerksamkeit, die ihr zuteilwurde, ließ sie förmlich aufblühen. Anne Marie sah sich gezwungen, Tim darum zu bitten, er möge keine Geschenke mehr mitbringen. Inzwischen besaß Ellen so viele Plüschtiere, dass in ihrem Zimmer kein Platz mehr für weitere war.

»Wann kommt Dad?«, fragte Ellen, die mit Baxter auf den Fersen und der Hundeleine in der Hand die Treppe herunterhüpfte.

»Bald.«

»Weiß er, dass du ein heißes Date hast?«

Anne Marie konnte den Drang, die Augen zu verdrehen, kaum unterdrücken. Barbie und Mark hatten ein Treffen mit einem von Marks Freunden arrangiert, und Barbie hatte den Fehler gemacht, die Verabredung in Ellens Gegenwart als heißes Date zu bezeichnen. Natürlich hatte Ellen den Begriff sofort aufgeschnappt und benutzte ihn seitdem ständig.

»Ich habe ihm nicht gesagt, was ich vorhabe, nein«, erklärte Anne Marie. Als sie ihm erzählt hatte, dass sie am Freitagabend einen »Termin« hätte, hatte Tim ihr sofort angeboten, bei Ellen zu bleiben. Vielleicht war es eine Dummheit gewesen, aber Anne Marie hatte das Angebot angenommen. Ihre Mutter hätte Ellen gern bei sich übernachten lassen, aber dann hätte sie das Kind hinfahren müssen. So war es einfacher.

Tim liebte seine Tochter aufrichtig. Wenn Anne Marie daran je Zweifel gehabt hatte, dann hatte er bewiesen, wie er für Ellen empfand, als sie sich den Arm gebrochen hatte. Er war kreidebleich geworden und hatte sich selbst die Schuld an dem Unfall gegeben. Seitdem passte er auf Ellen auf wie ein Schießhund.

»Darf ich es ihm sagen?«, fragte Ellen.

»Äh …« Anne Marie zögerte. Ihr war es lieber, wenn Tim nicht erfuhr, was sie vorhatte. Schließlich ging es ihn nichts an.

»Wem was sagen?«, fragte Barbie, die im selben Moment den Buchladen betrat. Mark folgte ihr in seinem Rollstuhl.

»Meinem Dad.«

»Tim bleibt bei Ellen, während ich heute Abend ausgehe«, erklärte Anne Marie.

»Ihr *heißes* Date«, fügte ihre Tochter hinzu, befestigte die Hundeleine an Baxters Halsband, umarmte rasch Barbie und Mark und stürmte dann nach draußen, um mit Baxter seinen Nachmittagsspaziergang in der Blossom Street zu machen.

»Ein heißes Date, hmm?«, fragte Mark, als Ellen weit genug weg war.

Anne Marie tat, als sei sie sauer auf ihn. »So nennt sie es, und daran seid ihr schuld.«

»Wart einfach ab, bis du Mel siehst«, meinte Barbie mit einem Augenzwinkern. »Er ist sehr attraktiv, witzig und sexy wie der Teufel selbst.«

»Sooo sexy ist er nun auch wieder nicht«, widersprach Mark und funkelte Barbie an.

Barbies Lächeln ließ ihre Augen leuchten. »Aber Mark, bist du etwa eifersüchtig?«

»Sollte ich das denn sein?«

Barbie lachte schallend. »Sag du es mir.«

Sie schauten einander in die Augen, und plötzlich begann Mark zu grinsen. »Vielleicht nicht«, murmelte er leise und ein wenig heiser.

Barbie beugte sich zu ihm hinunter und küsste ihn auf die Wange. »Ich habe keinen Grund zur Klage, Sir. Und ich glaube, du auch nicht.«

Jetzt war es an Mark, ihr zuzuzwinkern. »Verstanden, Madam.«

Anne Marie lachte. Sie liebte das Geplänkel zwischen den beiden. Irgendwie schafften sie es, die jeweils beste Seite am anderen hervorzukitzeln. Nach dem, was sie gehört hatte, war Mark ein rüpelhafter Griesgram gewesen, als er und Barbie sich zum ersten Mal begegnet waren. Und das ausgerechnet im Kino. Anne Marie hatte ihn das erste Mal in einem Fastfoodrestaurant getroffen, und da war er bereits in Barbie verliebt gewesen. Für Anne Marie war das offensichtlich gewesen. Sie vermutete, dass er sich so lange wie möglich dagegen gewehrt hatte, aber schließlich doch der geballten Kraft von Barbies Persönlichkeit erlegen war.

»Wir sind gekommen, um dir ein paar Tipps zu geben«, eröffnete Barbie ihrer Freundin.

Mark dagegen schien mehr an einer Reihe von Kriminalromanen interessiert zu sein, die auf einem Tisch vorn im Laden auslagen.

»Was für Tipps?«, wollte Anne Marie wissen.

»Na, Tipps für dein Date natürlich.«

Mark legte Sue Graftons »T is for Trespass« beiseite und schaute auf. »Das war alles Barbies Idee.«

Zum Glück war der Laden leer. Anne Marie hätte es entsetzlich gefunden, wenn einer ihrer Kunden diese Unterhaltung mit angehört hätte.

»Es ist schon eine Weile her, dass du jemanden gedatet hast, oder?«

Ihre letzte sogenannte Verabredung war die mit Tim gewesen, bei der er die Bombe bezüglich Vanessa hatte platzen lassen. Die Erinnerung an jenen Abend bereitete ihr immer noch Unbehagen.

Im Nachhinein war ihr klar, dass ihr ein paar Dinge hätten auffallen müssen. Sie hatte den Fehler gemacht, davon auszugehen, dass Tim an ihr interessiert war, weil sie von ihm so verzaubert war. Für sie war es, als hätte sie zwei Puzzleteile zusammengelegt und festgestellt, dass sie perfekt passten. Halt, nein, nicht zwei Teile, sondern drei. Tim, Ellen und sie … ein Traumbild einer Familie.

»Es ist schon eine Weile her«, gab sie zu.

»Die Regeln haben sich geändert«, erklärte Barbie, als sei sie Expertin auf dem Gebiet.

Hilfe suchend wandte Anne Marie sich an Mark. Der durchstöberte inzwischen jedoch schon wieder die ausgelegten Krimis und Thriller. Er hielt Brad Meltzers neuestes Werk in der Hand und betrachtete den Einband. Da er ihr offensichtlich keine Hilfe sein würde, seufzte sie. »Was meinst du damit?«

»Vergiss, was die ganzen Ratgeber sagen. Sei einfach du selbst«, riet Barbie.

»Ich weiß, dass Mel verwitwet ist. Hat er Kinder?« Das war ein mögliches Gesprächsthema. Wenn sie um Gemeinsamkeiten wusste, hatte sie schon mal einen großartigen Aufhänger.

»Erwachsen und verheiratet.«

»Wie alt ist der Mann eigentlich?«

»Das Alter ist eine Frage der Einstellung.«

Anne Marie stöhnte auf. »Ach, komm schon, Barbie.«

Nun ließ ihre Freundin sich erweichen. »Er ist noch nicht so alt. Mitte fünfzig.«

Also in Roberts Alter. Ihr Mann war viel zu jung, nämlich ebenfalls mit Mitte fünfzig, an einem Herzinfarkt gestorben. Selbst jetzt noch fiel es ihr manchmal schwer, zu glauben, dass er tot war.

Aus dem Augenwinkel sah Anne Marie, dass ihr neuer Teilzeitangestellter Louis gerade eingetroffen war. Er war Student und arbeitete immer abends.

»Ich bin überzeugt, Mel und ich werden problemlos Gesprächsthemen finden«, versicherte Anne Marie ihrer Freundin. Er hatte seine Frau vor einem Jahr verloren, und Robert war seit etwas mehr als zwei Jahren tot.

»Hör mal, ich würde gern noch ein Weilchen mit dir plaudern, aber ich muss mich noch umziehen.«

»Zieh was Helles, Fröhliches an«, empfahl Barbie.

»In Ordnung.« Nicht nötig, ihr zu sagen, dass sie das ohnehin vorgehabt hatte.

»Ihr trefft euch im Restaurant, richtig?«

»Richtig.« Das hatte sie so gewollt, obwohl Barbie und Mark ihr versichert hatten, Mel würde sie gern abholen.

Sie umarmte Barbie, küsste Mark kurz auf die Wange und eilte nach oben, um sich für ihr »heißes Date« zurechtzumachen.

Als sie sich umgezogen hatte, kamen Ellen und Baxter von ihrem Spaziergang zurück. Ellen starrte sie an. »Du siehst richtig hübsch aus.«

Dieser Kommentar freute Anne Marie, und sie warf einen

Blick in den Spiegel im Flur. Sie wollte einen positiven ersten Eindruck machen und hatte ihr Outfit entsprechend sorgfältig gewählt: eine weiße Leinenhose, ein blassgelbes Oberteil und einen weißen Blazer. Selbst ihr kritischer Blick bestätigte ihr, dass sie gut aussah.

Genauso lange wie für ihre Kleidung hatte sie gebraucht, um den richtigen Schmuck auszuwählen, und sich für eine antike Kamee an einer Goldkette entschieden. Beim Friseur war sie auch gewesen. Da bei ihr ohnehin ein neuer Haarschnitt fällig gewesen war, hatte sie beschlossen, zwei Fliegen mit einer Klappe zu schlagen und den Friseurtermin auf den Tag ihrer Verabredung zu legen.

Es klopfte an der Hintertür. Tim war da. Ellen ließ ihn herein. »Was hast du mir mitgebracht, was hast du mir mitgebracht?«, rief sie und hüpfte aufgeregt auf und ab.

Genau diesem Verhalten wollte Anne Marie schnellstmöglich ein Ende setzen. Für ihren Geschmack hatte Ellen sich ein bisschen zu sehr an seine häufigen Geschenke gewöhnt.

»Das Abendessen.« Tim stellte eine weiße Tüte auf den Küchentisch. Als er Anne Marie erblickte, musste er zweimal hinschauen. »Du siehst fantastisch aus. Was ist der Anlass?«

»Danke.« Sie ignorierte seine Frage und genoss seinen anerkennenden Blick.

Ellen hingegen rückte mit Freuden mit der Neuigkeit heraus. »Mom hat ein heißes Date.«

Tims Lächeln erlosch. »Du gehst aus? Ich dachte, du hättest einen Termin.«

»Habe ich auch. Einen Termin für ein Essen.« Sie hielt es nicht für nötig, noch mehr zu erklären, als sie bereits gesagt hatte. Tim hielt sie schließlich auch nicht auf dem Laufenden, was seine Beziehung zu Vanessa anging.

»Verstehe«, murmelte er und sah von weiteren Fragen ab.

»Ich bin nicht spät zurück ... glaube ich jedenfalls«, sagte sie und nahm ihre Handtasche und den Wagenschlüssel an sich.

»Zehn Uhr?«

»Vielleicht, aber sicherheitshalber sagen wir lieber elf Uhr. Wenn es später werden sollte, rufe ich an.« Das würde sie vermutlich sowieso tun, um sich nach Ellen zu erkundigen, der der Arm nachts noch wehtat.

»Nimm dir Zeit, so viel du willst.«

»Du musst nicht zu einer bestimmten Zeit zu Hause sein?«

Tim schüttelte den Kopf. »Nein.« Er hielt ihr die Tür auf. »Ich wünsche dir einen schönen Abend.« Dabei schaute er ihr in die Augen, und seine Worte wirkten ehrlich.

»Danke.« Anne Marie küsste Ellen zum Abschied und verließ die Wohnung.

Es stellte sich heraus, dass Mel genau so war, wie Barbie und Mark ihn beschrieben hatten. Zunächst einmal wirkte er sehr distinguiert. Er trug einen eleganten Anzug mit Krawatte und war auf eine Art und Weise sexy, die ihr sehr gefiel – so ähnlich wie Sean Connery. Genau wie Mark war er Architekt. Ihr Gespräch beim Essen kam nicht ein einziges Mal ins Stocken. Innerhalb kürzester Zeit stellten sie fest, dass sie sehr ähnliche politische Ansichten hatten, dieselben Filme und Schriftsteller mochten und für Placido Domingo schwärmten. Der Abend verging wie im Fluge, sodass Anne Marie irgendwann plötzlich erschrocken feststellte, dass es schon nach zehn war.

»Du liebes bisschen«, stieß sie hervor und griff nach ihrer Handtasche. »Ich muss mich nach meiner Tochter erkundigen.« Sie hielt inne, um nicht unhöflich zu wirken.

Mit einer auffordernden Geste gab Mel ihr zu verstehen, dass er das in Ordnung fand. »Nur zu, ich bitte darum.«

Tim meldete sich schon beim zweiten Klingelton und beruhigte Anne Marie sofort. »Alles ist wunderbar gelaufen. Ellen schläft schon seit über einer Stunde.«

»Hat sie ihre Gebete gesprochen?«

Tim lachte leise. »Oh ja. Dauert das jedes Mal so lange?«

»Fünf Minuten?« Das Kind nahm seine Gebete sehr ernst.

»Länger.«

»Das habe ich mir gedacht.« Zweifellos hatte Ellen gehofft, bei ihrem Vater Eindruck zu schinden.

»Sie hat für dich gebetet«, ließ Tim sie wissen. »Sie scheint zu glauben, dass du dein, ähm, heißes Date heiraten wirst.«

»Interessant. Und was hält sie davon?«

»Scheint ihr recht zu sein.«

Anne Marie lächelte Mel an.

»Was schätzt du, wann du zurück bist?«, kam die Frage übers Telefon.

»In etwa einer halben Stunde.« Da sie sich nicht länger mit Tim unterhalten wollte, während sie mit ihrer Verabredung am Tisch saß, beendete sie das Telefonat. »Bis dann.« Damit ließ sie das Handy in ihrer Handtasche verschwinden.

Sie tranken noch in Ruhe ihren Kaffee aus, dann sagte Anne Marie bedauernd, sie müsse jetzt gehen. Mel begleitete sie zu ihrem Auto, eine Hand leicht auf ihren Ellenbogen gelegt. Das war eine schützende und respektvolle Geste zugleich, und sie erinnerte sie plötzlich an Robert.

»Vielen Dank für diesen netten Abend«, sagte sie. »Es hat mir wirklich Freude gemacht, dich kennenzulernen.«

»Wollen wir uns wiedersehen?«, fragte Mel.

»Gern.«

Er beugte sich vor und küsste sie auf die Wange. »Ich habe mich nicht verabredet, seit Laura gestorben ist, und … na ja, dich kennenzulernen hat sich als sehr angenehme Überraschung erwiesen.«

Anne Marie empfand genauso.

Während der Heimfahrt war sie sehr entspannt. Eigentlich hatte sie sich nur wegen Tim auf dieses Date eingelassen. Dass sie sich zu ihm hingezogen fühlte, hatte ihr gezeigt, dass sie bereit war, eine neue Beziehung einzugehen. Das hatte sie zwar in eine peinliche Lage gebracht, aber auch davon hatte sie sich erholt. Eins stand jedenfalls fest: Sie würde keine voreiligen Schlüsse in Bezug auf Mel ziehen. Genau wie sie litt er noch immer unter dem Verlust seiner Partnerin. Der Schmerz hatte sie beide geprägt und würde sicher nie ganz verblassen.

Tim blätterte in einer Ausgabe des *New Yorker*, als sie ihre Wohnung betrat. Sowie er sie sah, ließ er die Zeitschrift auf den Tisch fallen.

»Und«, sagte er und erhob sich. »Wie war's?«

»Schön«, antwortete sie ehrlich. »Offen gesagt, sogar sehr schön. Ich mag Mel«, setzte sie dann klärend hinzu.

Tim nickte und schob die Hände in die Gesäßtaschen seiner Jeans.

»Danke, dass du bei Ellen geblieben bist. Meine Mutter hätte sich gern um sie gekümmert, aber ich wollte Ellen nicht dort hinbringen. Sie wacht immer noch ein- bis zweimal pro Nacht auf, weil ihr Arm wehtut.«

»Gern geschehen«, sagte er, schien aber noch nicht unbedingt gehen zu wollen.

»Kann ich noch etwas für dich tun?«, fragte sie und zog ihre Leinenjacke aus.

»Vielleicht eine Tasse Kaffee?«

»Sicher.« Sie ging in die Küche, brühte eine kleine Kanne Kaffee auf und goss ihn in zwei Tassen. »Wie trinkst du ihn?«

»Schwarz.« Daran erinnerte sie sich, aber sie wollte nicht anmaßend wirken. Oder auch nur den Anschein erwecken, sich so für ihn zu interessieren, dass ihr das aufgefallen war.

Tim saß bereits am Küchentisch, die Ellenbogen aufgestützt. Anne Marie reichte ihm seinen Kaffee. Dann setzte sie sich ihm gegenüber und wartete darauf, dass er etwas sagte.

»Ich dachte, du solltest wissen, dass ich nicht mehr mit Vanessa zusammen bin.«

»Ich … tut mir leid, das zu hören.«

»Sie hatte kürzlich wieder einen Rückfall und hat sich übel betrunken.«

Anne Marie nickte; sie erinnerte sich, dass er den ersten Rückfall erwähnt hatte.

»Einmal konnte ich ihr verzeihen, aber als ich dahinterkam, dass sie wieder getrunken hatte, habe ich ihr gesagt, es sei vorbei. Ich kann Ellen das nicht zumuten, und Vanessas Verhalten an dem Nachmittag, an dem Ellen sich den Arm gebrochen hat, war unverzeihlich.«

»Es tut mir leid, wenn ich dazu beigetragen haben sollte.« Anne Marie hatte das Gefühl, das sagen zu müssen.

Tim ignorierte ihre Bemerkung. »Vanessa muss die Verantwortung für ihr Verhalten selbst übernehmen – genau wie wir alle.«

Anne Marie beugte sich vor und berührte leicht seinen Arm. »Ich weiß, dass das schwer für dich sein muss.«

Traurig lächelte er sie an. »Eigentlich hatte ich dir das vorhin schon sagen wollen. Das mit Vanessa und mir …« Er zögerte.

»Ja?« Offenbar sollte da noch was kommen.

Er räusperte sich. »Ich wollte dir vorschlagen, dass wir zwei es miteinander versuchen. Leider hatte ich noch nie ein besonders gutes Händchen für das richtige Timing«, fügte er kleinlaut hinzu.

Überraschter hätte sie kaum sein können. »Wir zwei?« Sie hatte sich die Sache so gründlich aus dem Kopf geschlagen, dass sie kaum wusste, wie sie auf seinen Vorschlag reagieren sollte.

»Würdest du darüber nachdenken?«

»Ich … ja, ich werde darüber nachdenken«, versprach sie, immer noch völlig durcheinander.

Tim trank noch einen Schluck von seinem Kaffee, bevor er aufstand.

Anne Marie begleitete ihn zur Tür.

Dort angekommen, drehte er sich um. »Vielleicht hilft das ja«, sagte er, und bevor sie begriff, was er vorhatte, drückte er seinen Mund auf ihren. Es war ein zärtlicher Kuss, der sie überzeugen sollte – und tatsächlich war er so überzeugend, dass sie spürte, wie ihr die Knie weich wurden.

»Gute Nacht, Anne Marie«, flüsterte er rau.

Dann ging er, und sie lehnte sich an die Tür, die Augen weit aufgerissen vor Schock … und vor Freude. Mit dieser Wendung hatte sie so *gar* nicht gerechnet.

35. Kapitel

Lydia Goetz

In letzter Zeit war Casey so still und zugleich so distanziert. Ich hatte versucht, zu ihr durchzudringen, aber je mehr ich mich bemühte, desto stärker zog sie sich zurück. Das war unendlich frustrierend für mich.

Am Samstag hatte ich frei, meinen ersten freien Tag seit jenem Ausflug, bei dem wir mit Leihrädern den Green Lake umrundet hatten. Ich durchblätterte die Zeitung nach Anzeigen und beschloss schließlich, für Cody und auch für Casey fürs nächste Schuljahr einzukaufen. Ich nahm an … nein, ich hoffte, es würde Casey Spaß machen, mit mir shoppen zu gehen.

Brad, Cody und ich hatten schon gefrühstückt, als Casey endlich aus ihrem Zimmer kam.

»Morgen, Schönste«, meinte Brad lächelnd. Er saß am Küchentisch und hielt sich noch an seinem Kaffee fest, bevor er nach draußen ging, um den Rasen zu mähen. Im Laufe des Sommers hatte er angefangen, Casey *Schönste* und *Prinzessin* zu nennen.

Zuerst hatte Casey dazu nur eine finstere Miene aufgesetzt und erklärt, sie sei weder schön noch irgendjemandes Prinzessin. Brad hatte ihre Kommentare ignoriert und einfach weitergemacht – bis sie entweder seine Zuneigung akzeptierte oder es leid wurde, ihm zu widersprechen.

»Morgen«, lautete ihre nicht unbedingt freundliche Erwiderung.

»Ich bin froh, dass du aufgestanden bist«, sagte ich, bemüht, etwas Begeisterung in meine Stimme zu legen. »Wie wäre es mit einem Ausflug ins Einkaufszentrum? Nur du und ich.«

Casey öffnete eine Schranktür und holte eine Schachtel Müsli heraus. »Wozu?«

Ihre Skepsis überraschte mich, denn ich war davon ausgegangen, dass sie die Einladung sofort annehmen würde. Welches zwölfjährige Mädchen hatte schließlich kein Interesse an einer Shoppingtour?

»Brauchst du einen Grund, um einkaufen zu gehen?«, fragte ich.

Sie zuckte die Achseln, aber ich sah dennoch, dass sie wider Willen interessiert war.

»Ich muss Cody ein paar Jeans kaufen und eine neue Winterjacke. Er hasst shoppen.«

»Genau wie ich«, warf Brad ein.

»Wie der Vater, so der Sohn«, meinte ich unbekümmert.

Casey kippte Müsli in ihre Schale und goss Milch darüber. Dabei schenkte sie mir ein kurzes Lächeln.

»Du kannst mir helfen, die Sachen für ihn auszusuchen«, redete ich ihr zu. »Magst du mitkommen?«

»Warum nicht.« So wie sie das sagte, klang es, als täte sie mir einen Riesengefallen, indem sie mir Gesellschaft leistete.

»Und wenn wir schon dabei sind, besorgen wir auch ein paar Sachen für dich.« Vergeblich wartete ich auf eine Reaktion, obwohl ich zuversichtlich daran glaubte, die Aussichten würden sie begeistern.

»Normalerweise bekomme ich meine Sachen aus der Kleiderspende«, wehrte sie ab, als würde schon der bloße Gedanke sie langweilen.

»Dann wird es umso mehr Spaß machen, mal was Neues zu bekommen«, entgegnete ich.

Sie zuckte die Achseln. »Besuchen wir heute Grandma Hoffman?«

Ich lächelte, gerührt über die Zuneigung, die sie meiner Mutter entgegenbrachte. Ihre unerwartete Freundschaft war ein Geschenk – sowohl für sie beide als auch für mich. Casey war nur einmal mitgekommen, und ich hatte gehofft, einen zweiten Besuch einrichten zu können. »Klar«, sagte ich, »machen wir.«

»Gut.« Sie verzehrte ihr Frühstück und verschwand für zehn Minuten in ihr Zimmer. Dann kam sie fertig angezogen und abfahrbereit zurück.

»Ich muss noch Make-up auflegen«, sagte ich ihr. Ich brauchte etwas mehr Zeit, um mich schön zu machen, worauf ich aber nicht extra hinwies. »Übrigens, Margaret und ihre Familie kommen am späten Nachmittag vorbei. Wir besorgen auf dem Nachhauseweg ein Dessert.«

»Kommen sie zum Essen?«, wollte Brad wissen.

»Nein. Julia hat heute noch ein Softballspiel, aber danach kommen sie zum Dessert zu uns.«

»Was gibt's denn?«, fragte Cody, der gerade die Küche betrat, um für Chase einen Hundekuchen zu holen.

»Ich habe eine Eistorte bestellt.«

Er nickte grinsend. »Gute Idee, Mom.«

Das dachte ich auch. Zwar fühlte ich mich immer ein wenig schuldig, wenn ich einen Kuchen kaufte, da es doch so einfach war, selbst einen zu backen, aber Eis war das perfekte Sommerdessert.

Casey saß im Wohnzimmer und wartete auf mich. Sie hatte eine kleine Papiertüte dabei, und obwohl ich neugierig war, fragte ich nicht, was darin war. Von sich aus verriet sie es auch nicht.

»Können wir erst Grandma Hoffman besuchen?«, fragte sie, als ich den Wagen aus der Garage auf die Straße lenkte.

»In Ordnung.« Das Pflegeheim lag sozusagen auf dem Weg zum Einkaufszentrum.

Als ich unser Auto auf dem Parkplatz abstellte, war Casey schon ausgestiegen, bevor ich auch nur meinen Sicherheitsgurt öffnen konnte. Ich musste mich beeilen, um sie einzuholen. Ihr Eifer stand in beachtlichem Gegensatz zu Codys Unbehagen. Er war ein paarmal mitgekommen, wenn ich meine Mutter besuchte, aber ihm wurde schnell langweilig. Nach zehn oder fünfzehn Minuten wollte er immer schon wieder weg.

Da ich uns nicht telefonisch angekündigt hatte, konnte ich nur hoffen, dass wir nicht störten. Mom saß vor dem Fernseher und schaute sich wie üblich eine Kochsendung an. Sie hatte einen Stift und einen Schreibblock in der Hand und schien zu versuchen, das Rezept mitzuschreiben. Das hatte ich sie schon seit geraumer Zeit nicht mehr tun sehen. In den vergangenen Jahren hatte sie etliche Spiralblöcke mit sorgfältig ausgearbeiteten Rezepten befüllt, aber in letzter Zeit nicht mehr. Oft erzählte sie am Telefon von den fantastischen Köchen und den Rezepten, die sie im Fernsehen vorgeführt hatten. Früher hatte Mom immer gern für die Familie gekocht, und es tat mir weh, dass ihr diese kleine Freude nicht mehr vergönnt war.

Als Casey und ich ihre Wohnung betraten, leuchteten ihre Augen auf, wurden aber sofort wieder trübe. Schnell war mir klar, dass sie Caseys Namen vergessen hatte, sich aber offensichtlich an ihr Gesicht erinnerte.

»Casey und ich dachten, wir schauen mal kurz bei dir vorbei«, sagte ich. Da ich den Namen erwähnte, brauchte Mom nicht danach zu fragen.

»Casey«, wiederholte sie und streckte ihr die Hand entgegen.

Casey ließ sich auf den Boden fallen, hockte sich im Schneidersitz neben Moms Stuhl und griff nach ihrer Hand. »Ich habe dir ein Geschenk mitgebracht«, sagte sie.

»Mir?«

»Ja.« Casey nickte. »Wir haben es im Sommerferienprogramm gemacht, und ich möchte, dass du es bekommst, damit du dich an mich erinnerst.«

Es ließ sich nicht leugnen, dass Mom sich freute, als sie nach der Tüte griff. »Was könnte das nur sein?«, fragte sie sinnend.

Casey kniete sich vor ihr hin und öffnete die schlichte braune Papiertüte. Darin lag ein Foto von Casey, eine Baseballkappe auf dem Kopf und den Arm um Codys Nacken geschlungen. Beide lächelten in die Kamera. Das Foto steckte in einem Rahmen aus Kunststoff und Leinwand, in die Casey blaue und blaugrüne Fäden eingewoben hatte.

Zu meiner gewaltigen Überraschung stiegen meiner Mutter Tränen in die Augen. »Wie schön«, flüsterte sie.

»Auf der Rückseite hat es einen Magneten. Du kannst es damit an deinen Kühlschrank hängen«, erläuterte Casey und drehte das Bild um, damit Mom es sehen konnte.

Ich glaubte nicht, dass sie bemerkte, wie gerührt meine Mutter war. Falls es ihr doch auffiel, zog sie es jedenfalls vor, es sich nicht anmerken zu lassen. »Soll ich es für dich an den Kühlschrank hängen?«

Mom nickte. Als Casey in die Küche ging, tupfte Mom sich mit dem Taschentuch, das sie immer in der Tasche ihrer Strickjacke trug, die Augen ab.

Ich folgte Casey in die Küche. »Das war sehr nett von dir.« Dann legte ich ihr den Arm um die Schultern, merkte aber sofort, dass sie nicht von mir angefasst werden wollte, und ließ sie rasch wieder los.

»Es macht dir nichts aus, dass ich es Grandma Hoffman geschenkt habe und nicht dir?«, fragte sie ein wenig ängstlich.

»Natürlich nicht. Es ist ein schönes Foto, und du siehst ja, wie viel es meiner Mutter bedeutet.«

Zum ersten Mal seit langer Zeit lächelte Casey mich aufrichtig an. »Ich werde euch alle vermissen ... ich finde deine Mom so nett. Und sie ist witzig. Ich hatte noch nie eine Grandma, und ich ... Ich wollte, dass sie etwas hat, das sie an mich erinnert.«

Wir blieben danach nicht mehr lange, denn es wurde allmählich Zeit fürs Mittagessen, und danach machte Mom immer ein Nickerchen von ein bis zwei Stunden.

Im Einkaufszentrum besuchten wir als Erstes Sears, wo ich üblicherweise Codys Kleidung kaufte. Am Morgen hatte ich die zweiseitige Anzeige des Geschäfts in der Zeitung entdeckt, die damit lockte, dass die Jeans für Jungen im Preis herabgesetzt waren.

»Das Shirt solltest du ihm auch kaufen«, meinte Casey und hielt ein olivgrünes T-Shirt mit einem aufgedruckten Monster hoch.

Cody trug meistens Shirts in Primärfarben. Aus dem Alter, in dem er Sachen tragen wollte, die mit Disneyfiguren bedruckt waren, war er schon lange raus. Aber was es an geeigneten Alternativen gab, wusste ich nicht.

»Würde er das mögen?«, fragte ich.

»Und wie«, meinte Casey zuversichtlich.

»Na schön. Leg es mit auf den Stapel.«

Casey tat das und schaute sich das nächste an.

»Siehst du noch mehr Sachen, die ihm gefallen könnten?«

Sie nickte. »Jede Menge.«

»Sind die auch runtergesetzt?«

Casey deutete auf ein Schild: fünfzig Prozent Rabatt. Zusammen suchten wir noch drei T-Shirts, eine gute Hose und ein Hemd für die Kirche aus. Sie wählte außerdem eine Winterjacke für Cody aus, die ich niemals ausgesucht hätte.

Cody schoss in die Höhe wie eine gut gedüngte Pflanze, und ich hegte den Verdacht, dass er schon Weihnachten wieder aus diesen Jeans herausgewachsen sein würde. Bei den vielen Sonderangeboten und den günstigen Preisen fiel es schwer, nicht in einen Kaufrausch zu geraten.

Wir bezahlten unsere Einkäufe, und ich schlug vor, in die Teenagerabteilung zu gehen, um auch für Casey ein paar Dinge zu kaufen.

Die Idee gefiel ihr anscheinend nicht. »Wozu?«

»Du brauchst auch neue Sachen für die Schule.«

»Ich bekomme meine Sachen später. Mach dir darüber keine Gedanken.«

Da war sie wieder, ihre ablehnende Haltung, und ich wusste nicht, warum. »Casey, du brauchst deine Kleidung nicht gebraucht zu kaufen.«

Gelangweilt schaute sie weg. »Egal.«

»Lass uns wenigstens eine Jeans für dich aussuchen, okay?«

Jeder, der ihre missmutige Miene sah, musste glauben, dass ich sie bestrafte, und doch wusste ich, dass sie Freude am Shoppen hatte. Während wir die Sachen für Cody aussuchten, hatte sie Interesse, ja geradezu Feuereifer gezeigt. Und gut war sie dabei obendrein.

Trotz ihres Protests schaffte ich es, ihr wenigstens eine neue

Jeans zu kaufen. Alles andere lehnte sie ab. Warum, war mir ein Rätsel.

Beim Essen brachte ich das Gespräch darauf, wie sehr meine Mutter sich über ihr, Caseys, Geschenk gefreut hatte, und ganz allmählich begann sich die Laune des Mädchens zu heben. Auf dem Rückweg holten wir im Eiscafé die bestellte Eistorte ab.

Als wir schließlich nach Hause kamen, war der Rasen bereits gemäht. Durchs offene Wagenfenster atmete ich tief den typischen Geruch frisch gemähten Grases ein, der Erinnerungen an die Sommertage meiner Kinderzeit weckte. Casey trug unsere Einkäufe ins Haus, und ich stellte die Eistorte in die Kühltruhe in der Garage.

Brad und Cody standen am Küchentisch, als Casey stolz unsere Beute präsentierte. »Wow, das ist cool.« Begeistert hielt Cody das olivgrüne T-Shirt hoch.

»Casey hat es für dich ausgesucht«, sagte ich, und wir lächelten einander zu.

»Nimm sie bitte immer mit zum Einkaufen, Mom.« Rasch zog Cody sein altes T-Shirt aus und streifte sich sofort das neue über den Kopf. Die letzten Worte des Satzes drangen gedämpft durch den Stoff.

Casey senkte den Blick zu Boden. »Beim nächsten Mal bin ich nicht mehr hier.«

Brad wandte sich erst mir zu, dann Cody. Wir nickten beide.

»Doch, das bist du«, widersprach Brad leise.

Caseys Kopf fuhr hoch. »Wie meinst du das?«

»Wir wollen, dass du bei uns bleibst«, platzte Cody heraus. »Mom und Dad und ich haben darüber gesprochen, und wir wollen, dass du bleibst.«

Casey schien ihm nicht zu glauben. »Ich darf als euer Pflegekind bei euch bleiben?«

»Nein, Casey. Wir wollen, dass du unsere Tochter wirst und richtig zur Familie gehörst«, sagte ich, und mir versagte vor Rührung fast die Stimme. »Brad und ich möchten dich adoptieren.«

»Und ich will dich als große Schwester haben«, fügte Cody hinzu, der auf keinen Fall übergangen werden wollte. »Als du zu uns gekommen bist, mochte ich dich nicht. Ich wollte der Älteste sein, wenn sie ein Kind adoptieren.« Er grinste. »Aber, weißt du, es wäre gar nicht so schlecht, eine große Schwester zu haben.«

Casey starrte uns nur an.

»Wäre es dir recht, wenn wir dich adoptieren?«, fragte ich.

»Ihr meint das ernst?«, flüsterte sie kaum hörbar, als wollte sie absolut sichergehen, dass wir uns nicht nur einen grausamen Scherz mit ihr erlaubten.

Brad und Cody nickten eifrig.

»Das ist kein Trick, oder?« Ihr Blick bohrte sich förmlich in meinen, dann in Brads, bevor sie sich umdrehte, um Cody anzusehen.

»Nein, Casey, wir meinen es ernst«, erwiderte ich. »Wir lieben dich und wollen, dass du bei uns bleibst.«

»Für immer und ewig«, setzte Cody hinzu.

Ich sah, wie ihr Tränen in die Augen schossen. In all den Wochen, die sie jetzt schon bei uns lebte, hatte ich sie nicht einmal weinen sehen. Selbst an dem Tag nicht, an dem sie von ihrem Bruder gehört hatte und todunglücklich gewesen war. Gefühle zeigte sie nur so zaghaft, dass auch mir die Tränen in die Augen traten, als ich sah, wie sehr sie unser Angebot berührte.

»Deshalb gibt es heute Abend die Eistorte«, erklärte Cody fröhlich. »Deshalb kommen Tante Margaret und Onkel Matt heute Abend mit Hailey und Julia zu Besuch.«

Mühsam unterdrückte Casey ein Schluchzen und schlug sich beide Hände vor den Mund.

Ich streckte die Arme nach ihr aus und fürchtete fast, sie würde mich von sich stoßen wie schon so oft in der Vergangenheit. Aber sie ließ sich bereitwillig in die Arme nehmen und lehnte ihren Kopf gegen meine Brust, während ihr Körper vor Schluchzen bebte.

»Wir lieben dich, Casey«, flüsterte ich mit zugeschnürter Kehle.

»Ich … liebe dich auch – euch alle«, brachte sie mühsam hervor.

Leise murmelte ich Worte voller Zärtlichkeit, während sie sich an mich klammerte und ich mich an sie.

»Ich hatte gehofft … ich wollte nicht fort von euch und …« Sie schluckte, schluchzte.

»Wir sind jetzt dein Zuhause«, erklärte Brad und schloss uns beide in die Arme. Cody drängte sich dazu, und ich spürte, wie er mir seinen kleinen Arm um die Taille legte.

»Wir wollen deine Familie sein«, sagte Cody, »okay?« Es klang unglaublich süß.

»Okay«, flüsterte sie.

Familie.

Casey mochte als unerwartete Überraschung zu uns gekommen sein, aber sie hatte einen Platz in unseren Herzen gefunden und würde dort für immer bleiben.

Epilog

Es gibt kein Leben ohne Stricken; jedes Muster auf meinen Nadeln stellt eine exotische Herausforderung dar. Meine Liebe zum Stricken entspricht der Schwärmerei meiner Schwiegermutter für ihre Seifenopern. Auf dem Sterbebett sagte sie zu mir: »Es macht mir nichts aus, dass ich sterbe, aber könntet ihr einen Fernseher in meinen Sarg stellen, damit ich sehen kann, wie meine Geschichten ausgehen?« Genau dasselbe empfinde ich fürs Stricken. Könnte ich bitte Nadeln und jede Menge Wolle mit in den Sarg gelegt bekommen, damit ich sehe, wie meine Muster sich entwickeln?

Rita Weiss
www.creativepartnersllc.com

Dank Evelyn Boyle, die uns durch das Verfahren leitete, ging die Adoption schnell und problemlos über die Bühne. Nur einen Monat später standen Brad, Cody, Casey und ich vor einem Richter, um zu legalisieren, was fast im selben Augenblick begonnen hatte, in dem Casey in unserem Zuhause angekommen war.

Evelyn war bei uns, als der Richter ein paar einfache Fragen stellte und dann Casey Marie Goetz zu unserer Tochter erklärte.

Im Gerichtssaal herrschte respektvolles Schweigen. Nur meine Schwester Margaret, die in der ersten Bank saß, weinte wie ein Baby. Auch ich selbst war heftig gerührt, konnte aber die Tränen zurückhalten, bis der Richter seine Erklärung abgab. Dann schniefte ich und drehte mich um, um Casey in die Arme zu schließen.

Ihre Augen blieben trocken. Aber was ich darin las, war Freude – reinste, tiefste Freude. Sie erwiderte meine Umarmung, drückte mich fest in ihrer Begeisterung. Dann umarmte sie Brad und Cody, und schließlich – zu unser aller Erstaunen – wandte sie sich an den Richter.

»Wäre es Ihnen recht, wenn ich Sie auch umarme?«, fragte Casey, bereit, die Stufen zu seinem Podest hinaufzustürmen.

Zuerst wirkte der Richter völlig überrumpelt. »Eine solche Bitte wurde noch nie an mich herangetragen«, sagte er förmlich. Dann begann er zu grinsen. »Ich glaube, das fände ich sehr schön«, setzte er hinzu.

Casey lief die Stufen hinauf, der Richter stand auf und ließ sich von ihr umarmen.

»Du bist ein echter Glückspilz, Mädchen«, sagte er.

»Ich weiß«, erwiderte sie, und unsere Blicke trafen sich.

Im Hintergrund heulte immer noch Margaret, und ich konnte nicht anders, ich musste lachen. Cody und Brad stimmten mit ein. Man hätte meinen können, meine Schwester nähme an einer Beerdigung teil statt an einer Feier.

Plötzlich sah ich, dass Alix und Jordan auf den Zuschauerbänken saßen. Ich war gerührt, dass sie gekommen waren, ebenso wie einige andere unserer Freunde. Susannah vom Blumengeschäft saß neben Alix, und natürlich waren auch Anne Marie und Ellen da.

Als Brad, Cody, Casey und ich den Gerichtssaal verließen, folgten uns Margaret und Matt und danach unsere Freunde.

»Wir laden euch alle zum Essen ein«, rief Brad. »Es passiert schließlich nicht jeden Tag, dass man eine Tochter bekommt.«

»Noch dazu eine, die von der Erwachsenenkarte bestellen kann«, bemerkte Casey mit süffisantem Grinsen.

»Ich will auch von der Erwachsenenkarte bestellen«, rief Cody.

Irgendwer schlug vor, nach Chinatown zu gehen, und zufällig kannte Brad von seiner UPS-Route ein gutes Restaurant. Wir hatten schon einmal da gegessen, und es hatte mir ausgezeichnet geschmeckt. Außerdem konnten dort *alle* von der Erwachsenenkarte bestellen.

Beim Verlassen des Gerichtsgebäudes trafen wir auf Hutch und Phoebe. Um ehrlich zu sein, hatte ich vergessen, dass der Candy-Man-Prozess, wie er in den Medien genannt wurde, immer noch lief.

»Wir haben gewonnen!«, rief Phoebe jubelnd. »Die Jury hat vor weniger als einer halben Stunde ihre Entscheidung gefällt.«

»Gab es je irgendwelche Zweifel?«, fragte Hutch und zog die Brauen hoch.

»Du machst Witze, oder?«, sagte Phoebe zu ihm und wandte sich dann mir zu. »Ich wünschte nur, ihr hättet Clarks Gesicht sehen können, als er heute Nachmittag den Gerichtssaal betrat. Er ist doch tatsächlich davon ausgegangen, dass ich seinetwegen gekommen bin.«

Ich hatte den Fall in den Lokalnachrichten verfolgt. Meiner Meinung nach war Clark Snowden, der Anwalt der Klägerin, unglaublich von sich selbst eingenommen. Er schien für die Kameras zu posieren und kam mir übertrieben selbstsicher und selbstgefällig vor. Selbst wenn der Fall an sich nicht so lächerlich gewesen wäre, hätte allein schon seine Einstellung meine Meinung negativ beeinflusst. Von verschiedenen Gesprächen im Laden wusste ich, dass es anderen genauso ging.

Erst kürzlich hatte ich erfahren, was Phoebe mit Clark zu

tun hatte, also hatte ich ihn natürlich mit lebhaftem Interesse im Fernsehen unter die Lupe genommen.

»Phoebes Anwesenheit hat ihn schockiert«, meinte Hutch.

Ihre Augen funkelten vor Aufregung. »Als ich mich direkt hinter Hutch gesetzt habe, wusste Clark nicht, was er denken sollte.«

»Nachdem ich ihm gesagt hatte, dass du mich heiraten wirst, wusste er es dann aber schon.«

»Herzlichen Glückwunsch!«, sagte ich, bemerkte aber, dass sie unbedingt von dem Prozess erzählen wollten, und obendrein wollte ich unbedingt hören, was geschehen war.

»Nur gut, dass du Clark deinen Verlobungsring erst in der Pause gezeigt hast. Sonst hätte ihn der Richter bestimmt des Saales verwiesen.«

Schaudernd stimmte Phoebe ihm zu. »Ich dachte, gleich fängt er an zu schäumen.« Für einen kurzen Moment klang ihre Stimme traurig. »Mir tut es nur so leid für seinen Vater. Das war eine weitere Demütigung für Max. Was Clark sich heute im Gerichtssaal geleistet hat, darauf kann man nicht stolz sein.«

»Ja, sein Schlussplädoyer war so ziemlich das schwächste, das ich je gehört habe«, stimmte Hutch zu. »Kein Wunder, dass die Jury zu meinen Gunsten entschieden hat.«

»Da soll noch mal einer versuchen, mir meine Schokolade wegzunehmen«, stieß Margaret hervor, die zu uns getreten war.

Das sah ich genauso. Clark Snowden war ein Narr, wenn er meinte, einen Keil zwischen eine Frau und ihre Schokolade treiben zu können. Ich hatte beide Männer während der Verhandlung im Fernsehen gesehen und war fest davon überzeugt, dass Phoebe sich weise entschieden hatte, als sie Hutch wählte. Schließlich sah ich die beiden ungeheuer gern zusammen. Sie schienen in vielerlei Hinsicht perfekt zusammenzupassen, und es freute mich, zu sehen, dass ich recht behalten hatte mit meiner Vermutung, zwischen ihnen erblühe eine Romanze.

»Wir sind gekommen, um euch die Neuigkeiten zu erzählen und euch zu gratulieren«, sagte Hutch. »Das scheint ein Tag zum Feiern zu sein.«

»So ist es.« Brad lud Hutch und Phoebe ein, ebenfalls mit zum Essen zu kommen.

Leider musste Susannah in ihren Laden zurück. Als wir anderen das Restaurant betraten, erklärte Brad dem Inhaber, Mr. Wong, warum wir da waren, und im Nu fanden wir uns in einem vom übrigen Restaurant abgetrennten Saal wieder.

Mr. Wong erklärte, Speisekarten seien überflüssig, und kurz darauf wurden die Tische mit Tellern und Essstäbchen gedeckt, und uns wurde Tee serviert.

»Auf die Familie.« Brad hob seine Tasse, um mit uns anzustoßen.

Alle taten es ihm gleich.

»Wir haben euch etwas mitzuteilen«, sagte Jordan und lächelte Alix zärtlich an, die tatsächlich rot wurde.

»Ich bin schwanger«, erklärte sie. »Jordan und ich bekommen ein Baby.«

»Glückwunsch!«, riefen alle.

»Auf den Familienzuwachs!« Erneut hob Brad die Tasse.

»Wir haben euch auch etwas mitzuteilen«, meldete sich Hutch zu Wort und ergriff Phoebes rechte Hand.

»Du bist auch schwanger?« Margaret klang schockiert.

»Noch nicht«, meinte Phoebe lachend, »aber hoffentlich bald nach unserer Hochzeit. Wir heiraten im Oktober.« Damit hob sie ihre linke Hand, um allen ihren Verlobungsring zu zeigen.

»Darf ich Ringträger sein?«, fragte Cody.

»Cody«, flüsterte ich, »du solltest abwarten, ob du gefragt wirst.«

»Oh! Wenn Cody Ringträger ist, darf ich dann Blumenmädchen sein?«, quietschte Ellen.

»Ellen!« Anne Marie war sichtlich verlegen.

»Es macht auch nichts, wenn nicht«, versicherte die Neunjährige. »Ich will an einer Hochzeitsfeier teilnehmen, aber wenn nicht an eurer, dann an Moms.«

Anne Marie lief knallrot an. »Ellen!«

»Wird deine Mutter heiraten?«, fragte Brad neckend.

Ellen pustete auf ihren Tee und nippte vorsichtig daran. Dann nickte sie. »Wir wissen nur noch nicht, wen sie heiraten wird. Da gibt es meinen Dad, und da gibt es Mel. Aber ich mag meinen Dad lieber.«

»Ich halte es für eine tolle Idee, wenn ihr beide zu unserer Hochzeit kommt«, wandte Phoebe sich an die Kinder. Dann breitete sie die Arme aus. »Ich möchte, dass ihr alle kommt.«

»Und wisst ihr, was? Unsere Hochzeitstorte wird eine Schokoladentorte sein«, fügte Hutch hinzu.

Alle lachten.

Dann kam das Essen. Servierplatte nach Servierplatte wurde von einer ganzen Heerschar von Kellnern hereingetragen. Während alle sich auffüllten, fiel mir auf, wie still Casey geworden war. Sie saß neben mir, und ich griff nach ihrer Hand.

»Stimmt irgendwas nicht?«, fragte ich sie leise.

»Nein, nein.« Sie schüttelte den Kopf. »Ich habe mich nur gerade gefragt, ob ich mich immer so fühlen werde.«

»Wie denn?«

Sie griff sich ans Herz. »Glücklich«, flüsterte sie. »Richtig, richtig glücklich.«

»Ich hoffe, dass dieses Glücksgefühl dich nie verlässt«, flüsterte ich zurück.

»Jetzt gehöre ich endlich dazu«, sagte sie so gerührt, dass es mir die Kehle zuschnürte. »Ich gehöre dazu.«

»Ja«, erwiderte ich und legte ihr meinen Arm um die Schultern. »Du gehörst zu uns.«

Ich teilte das Gefühl meiner Tochter. Auch ich gehörte dazu – zu meinem Ehemann, meinem Zuhause, meiner Familie. Zu einer ganz besonderen Welt mit all meinen Freunden aus der Blossom Street.